ユーキャンの
甲種危険物取扱者
1回でうかる! 予想模試
第2版

目　次

本書の使い方

問題編 ／ まとめページ

本書では、６回分の予想模擬試験を掲載しています。予想模擬試験を通して解くことで出題傾向や実力を把握し、学習の参考としてください。

第1回 予想模擬試験

▶解答カード P.103
▶解答／解説
別冊 P.1〜17

危険物に関する法令

問題１　次の文の（　　）内に当てはまる語句として、正しいものはどれか。
「法別表第一の性質欄に掲げる性状の２以上を有する物品（複数性状物品）の属する品名は規則により定められている。複数性状物品のうち、酸化性固体の性状および自己反応性物質の性状を有する場合は、法別表第一（　　）の項第11号に該当する。」
⑴　第１類　　⑵　第２類　　⑶　第３類　　⑷　第５類　　⑸　第６類

問題２　次の４基の屋外貯蔵タンク（岩盤タンクおよび特殊液体危険物タンク以外のもの）を、同一の防油堤内に設置する場合、この防油堤の必要最小限の容量として、正しいものはどれか。

1号タンク	重油	500kL	3号タンク	軽油	300kL
2号タンク	ガソリン	200kL	4号タンク	灯油	400kL

⑴　500kL　⑵　550kL　⑶　900kL　⑷　1,400kL　⑸　1,540kL

問題３　法令上、10日前までに市町村長等に届出をする必要があるものは、次のうちどれか。
⑴　製造所等の譲渡または引渡しを受けるとき。
⑵　製造所等の用途を廃止するとき。
⑶　危険物保安監督者を定めなければならない施設において、危険物保安監督者を選任するとき。
⑷　製造所等の位置、構造または設備を変更しないで、その製造所等で貯蔵または取り扱う危険物の品名、数量または指定数量の倍数を変更するとき。
⑸　危険物施設保安員を定めなければならない施設において、危険物施設保安員を選任するとき。

18

本試験と同じ条件でチャレンジ

実際の試験時間を参考に、解答目標時間を決めてチャレンジしましょう。

お役立ち　まとめページ

1 危険物の性状

1 第１類危険物：酸化性固体
塩素酸塩類、過塩素酸塩類、無機過酸化物、亜塩素酸塩類、臭素酸塩類、硝酸塩類、よう素酸塩類、過マンガン酸塩類、重クロム酸塩類など

共通する主な性状	貯蔵・取扱い・火災予防の方法
・分子構造中に**酸素**を含有する。加熱・衝撃・摩擦等によって**分解**すると、その酸素を放出し、周囲の可燃物の燃焼を促進する（**強酸化剤**）。 ・自分自身は燃焼しない（**不燃性**）。 ・一般に**可燃物**、**有機物**などの酸化されやすい物質（還元性物質）と混合すると、加熱・衝撃・摩擦等により**爆発**する危険性がある。 ・**無色の結晶**や**白色の粉末**が多い。 ・**アルカリ金属の過酸化物**およびこれらを含有するものは、**水**と反応して**熱**と**酸素**を発生する。	・**火気**・**加熱**・**衝撃**・**摩擦**を避ける。 ・**可燃物**、**有機物**などの酸化されやすい物質や、**強酸**との接触を避ける。 ・容器を**密栓**して、換気のよい**冷暗所**に貯蔵する。 ・**アルカリ金属の過酸化物**は**水**との接触を避ける。 ・**潮解性**があるものは**防湿**に注意する。 **消火の方法** ・**大量の水で冷却**し、分解温度以下に温度を下げて危険物の分解を抑制する。 ・**アルカリ金属の過酸化物**の火災には、**粉末消火剤**または**乾燥砂**を使用する。

2 第２類危険物：可燃性固体
硫化りん、赤りん、硫黄、鉄粉、金属粉、マグネシウム、引火性固体

共通する主な性状	貯蔵・取扱い・火災予防の方法
・いずれも**可燃性**の**固体**である。 ・燃えやすい（**酸化されやすい**）物質である。 ・**酸化剤**と接触または混合すると加熱や打撃等により**爆発**する危険性がある。 ・比較的**低い温度**で**着火**・**引火**しやすい。 ・それ自体が**有毒**なもの、または燃焼すると**有毒ガス**を発生するものがある。 ・**燃焼速度**が速い。 ・一般に、**比重は１より大きい**。 ・一般に、**水には溶けない**。 ・**微粉状**のものは、空気中で**粉じん爆発**を起こしやすい。	・**酸化剤**との接触や混合を避ける。 ・**炎**、**火花**等との接触、**加熱**を避ける。 ・一般に**防湿**に注意し、容器は**密封**。 ・鉄粉、金属粉、マグネシウムは、**水**または**酸**との接触を避ける。 **消火の方法** ・**硫化りん**、**鉄粉**、**金属粉**、**マグネシウム** ⇒**乾燥砂**などによる**窒息消火** ・**引火性固体** ⇒泡、二酸化炭素、ハロゲン化物、粉末消火剤による**窒息消火** ・**赤りん**、**硫黄** ⇒水、強化液、泡による**冷却消火**

9

必須知識を確認

P.9からのお役立ちまとめページで、試験に必須の事項を確認できます。

よくわかる解答/解説 編

全96ページの別冊で、詳しく解説しています。問題を解くだけで終わらせず、解説をしっかり読んで実力アップにつなげましょう。

丁寧な解説

1問、1問、丁寧にわかりやすく解説しています。全270問の解答/解説を読むことで、自然に試験のポイントが身に付きます。

予想模擬試験　解答／解説

第1回

問題7 解答 (2)　速習P.353

A **正しい。定期点検**は、原則として**危険物取扱者**または**危険物施設保安員**が行うこととされています。危険物取扱者であれば、甲種～丙種を問いません。

B **正しい。危険物施設保安員**であれば定期点検を行うことができます。その危険物施設保安員が危険物取扱者免状の交付を受けているかどうかは問いません。なぜなら、製造所等の定期点検は、危険物の取扱いそのものではないからです。

C **誤り。**危険物取扱者免状の交付を受けていない**危険物保安統括管理者**は、危険物取扱者でも危険物施設保安員でもないので、**危険物取扱者の立会い**がない限り、定期点検を行うことはできません。

D **正しい。**定期点検は、例外として**危険物取扱者の立会い**があれば、危険物取扱者や危険物施設保安員以外の者であっても行うことができます。**丙種危険物取扱者**は、無資格者が危険物を取り扱う際の立会いは行えませんが、定期点検の立会いは行うことができます。

したがって、誤っているものはC1つで、(2)が正解です。

問題8 解答 (4)　速習P.412～414

(1)**正しい。**右の図①の通りです。
(2)**正しい。**右の図②の通りです。
(3)**正しい。**右の図③の通りです。
(4)**誤り。**「**禁水**」は、第1類危険物のうちアルカリ金属の過酸化物（もしくはこれを含有するもの）または第3類危険物の禁水性物品等を貯蔵または取り扱う場合に掲げます。「過酸化物を除く第1類」というのは誤りです。
(5)**正しい。**「**火気注意**」は、引火性固体以外の第2類危険物を貯蔵または取り扱う場合に掲げます。

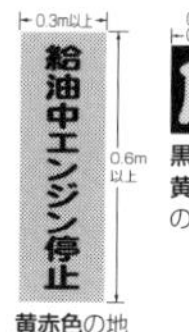

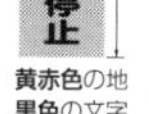

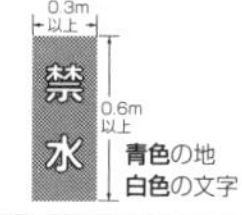		
第1類危険物 （アルカリ金属の過酸化物またはこれを含有するもの） **第3類危険物** （禁水性物品、アルキルアルミニウム、アルキルリチウム）	**第2類危険物** （引火性固体以外のすべて）	**第2類危険物** （引火性固体） **第3類危険物** （自然発火性物品、アルキルアルミニウム、アルキルリチウム） **第4類危険物** **第5類危険物**

5

基本書に対応

姉妹書『速習レッスン』の該当ページを表示。より詳しい解説を参照する際に役立ててください。

速習

図解・まとめも豊富!

理解を助ける図解や重要事項のまとめ一覧で知識を固めましょう。

甲種危険物取扱者の資格について

1 危険物取扱者とは

危険物取扱者は、“燃焼性の高い物品”として消防法で規定されているガソリン・灯油・軽油・塗料等の危険物を、大量に「製造・貯蔵・取扱い」する各種施設で必要とされる**国家資格**です。

危険物取扱者の資格は「甲種」「乙種」「丙種」の３種類に分けられます。

本書が対象とする**甲種**は、**全種類の危険物**を扱うことができる、**最上位の資格**です。

<table>
<tr><th></th><th colspan="2">資　格</th><th>取扱い可能な危険物</th></tr>
<tr><td rowspan="8">危険物取扱者</td><td colspan="2">甲　種</td><td>全種類の危険物</td></tr>
<tr><td rowspan="6">乙種</td><td>第１類</td><td>塩素酸塩類、過塩素酸塩類、無機過酸化物、亜塩素酸塩類、臭素酸塩類、硝酸塩類、よう素酸塩類、過マンガン酸塩類などの酸化性固体</td></tr>
<tr><td>第２類</td><td>硫化りん、赤りん、硫黄、鉄粉、金属粉、マグネシウム、引火性固体などの可燃性固体</td></tr>
<tr><td>第３類</td><td>カリウム、ナトリウム、アルキルアルミニウム、アルキルリチウム、黄りんなどの自然発火性物質および禁水性物質</td></tr>
<tr><td>第４類</td><td>ガソリン、アルコール類、灯油、軽油、重油、動植物油類などの引火性液体</td></tr>
<tr><td>第５類</td><td>有機過酸化物、硝酸エステル類、ニトロ化合物、アゾ化合物、ヒドロキシルアミンなどの自己反応性物質</td></tr>
<tr><td>第６類</td><td>過塩素酸、過酸化水素、硝酸、ハロゲン間化合物などの酸化性液体</td></tr>
<tr><td colspan="2">丙　種</td><td>ガソリン、灯油、軽油、重油など第４類の指定された危険物</td></tr>
</table>

2 甲種危険物取扱者試験について

▶▶▶試験実施機関

都道府県知事から委託を受けた、**消防試験研究センター**（の各道府県支部および東京都は中央試験センター）が実施します。

▶▶▶受験資格

甲種危険物取扱者試験を受験するには、次のいずれかの資格が必要です。

1　大学等において化学に関する学科等を修めて卒業した者

2　大学等において化学に関する授業科目を15単位以上修得した者

3　乙種危険物取扱者免状を有する者

①乙種危険物取扱者免状の交付を受けた後、危険物製造所等における危険物取扱いの実務経験が２年以上の者

②次の４種類以上の乙種危険物取扱者免状の交付を受けている者

- 第１類または第６類
- 第２類または第４類
- 第３類
- 第５類

4　化学に関する学科または課程について、修士・博士の学位を有する者

▶▶▶試験科目・問題数・試験時間

危険物に関する法令	15問	2時間30分
物理学および化学	10問	
危険物の性質ならびにその火災予防および消火の方法	20問	

▶▶▶出題形式

５つの選択肢の中から正答を１つ選ぶ、**五肢択一**の**マークシート方式**です。

▶▶▶合格基準

試験科目ごとの成績が、**それぞれ60%以上の場合に合格**となります。

※**3科目中1科目でも60%を下回ると不合格**となります。

▶▶▶合格率

合格率は概ね30〜40％です。

3 受験の手続き

▶▶▶受験会場

危険物取扱者の試験は都道府県単位で行われており、居住地・勤務地に関係なく**全国どこの都道府県でも、何回でも受験できます**。

▶▶▶受験案内・受験願書

消防試験研究センターの各支部等、または各消防署等で入手できます。
受験願書は全国共通です。

▶▶▶申込方法

受験の申込みには、**書面申請**（願書を書いて郵送する）と、**電子申請**（消防試験研究センターのホームページから申し込む）があります。

▶▶▶試験日

受験する都道府県によって異なりますが、各都道府県で年に複数回行われています。

▶▶▶試験地

各都道府県（専用施設や大学・専門学校等）

▶▶▶試験当日の持ち物

写真を貼付した受験票、鉛筆（HBまたはB)、消しゴム

計算問題が出題されることがありますが、電卓・テンプレート等の定規類や携帯電話その他の機器の使用は禁止されているので注意しましょう。

試験の詳細、お問い合わせ等

(一財)消防試験研究センター

ホームページ　https://www.shoubo-shiken.or.jp/

電　話：03-3597-0220（本部）

※受験資格、受験スケジュール等の詳細や各都道府県支部の所在地等もホームページから確認することができます。

お役立ち　まとめページ

1 危険物の性状

1 第1類危険物：酸化性固体

塩素酸塩類、過塩素酸塩類、無機過酸化物、亜塩素酸塩類、臭素酸塩類、硝酸塩類、よう素酸塩類、過マンガン酸塩類、重クロム酸塩類など

共通する主な性状	貯蔵・取扱い・火災予防の方法
● 分子構造中に**酸素**を含有する。加熱・衝撃・摩擦等によって**分解**すると、その酸素を放出し、周囲の可燃物の燃焼を促進する（**強酸化剤**）。 ● 自分自身は燃焼しない（**不燃性**）。 ● 一般に**可燃物**、**有機物**などの酸化されやすい物質（還元性物質）と混合すると、加熱・衝撃・摩擦等により**爆発**する危険性がある。 ● **無色の結晶**や**白色の粉末**が多い。 ● **アルカリ金属の過酸化物**およびこれらを含有するものは、**水**と反応して**熱**と**酸素**を発生する。	● **火気**・**加熱**・**衝撃**・**摩擦**を避ける。 ● **可燃物**、**有機物**などの酸化されやすい物質や、**強酸**との接触を避ける。 ● 容器を**密栓**して、換気のよい**冷暗所**に貯蔵する。 ● **アルカリ金属の過酸化物**は**水**との接触を避ける。 ● **潮解性**があるものは**防湿**に注意する。 **消火の方法** ● **大量の水で冷却**し、分解温度以下に温度を下げて危険物の分解を抑制する。 ● **アルカリ金属の過酸化物**の火災には、**粉末消火剤**または**乾燥砂**を使用する。

2 第2類危険物：可燃性固体

硫化りん、赤りん、硫黄、鉄粉、金属粉、マグネシウム、引火性固体

共通する主な性状	貯蔵・取扱い・火災予防の方法
● いずれも**可燃性**の**固体**である。 ● 燃えやすい（**酸化されやすい**）物質である。 ● **酸化剤**と接触または混合すると加熱や打撃等により**爆発**する危険性がある。 ● 比較的**低い温度**で**着火**・**引火**しやすい。 ● それ自体が**有毒**なもの、または燃焼すると**有毒ガス**を発生するものがある。 ● **燃焼速度**が**速い**。 ● 一般に、**比重**は**1より大きい**。 ● 一般に、**水には溶けない**。 ● **微粉状**のものは、空気中で**粉じん爆発**を起こしやすい。	● **酸化剤**との接触や混合を避ける。 ● **炎**、**火花**等との接触、**加熱**を避ける。 ● 一般に**防湿**に注意し、容器は**密封**。 ● 鉄粉、金属粉、マグネシウムは、**水**または**酸**との接触を避ける。 **消火の方法** ● **硫化りん、鉄粉、金属粉、マグネシウム** ⇒**乾燥砂**などによる**窒息消火** ● **引火性固体** ⇒泡、二酸化炭素、ハロゲン化物、粉末消火剤による**窒息消火** ● **赤りん、硫黄** ⇒水、強化液、泡による**冷却消火**

3 第３類危険物：自然発火性物質および禁水性物質

カリウム、ナトリウム、アルキルアルミニウム、アルキルリチウム、黄りんなど

共通する主な性状	貯蔵・取扱い・火災予防の方法
・常温（20℃）で**固体**のものもあれば、**液体**のものもある。 ・**無機**の単体・化合物だけでなく、**有機化合物**も含まれる。 ・**空気**または**水**と接触することによって直ちに危険性が生じる。 ・それ自体燃えるもの（**可燃性**）だけでなく、燃えないもの（**不燃性**）もある。 ・黄りんは**自然発火性**のみ、リチウムは**禁水性**のみというように、一方の性質だけを有する物品もあるが、大部分は自然発火性と禁水性の**両方の性質**を有する。	・禁水性の物品は**水との接触**を避ける。 ・自然発火性の物品は**空気との接触**を避ける。 ・自然発火性の物品は**炎**、**火花**、**高温体との接触**または**加熱**を避ける。 ・湿気を避け、**容器は密封**する。 ・通風・換気のよい**冷暗所**に保管する。 ・物品により、**不活性ガス**の中で貯蔵したり、**保護液**の中に小分けして貯蔵したりする。

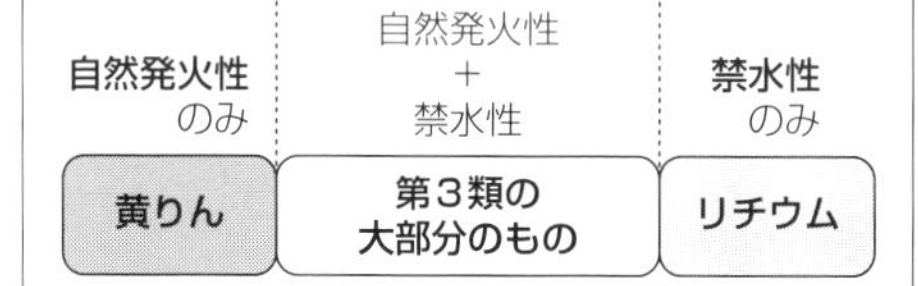

消火の方法

・**禁水性**の物品に**水・泡系は使用不可**。

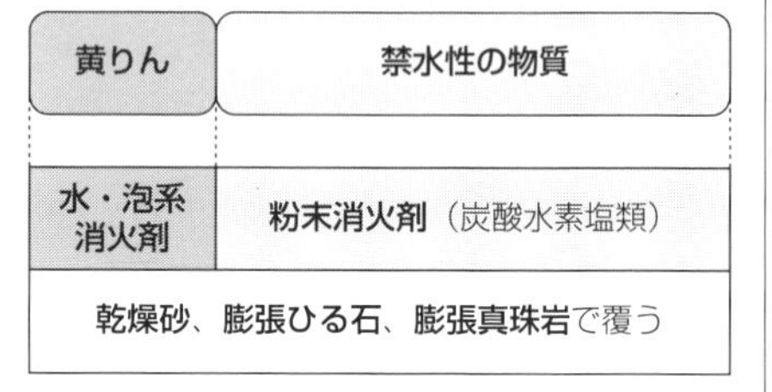

4 第４類危険物：引火性液体

ガソリン、特殊引火物、アルコール類、灯油、軽油、重油、ギヤー油、動植物油類など

共通する主な性状	貯蔵・取扱い・火災予防の方法
・常温または加熱することで**可燃性蒸気**が発生し、火気等により**引火する危険性**がある。 ・水に溶けない**非水溶性**のものが多く、**比重**（液比重）も**１より小さい**ものがほとんどである。 ・**蒸気比重**が**１より大きい**ため、空気より重く、**低所**に**滞留**する。 ・液体なので、配管やホース内を流動する場合などに**静電気を発生しやすい**。水溶性のものを除いて電気の**不導体が多い**ため、発生した静電気が**蓄積**されやすい。	・**火気**や**火花**などを近づけない。 ・**低所の換気**や**通風**を十分に行う。 ・可燃性蒸気は**屋外の高所に排出**する。 ・**静電気**による**放電火花**が点火源とならないようにする。

消火の方法

・**窒息消火**または**抑制消火**が効果的。
・**水に溶けず、水に浮く危険物**の場合
⇒**水による消火**や**強化液の棒状放射**を避ける。
・**水に溶ける危険物**の場合
⇒泡消火剤には**水溶性液体用泡消火剤**（**耐アルコール泡**）を使用する。

5 第5類危険物：自己反応性物質

有機過酸化物、硝酸エステル類、ニトロ化合物、アゾ化合物、金属のアジ化物など

共通する主な性状	貯蔵・取扱い・火災予防の方法
・**可燃性**の**固体**または**液体**である。 ・有機の**窒素化合物**が多い。 ・**比重**（液比重）は**1より大きい**。 ・大部分のものが**酸素**を分子内に含んでおり、自己燃焼しやすく、**燃焼速度**が非常に速い。 ・加熱、衝撃、摩擦等によって発火し、**爆発**を起こすものが多い。 ・**引火性**を有するものがある。 ・長時間空気中に放置すると分解が進み、**自然発火**するものがある。 ・金属と作用して、**爆発性の金属塩**をつくるものがある。 ・**水とは反応しない**ので、水との接触で火災発生につながる危険性は小さい。	・**火気**、**加熱**、**衝撃**、**摩擦**等を避ける。 ・通風のよい**冷暗所**に貯蔵する。 ・分解しやすいものは、特に**室温**、**湿気**、**通風**に注意する。 **消火の方法** ・一般的には**大量の水**または**泡消火剤**によって分解温度未満に**冷却**する。 ・一般に可燃物と酸素供給体とが共存し、自己燃焼性があるため、酸素の供給を断つ**窒息消火**（ガス系・粉末系消火剤）**は効果がない**。 ・**アジ化ナトリウム**の火災には、水・泡系消火剤は厳禁。

6 第6類危険物：酸化性液体

過塩素酸、過酸化水素、硝酸、ハロゲン間化合物

共通する主な性状	貯蔵・取扱い・火災予防の方法
・いずれも**不燃性**の液体である。 ・**酸化力**が強く、可燃物、有機物と混ぜるとこれを酸化させ、場合によっては着火させることがある（**強酸化剤**）。 ・いずれも**無機化合物**である。 ・**腐食性**があり、皮膚等を侵す。 ・ほとんどのものが**刺激臭**を有する。 ・蒸気が**有毒**であるものが多い。 ・分解して、**有毒ガス**を発生するものが多い。 ・**水**と激しく反応し、**発熱**するものがある。 ・比重が1より**大きく**、水よりも重い。	・**可燃物**、**有機物**、**還元剤**との接触を避ける。 ・**火気**、**日光の直射**を避ける。 ・**通風**のよい場所で取り扱う。 ・貯蔵容器は**耐酸性**のものとする。 ・**皮膚**を**腐食**するので、適切な**保護具**を着用する。 ・容器は**密栓**する（**過酸化水素は例外**）。 **消火の方法** ○適応する消火剤 　• **水・泡系消火剤**　＊ただし、**ハロゲン間化合物**の火災には、水・泡系消火剤は厳禁。 　• 粉末消火剤（**りん酸塩類**） 　• 乾燥砂、膨張真珠岩など ✕適応しない消火剤 　• **ガス系消火剤** 　• 粉末消火剤（**炭酸水素塩類**） ・流出事故の際は、乾燥砂をかけるか中和剤で中和する。

7 水と反応してガスを発生する危険物

水と反応してガスを発生する危険物		発生するガス
第１類危険物	過酸化カリウム、過酸化ナトリウム 過酸化バリウム（熱湯）、過酸化マグネシウム	酸素
	次亜塩素酸カルシウム	塩化水素
第２類危険物	三硫化四りん（熱湯）、五硫化二りん、七硫化四りん	硫化水素（有毒）
	アルミニウム粉、亜鉛粉、マグネシウム	水素
第３類危険物	カリウム、ナトリウム リチウム、カルシウム、バリウム 水素化ナトリウム、水素化リチウム	水素
	ジエチル亜鉛	エタン　など
	りん化カルシウム	りん化水素
	炭化カルシウム	アセチレンガス
	炭化アルミニウム	メタンガス
	トリクロロシラン	塩化水素
第６類危険物	三ふっ化臭素、五ふっ化臭素、五ふっ化よう素	ふっ化水素

8 注水による消火を避ける危険物

第１類危険物	過酸化カリウム、過酸化ナトリウム 過酸化カルシウム、過酸化バリウム、過酸化マグネシウム
第２類危険物	三硫化四りん、五硫化二りん、七硫化四りん 鉄粉、アルミニウム粉、亜鉛粉、マグネシウム
第３類危険物	黄りん[*1]を除くすべて
第４類危険物	すべて[*2]
第５類危険物	アジ化ナトリウム[*3]
第６類危険物	ハロゲン間化合物（三ふっ化臭素、五ふっ化臭素、五ふっ化よう素）

＊1：黄りんも高圧での注水は飛散のおそれがあるため不適切
＊2：水噴霧であれば可とするものあり（二硫化炭素、アセトアルデヒド、酸化プロピレン、アセトン、ピリジン、ジエチルアミン）
＊3：火災の際の熱によって金属ナトリウム（第３類危険物）を生じるため

9 保護液中に貯蔵する物品

類	品名または物品	適している保護液
第３類	カリウム、ナトリウム	灯油、軽油、流動パラフィン、ヘキサン
	黄りん	水
第４類	二硫化炭素	水
第５類	ニトロセルロース	エタノールまたは水で湿潤に

カリウム、ナトリウムの
保護液として、
エタノール等のアルコール、
二硫化炭素、グリセリンは
適しません。

お役立ち　まとめページ

2 危険物に関する法令

1 危険物の指定数量

類別	品　名	性　質　※(　)内は主な物品名	指定数量
第1類		第1種酸化性固体	50kg
		第2種酸化性固体	300kg
		第3種酸化性固体	1,000kg
第2類	硫化りん		100kg
	赤りん		100kg
	硫黄		100kg
		第1種可燃性固体	100kg
	鉄粉		500kg
		第2種可燃性固体	500kg
	引火性固体		1,000kg
第3類	カリウム		10kg
	ナトリウム		10kg
	アルキルアルミニウム		10kg
	アルキルリチウム		10kg
		第1種自然発火性および禁水性物質	10kg
	黄りん		20kg
		第2種自然発火性および禁水性物質	50kg
		第3種自然発火性および禁水性物質	300kg
第4類	特殊引火物	（ジエチルエーテル、二硫化炭素等）	50L
	第1石油類	非水溶性液体（ガソリン、ベンゼン等）	200L
		水溶性液体（アセトン等）	400L
	アルコール類		400L
	第2石油類	非水溶性液体（灯油、軽油等）	1,000L
		水溶性液体（酢酸等）	2,000L
	第3石油類	非水溶性液体（重油、クレオソート油等）	2,000L
		水溶性液体（グリセリン等）	4,000L
	第4石油類		6,000L
	動植物油類		10,000L
第5類		第1種自己反応性物質	10kg
		第2種自己反応性物質	100kg
第6類			300kg

※指定数量の単位は、第4類のみL

2 各種申請手続き

申請	手続き事項	内容	申請先
許可	製造所等の**設置**		市町村長等
	製造所等の位置・構造・設備の**変更**	無許可で工事に着手した場合は、設置許可の取消しまたは使用停止命令を受ける	
承認	**仮使用**	使用中の製造所等で一部変更工事中、工事とは関係のない部分の全部または一部を仮に使用する	
	仮貯蔵・仮取扱い	製造所等以外の場所で、指定数量以上の危険物を、10日以内の期間、仮に貯蔵または取り扱う	**消防長**または**消防署長**
検査	完成検査	着工した工事が完了した際、技術上の基準に適合しているかの検査	市町村長等
	完成検査前検査	液体危険物タンクを有する場合のタンクの漏れや変形についての検査	
	保安検査	屋外タンク貯蔵所、移送取扱所のうち大規模なものに義務付けられる検査	
認可	予防規程の作成・変更		

3 各種届出手続き

届出を必要とする手続き	届出期限	届出先
製造所等の**譲渡**または**引渡し**	遅滞なく	市町村長等
製造所等の**用途の廃止**	遅滞なく	
危険物の**品名**、**数量** または**指定数量の倍数**の**変更**	変更しようとする日の**10日前**まで	
危険物保安監督者の選任・解任	遅滞なく	
危険物保安統括管理者の選任・解任	遅滞なく	

4 許可の取消し・使用停止命令

許可の取消し＋使用停止命令	使用停止命令のみ
● 無許可**変更**	● 基準**遵守**命令**違反**
● 完成**検査前使用**	● 危険物保安**統括管理者未選任等**
● 基準**適合**命令**違反**	● 危険物**保安監督者未選任等**
● 保安**検査未実施**	● 危険物保安監督者等の**解任**命令**違反**
● 定期**点検未実施等**	

設置許可の取消しを含む事項は**施設的な面での違反**、使用停止命令のみの対象事項は**人的な面での違反**というふうに考えると理解しやすくなります。

5 製造所等の災害防止の取組み

保安距離が必要	保有空地が必要
製造所	
屋内貯蔵所	
屋外タンク貯蔵所	
屋外貯蔵所	
一般取扱所	
×	屋外に設ける簡易タンク貯蔵所
×	地上に設ける移送取扱所

	危険物保安監督者	危険物保安統括管理者	危険物施設保安員
主な業務	危険物取扱作業の保安に関する業務	大量の第４類危険物を取り扱う事業所で全般の危険物の保安に関する業務の統括管理	危険物**保安監督者のもと**での保安業務の補佐
資格要件	**６か月**以上の**実務経験**を有する、**甲種**・**乙種**危険物取扱者	資格要件なし	
選任を常に必要とする製造所等	● **製造所** ● **屋外タンク貯蔵所** ● **給油取扱所** ● **移送取扱所**	第４類危険物を取り扱う次の事業所 ● 指定数量の倍数が3,000以上の製造所、一般取扱所 ● 指定数量以上の移送取扱所	● 指定数量の倍数が100以上の製造所、一般取扱所 ● すべての移送取扱所

危険物保安監督者の選任を常に必要としないのは、移動タンク貯蔵所のみです。上の表以外の製造所等の規定については別冊のP.83の表を参照してください。

	予防規程	定期点検
製造所	指定数量の10倍以上	指定数量の10倍以上地下タンクを有する場合
一般取扱所	指定数量の10倍以上	
屋外貯蔵所	指定数量の100倍以上	
屋内貯蔵所	指定数量の150倍以上	
屋外タンク貯蔵所	指定数量の200倍以上	
地下タンク貯蔵所	×	すべて
移動タンク貯蔵所	×	すべて
給油取扱所	すべて※	地下タンクを有する場合
移送取扱所	すべて	すべて

※自家用給油取扱所のうち屋内給油取扱所は除く

6 危険等級等

■危険等級（危険性の程度に応じ３段階に区分されている）

危険等級	類　別	品名等
Ⅰ	第１類	第１種酸化性固体の性状を有するもの
	第３類	カリウム、ナトリウム、アルキルアルミニウム、アルキルリチウム、黄りん、第１種自然発火性物質、禁水性物質の性状を有するもの
	第４類	**特殊引火物**
	第５類	第１種自己反応性物質の性状を有するもの
	第６類	すべて
Ⅱ	第１類	第２種酸化性固体の性状を有するもの
	第２類	硫化りん、赤りん、硫黄、第１種可燃性固体の性状を有するもの
	第３類	危険等級Ⅰに該当しないもの
	第４類	**第１石油類、アルコール類**
	第５類	危険等級Ⅰに該当しないもの
Ⅲ	―	第１類、第２類、第４類で上記以外のもの

■運搬容器に収納する危険物に応じた注意事項

第１類危険物	ほとんどすべて（一部例外）	火気・衝撃注意、可燃物接触注意
第２類危険物	引火性固体以外（一部例外）	火気注意
	引火性固体のみ	火気厳禁
第３類危険物	自然発火性物品	空気接触厳禁、火気厳禁
	禁水性物品	禁水
第４類危険物	すべて	火気厳禁
第５類危険物	すべて	火気厳禁、衝撃注意
第６類危険物	すべて	可燃物接触注意

■類を異にする危険物の積載（○印は混載可能）

危険物の類	第１類	第２類	第３類	第４類	第５類	第６類
第１類		×	×	×	×	○
第２類	×		×	○	○	×
第３類	×	×		○	×	×
第４類	×	○	○		○	×
第５類	×	○	×	○		×
第６類	○	×	×	×	×	

※指定数量の10分の１以下の危険物は、この表とは関係なく混載可能

足して７になる組合せは混載可能です。
また、２類、４類、５類はそれぞれ混載可能です。

覚えておきたい公式など

✔ **圧力**（N/㎡ または Pa）＝ $\frac{\text{力の大きさ（N）}}{\text{面の面積（㎡）}}$

✔ **質量パーセント濃度**（% または wt%）＝ $\frac{\text{溶質の質量（g）}}{\text{溶液の質量（g）}}$ ×100

✔ **モル濃度**（mol/L）＝ $\frac{\text{溶質の物質量（mol）}}{\text{溶液の体積（L）}}$

✔ **可燃性蒸気の濃度**（vol%）＝ $\frac{\text{蒸気の体積（L）}}{\text{蒸気の体積（L）＋ 空気の体積（L）}}$ ×100

✔ **化学反応式**

	$2H_2$（水素） ＋	O_2（酸素） →	$2H_2O$（水蒸気）
分子の数	2分子	1分子	2分子
物質量	2 mol	1 mol	2 mol
質量	4 g（2 g×2）	32 g（32 g×1）	36 g（18 g×2）
体積	44.8 L	22.4 L	44.8 L

✔ **熱化学方程式**

$$H_2 + \frac{1}{2}O_2 = H_2O\text{（液）} + 286\text{kJ}$$

水素 **1 mol**が完全燃焼すると、**286kJ**発熱する（発熱反応）

↓

∴水素 **n** molが完全燃焼すると、**286× n** kJ発熱する

反応熱は必ず右辺に書き、発熱反応は＋、吸熱反応は－の符号をつけます。

第1回 予想模擬試験

▶解答カード P.103
▶解答／解説
別冊 P.1～17

危険物に関する法令

問題1　次の文の（　　）内に当てはまる語句として、正しいものはどれか。

「法別表第一の性質欄に掲げる性状の２以上を有する物品（複数性状物品）の属する品名は規則により定められている。複数性状物品のうち、酸化性固体の性状および自己反応性物質の性状を有する場合は、法別表第一（　　）の項第11号に該当する。」

⑴　第１類　⑵　第２類　⑶　第３類　⑷　第５類　⑸　第６類

問題2　次の４基の屋外貯蔵タンク（岩盤タンクおよび特殊液体危険物タンク以外のもの）を、同一の防油堤内に設置する場合、この防油堤の必要最小限の容量として、正しいものはどれか。

１号タンク	重油　500kL	３号タンク	軽油　300kL
２号タンク	ガソリン　200kL	４号タンク	灯油　400kL

⑴　500kL　⑵　550kL　⑶　900kL　⑷　1,400kL　⑸　1,540kL

問題3　法令上、10日前までに市町村長等に届出をする必要があるものは、次のうちどれか。

⑴　製造所等の譲渡または引渡しを受けるとき。
⑵　製造所等の用途を廃止するとき。
⑶　危険物保安監督者を定めなければならない施設において、危険物保安監督者を選任するとき。
⑷　製造所等の位置、構造または設備を変更しないで、その製造所等で貯蔵または取り扱う危険物の品名、数量または指定数量の倍数を変更するとき。
⑸　危険物施設保安員を定めなければならない施設において、危険物施設保安員を選任するとき。

問題4　法令上、耐火構造の隔壁で完全に区分された３室を有する同一の屋内貯蔵所のそれぞれの部屋に次の危険物を貯蔵する場合、これらの指定数量の倍数の合計はいくつか。

黄りん……………………………40kg
過酸化水素………………………600kg
酢酸エチル………………………1,600 L

(1)　8　　(2)　9　　(3)　10　　(4)　11　　(5)　12

問題5　法令上、危険物保安監督者の業務として、規則に定められていないものはどれか。

(1)　製造所等の位置、構造または設備の変更について、許可の申請など法令に定められた業務を実施すること。
(2)　危険物の取扱作業が技術上の基準に適合するよう、作業者に対して必要な指示を与えること。
(3)　危険物施設保安員を置く製造所等にあっては、危険物施設保安員に対して必要な指示を行うこと。
(4)　火災等の災害が発生した場合は、直ちに消防機関等に連絡すること。
(5)　火災等の災害の防止に関し、当該製造所等に隣接する他の製造所等の関係者と連絡を保つこと。

問題6　法令上、免状の書換えまたは再交付の申請を行う場合の申請先について、次のうち正しいものはどれか。

(1)　書換えは、当該免状を交付した市町村長等に申請しなければならない。
(2)　書換えは、居住地または勤務地を所轄する消防長または消防署長に申請しなければならない。
(3)　書換えは、当該免状を交付した都道府県知事に申請しなければならない。
(4)　再交付は、当該免状を交付した都道府県知事のほかに、居住地または勤務地を管轄する都道府県知事にも申請することができる。
(5)　再交付は、当該免状を交付した都道府県知事のほかに、当該免状の書換えをした都道府県知事にも申請することができる。

問題７　法令上、製造所等の定期点検の実施者として、次のＡ～Ｄのうち誤っているものはいくつあるか。ただし、規則で定める漏れの点検および固定式の泡消火設備に関する点検を除く。

Ａ　丙種危険物取扱者

Ｂ　危険物取扱者免状の交付を受けていない危険物施設保安員

Ｃ　危険物取扱者免状の交付を受けていない危険物保安統括管理者

Ｄ　丙種危険物取扱者の立会いのある、危険物取扱者免状の交付を受けていない者

(1)　なし　(2)　１つ　(3)　２つ　(4)　３つ　(5)　４つ

問題８　法令上、製造所等に設置する標識および掲示板について、次のうち誤っているものはどれか。

(1)　製造所等には、白地に黒文字で、危険物の製造所等である旨を記した標識を設置する。

(2)　給油取扱所には、黄赤地に黒文字で、「給油中エンジン停止」と記した掲示板を設置する。

(3)　移動タンク貯蔵所には、黒地の板に黄色の反射塗料等で、「危」と記した標識を車両の前後の見やすい箇所に掲げる。

(4)　アルカリ金属の過酸化物を除く第１類の危険物を貯蔵する屋内貯蔵所には、青地に白文字で、「禁水」と記した掲示板を設置する。

(5)　引火性固体を除く第２類の危険物を貯蔵する屋内貯蔵所には、赤地に白文字で、「火気注意」と記した掲示板を設置する。

問題９　危険物を移動タンク貯蔵所で移送する場合の基準に照らして、次の記述のうち正しいものはどれか。

(1)　移送を行う10日前までに、市町村長等に届出をするとともに、移送経路等を記載した書面を消防機関に送付しておかなければならない。

(2)　丙種危険物取扱者が乗車すれば、移動タンク貯蔵所でガソリンを移送できる。

(3)　乗車する危険物取扱者の免状は、常置場所のある事務所で保管しておく。

(4)　移送中に休憩のため一時停止するときは、所轄消防署長の承認を受けた場所でしなければならない。

(5)　底弁、マンホールおよび注入口のふた、消火器等の点検は、１か月に１回以上行わなければならない。

問題10　法令上、製造所等に消火設備を設置する場合の所要単位を計算する方法として、次のうち誤っているものはどれか。

(1)　外壁が耐火構造の製造所の建築物は、延べ面積150㎡を１所要単位とする。
(2)　外壁が耐火構造でない製造所の建築物は、延べ面積50㎡を１所要単位とする。
(3)　外壁が耐火構造の貯蔵所の建築物は、延べ面積150㎡を１所要単位とする。
(4)　外壁が耐火構造でない貯蔵所の建築物は、延べ面積75㎡を１所要単位とする。
(5)　危険物は、指定数量の10倍を１所要単位とする。

問題11　法令上、製造所等から危険物の流出等の事故が発生した場合に、当該施設の所有者等がとらなければならない応急処置に含まれているものは、次のＡ～Ｅのうちいくつあるか。

Ａ　直ちに消防機関等に通報すること。
Ｂ　引き続く危険物の流出を防止すること。
Ｃ　流出した危険物の拡散を防止すること。
Ｄ　流出した危険物を除去すること。
Ｅ　現場付近にいる者を消火作業に従事させること。

(1)　１つ　(2)　２つ　(3)　３つ　(4)　４つ　(5)　５つ

問題12　移動タンク貯蔵所（積載式移動タンク貯蔵所を除く）における、危険物の取扱いの基準として、次のうち誤っているものはどれか。

(1)　移動貯蔵タンクからほかのタンクにエタノールを注入するときは、移動タンク貯蔵所のエンジンを停止させなければならない。
(2)　ガソリンを貯蔵していた移動貯蔵タンクに灯油を注入するときは、静電気などによる災害を防止する措置を講じなければならない。
(3)　移動貯蔵タンクからほかのタンクにガソリンを注入するときは、注入ホースの先端部分をしっかりと手でおさえなければならない。
(4)　移動貯蔵タンクから液体危険物を容器に詰め替えることは、原則として禁止されている。
(5)　注入ホースの先端に手動開閉装置のついた注入ノズルを使用し、かつ、安全な注油速度であれば、クレオソート油を移動貯蔵タンクから容器に詰め替えることができる。

問題13　法令上、危険物の取扱作業の保安に関する講習（以下「講習」という）を受けなければならない期限が過ぎている危険物取扱者として、正しいものは次のうちどれか。

(1)　1年6か月前に免状の交付を受け、1年前から製造所等において危険物の取扱作業に従事している者。

(2)　1年6か月前に講習を受け、1年前から製造所等において危険物の取扱作業に従事している者。

(3)　2年前に講習を受け、そのときから継続して製造所等において危険物の取扱作業に従事している者。

(4)　5年前に免状の交付を受けたが、製造所等において危険物の取扱作業に従事していない者。

(5)　5年前から製造所等において危険物保安監督者に選任され、危険物の取扱作業に従事している者。

問題14　法令上、屋外貯蔵所において、貯蔵または取扱いができる危険物の組合せとして、次のうち正しいものはどれか。

(1)　硫黄、エタノール、重油

(2)　軽油、黄りん、アセトン

(3)　硫黄、マグネシウム、ナトリウム

(4)　ガソリン、灯油、重油

(5)　硫黄、二硫化炭素、過酸化水素

問題15　液体の危険物が入った未開封容器の表示が汚れてしまい、「危険等級Ⅲ」「水溶性」「火気厳禁」という表示だけが読み取れた。この危険物の類は次のうちどれか。

(1)　第1類

(2)　第2類

(3)　第3類

(4)　第4類

(5)　第5類

物理学および化学

問題16　消火方法に関する次の文の（　　）内のA～Cに当てはまる語句の組合せとして、正しいものはどれか。

「物質によって燃焼するために必要な酸素の濃度は異なるが、一般に石油類では、酸素濃度がおおむね（ A ）以下になると燃焼は停止する。このことを利用して、空気中の酸素濃度を低下させる消火方法も（ B ）という。ただし、化合物自身に酸素を含む酸化剤や有機過酸化物など、（ C ）する物質の消火には効果がない。」

	A	B	C
(1)	14%	窒息消火	自己燃焼
(2)	14%	除去消火	分解燃焼
(3)	21%	除去消火	予混合燃焼
(4)	21%	窒息消火	自己燃焼
(5)	25%	除去消火	分解燃焼

問題17　自然発火について、その原因となる発熱の種類と発火する物質の組合せとして、誤っているものはどれか。

(1)　酸化熱によるもの ……………… ゴム粉
(2)　分解熱によるもの ……………… ニトロセルロース
(3)　吸着熱によるもの ……………… セルロイド
(4)　重合熱によるもの ……………… アクリロニトリル
(5)　発酵熱によるもの ……………… たい肥

問題18　物質とその燃焼の種類との組合せとして、次のA～Eのうち正しいものの組合せはどれか。

A　紙、木材 ……………………… 分解燃焼
B　プラスチック、ナフタレン …… 自己燃焼
C　コークス、石炭 ………………… 表面燃焼
D　ガソリン、硫黄 ………………… 蒸発燃焼
E　灯油、木炭 ……………………… 蒸発燃焼

(1)　AとB　　(2)　AとD　　(3)　BとC　　(4)　CとE　　(5)　DとE

問題19　内容積200Ｌのドラム缶に10％の空間を残してガソリンを入れ、密封した。その後、温度が40℃上昇したときのドラム缶の空間容積として、次のうち正しいものはどれか。ただし、ガソリンの体膨張率は1.35×10^{-3}とし、容器の膨張およびガソリンの蒸発は考えないものとする。

(1)　1.08Ｌ
(2)　9.72Ｌ
(3)　10.28Ｌ
(4)　10.80Ｌ
(5)　18.92Ｌ

問題20　液体の沸騰と沸点に関する次の文の（　　）内のＡ～Ｃに当てはまる語句の組合せとして、正しいものはどれか。

「液体を加熱するとその液体の蒸気圧は（　Ａ　）なり、その蒸気圧が（　Ｂ　）ときにその液体は沸騰する。外圧が低くなった場合、沸点は（　Ｃ　）なる。」

	Ａ	Ｂ	Ｃ
(1)	高く	外圧より低くなった	高く
(2)	低く	外圧と等しくなった	低く
(3)	低く	１気圧になった	高く
(4)	高く	１気圧になった	高く
(5)	高く	外圧と等しくなった	低く

問題21　0.06mol/Lの濃度の水酸化ナトリウム水溶液のおおよそのpHの値は、次のうちどれか。なお、水溶液中の水酸化ナトリウムは完全に電離し、水溶液の温度は25℃とする。また、log2.0＝0.30、log3.0＝0.50とする。

(1)　11.2
(2)　11.8
(3)　12.1
(4)　12.2
(5)　12.8

問題22　不飽和炭化水素に関する次の文の（　　）内のA、Bに当てはまる語句の組合せとして、正しいものはどれか。

「アルキンとは、分子中の炭素間に（ A ）を含む不飽和炭化水素である。炭素数が2のアルキンはアセチレンと呼ばれ、（ B ）と水を作用させて生成することができる。」

	A	B
(1)	単結合	炭化アルミニウム
(2)	二重結合	炭化カルシウム
(3)	二重結合	炭化アルミニウム
(4)	三重結合	炭化カルシウム
(5)	三重結合	炭化アルミニウム

問題23　鋼製の配管を埋設する場合、次のうち最も腐食しにくい埋設の仕方として正しいものはどれか。

(1)　乾いた土壌と湿った土壌の境に埋設する。
(2)　砂と粘土の境に埋設する。
(3)　強アルカリ性のコンクリート内に埋設する。
(4)　種類の違う材質の配管と接続して埋設する。
(5)　直流駆動電車の軌道に近い土壌に埋設する。

問題24　次の熱化学方程式に関する記述として、誤っているものはどれか。

$$2H_2(気) + O_2(気) = 2H_2O(気) + 486.0kJ$$

ただし、水素Hの原子量は1、酸素Oの原子量は16とする。

(1)　水素2molと酸素1molが反応すると、水蒸気（気体）が2molできる。
(2)　水素が完全に燃焼して水蒸気（気体）を発生する場合には、水素1mol当たり243.0kJの発熱がある。
(3)　水素4gと酸素32gが反応して水蒸気（気体）36gができる場合は、486.0kJの発熱がある。
(4)　標準状態（0℃、1気圧）において、水素44.8Lと酸素22.4Lの混合気体に点火すると、67.2Lの水蒸気（気体）が発生する。
(5)　この反応によって生成した水蒸気（気体）が液体になるときは、一定量の熱が放出される。

問題25　プロパン（C_3H_8）4.4ｇが完全燃焼するのに必要な、0℃１気圧における空気の体積として、最も近い値は次のうちどれか。
なお、空気は、窒素：酸素＝４：１の混合気体、原子量はＨ＝１、Ｃ＝12とする。

⑴　5.6Ｌ
⑵　11.2Ｌ
⑶　22.4Ｌ
⑷　44.8Ｌ
⑸　56.0Ｌ

危険物の性質ならびにその火災予防および消火の方法

問題26　危険物の類ごとの性状について、次のうち正しいものはどれか。

⑴　第１類の危険物は、可燃物であり、ほかの物質を強く酸化する。
⑵　第２類の危険物は、すべて固体であり、引火性のものはない。
⑶　第４類の危険物の蒸気は、空気と一定の範囲で混合すると、可燃性の混合気体を生じる。
⑷　第５類の危険物は、すべて自然発火性物質である。
⑸　第６類の危険物は、可燃性の固体または液体であり、ほかの物質を強く酸化させ、着火させる危険がある。

問題27　第３類の危険物に共通する性状について、次のＡ～Ｅのうち、正しいものの組合せはどれか。

Ａ　いずれも自然発火性または禁水性の性状を有する。
Ｂ　いずれも可燃性の物質である。
Ｃ　いずれも無色の固体または液体である。
Ｄ　無機の単体や化合物だけでなく、有機化合物も含まれる。
Ｅ　いずれも無臭である。

⑴　ＡとＣ　⑵　ＡとＤ　⑶　ＢとＣ　⑷　ＢとＥ　⑸　ＤとＥ

問題28　臭素酸ナトリウムの性状について、次のうち誤っているものはどれか。

(1)　無色の結晶である。
(2)　水には溶けないが、エタノールにはよく溶ける。
(3)　可燃物と激しく反応して、発火や爆発を起こすことがある。
(4)　融点（381℃）以上に加熱すると、酸素を発生する。
(5)　有機物と激しく反応して、発火や爆発を起こすことがある。

問題29　亜鉛粉の性状等について、次のうち誤っているものはどれか。

(1)　空気中の水分と反応して、水素を発生する。
(2)　水分があれば、ハロゲンと容易に反応する。
(3)　硫酸の水溶液と反応して、水素を発生する。
(4)　水酸化ナトリウムの水溶液と反応して、酸素を発生する。
(5)　亜鉛原子は２個の価電子を有し、２価の陽イオンになりやすい。

問題30　アセトアルデヒドの性状等について、次のうち誤っているものはどれか。

(1)　特有の刺激臭をもつ無色の液体である。
(2)　21℃で沸騰する。
(3)　容器は銅製ではなく、鋼製のものを使用する。
(4)　酸化されるとカルボン酸を生成し、還元されるとアルコールを生成する。
(5)　水に溶けない。

問題31　ピクリン酸の性状等について、次のＡ～Ｅのうち正しいもののみを掲げている組合せはどれか。

Ａ　黄色の結晶で、アルコールに溶ける。
Ｂ　苦味を有し、毒性がある。
Ｃ　水分を含むと、爆発する可能性が増す。
Ｄ　金属と反応し、爆発性の金属塩を生成する。
Ｅ　エタノールで湿らせて保管する。

(1)　ＡＢＤ　(2)　ＡＢＥ　(3)　ＡＣＥ　(4)　ＢＣＤ　(5)　ＣＤＥ

問題32　過酸化カリウムと可燃物が接触したときの火災の初期消火の方法として、次のうち最も適切なものはどれか。

(1)　りん酸塩類を主成分とした消火粉末を放射する消火器を使用する。
(2)　棒状の水を放射する消火器を使用する。
(3)　泡消火剤を放射する消火器を使用する。
(4)　炭酸水素塩類を主成分とした消火粉末を放射する消火器を使用する。
(5)　霧状の水を放射する消火器を使用する。

問題33　マグネシウムの性状等について、次のＡ～Ｅのうち誤っているものはいくつあるか。

Ａ　銀白色の重い金属である。
Ｂ　白光を放って激しく燃焼し、酸化マグネシウムとなる。
Ｃ　酸化剤との混合物は、打撃等で発火することはない。
Ｄ　熱水と作用して、水素を発生する。
Ｅ　20℃では、酸化被膜を生成して安定である。

(1)　１つ　(2)　２つ　(3)　３つ　(4)　４つ　(5)　５つ

問題34　動植物油（以下「油」という）のなかには自然発火を起こすものがある。次のうち最も自然発火を起こしやすいものはどれか。

(1)　油の入った容器を、密栓せずに貯蔵していたとき。
(2)　容器に入った油を、長期間、直射日光にさらしていたとき。
(3)　容器に入った油を、湿気の多い場所で貯蔵していたとき。
(4)　容器内の油に、不乾性油を混合したとき。
(5)　容器からこぼれた油の染み込んだ布を、長期間、風通しの悪い場所に積み重ねていたとき。

問題35　五ふっ化よう素の性状等について、次のＡ～Ｅのうち、誤っているものの組合せはどれか。

Ａ　20℃では刺激臭のある褐色の液体である。
Ｂ　水と激しく反応して、ふっ化水素とよう素酸を生じる。
Ｃ　反応性に富み、金属と容易に反応する。
Ｄ　非金属とは反応しない。
Ｅ　ガラス製の容器は使用できない。

(1)　ＡとＤ　(2)　ＡとＥ　(3)　ＢとＣ　(4)　ＢとＤ　(5)　ＣとＥ

問題36　硝酸の性状等について、次のうち誤っているものはどれか。

(1)　純粋なものは無色の液体であるが、光や熱によって分解すると、黄褐色に着色していることがある。

(2)　有機物と接触して、発火させることがある。

(3)　二硫化炭素、アミン類などが混合すると、爆発する危険性がある。

(4)　容器には、ステンレスまたはアルミニウム製のものを使用する。

(5)　水素よりもイオン化傾向の小さい銅や銀などとは反応しない。

問題37　ノルマルブチルリチウムは、その危険性を軽減するため、溶媒で希釈して貯蔵されることがある。次のA～Eのうち、この溶媒に適している物質の組合せとして、正しいものはどれか。

A　エタノール

B　ベンゼン

C　水

D　グリセリン

E　ヘキサン

(1)　AとC　(2)　AとD　(3)　BとC　(4)　BとE　(5)　DとE

問題38　赤りんの性状として、次のうち誤っているものはどれか。

(1)　臭気のない赤褐色の粉末である。

(2)　水には溶けないが、二硫化炭素にはよく溶ける。

(3)　粉じん爆発のおそれがある。

(4)　約260℃で発火する。

(5)　常圧では、約400℃で昇華する。

問題39　ベンゼンの性状として、次のうち誤っているものはどれか。

(1)　特有の芳香を有する無色の液体である。

(2)　発生する蒸気は、空気より重い。

(3)　水によく溶ける。

(4)　アルコール、ヘキサン等の有機溶剤に溶ける。

(5)　揮発性があり、有毒である。

問題40　過マンガン酸カリウムの性状として、次のうち誤っているものはどれか。

(1)　赤紫色の結晶である。

(2)　水に溶けると、濃紫色を呈する。

(3)　約100℃で分解して、酸素を放出する。

(4)　有機物と混合したものは、加熱すると爆発するおそれがある。

(5)　強い酸化剤であり、殺菌力もある。

問題41　次のＡ～Ｅの第１類危険物のうち、潮解性があるもののみの組合せとして正しいものはどれか。

A　$KClO_3$

B　$NaClO_3$

C　NH_4ClO_4

D　K_2O_2

E　$NaNO_3$

(1)　ＡＢＣ　(2)　ＡＢＥ　(3)　ＡＣＤ　(4)　ＢＤＥ　(5)　ＣＤＥ

問題42　次の第５類の危険物のうち、常温（20℃）で引火する危険性があるものはどれか。

(1)　硝酸エチル

(2)　過酸化ベンゾイル

(3)　過酢酸（不揮発性溶媒の40％溶液）

(4)　エチルメチルケトンパーオキサイド（可塑剤で希釈し、濃度55％としたもの）

(5)　ピクリン酸

問題43　トリクロロシランの性状について述べた次の文中の下線部Ａ～Ｅのうち、誤っている箇所のみの組合せとして、正しいものはどれか。

「トリクロロシランは、$_{\text{A}}$第５類の危険物である。$_{\text{B}}$無色の液体であり、引火点は常温（20℃）より$_{\text{C}}$低い。燃焼範囲が$_{\text{D}}$狭いため引火の危険性は低い物質である。水と反応して$_{\text{E}}$塩化水素を発生するので、危険である。」

(1)　ＡとＣ　(2)　ＡとＤ　(3)　ＢとＣ　(4)　ＢとＥ　(5)　ＤとＥ

問題44　過塩素酸の貯蔵・取扱いについて、次のうち誤っているものはどれか。

⑴　金属製ではなく、ガラス製や陶磁器などの容器に貯蔵する。

⑵　汚損、変色したものは、廃棄する。

⑶　加熱すると、爆発したり、有毒な塩化水素ガスを発生したりするので、取扱いの際に注意する。

⑷　流出事故の場合は、ソーダ灰などで中和してから大量の水で洗い流す。

⑸　容器から漏れた場合は、おがくずやぼろ布に吸収する。

問題45　次に掲げる物質の組合せのうち、それらを混合または接触したとき、発火や爆発の危険性があるものはどれか。

⑴　三酸化クロム　　メタノール

⑵　塩素酸カリウム　　臭素酸カリウム

⑶　硫黄　　赤りん

⑷　酢酸　　エタノール

⑸　ヘキサン　　アルキルアルミニウム

予想模擬試験

▶解答カード P.103
▶解答／解説
別冊 P.18〜33

危険物に関する法令

問題１　法別表第一に定める危険物の類別、性質および品名の組合せとして、次のうち誤っているものはどれか。

	類別	性質	品名
(1)	第１類	酸化性固体	過塩素酸
(2)	第２類	可燃性固体	赤りん
(3)	第４類	引火性液体	特殊引火物
(4)	第５類	自己反応性物質	有機過酸化物
(5)	第６類	酸化性液体	過酸化水素

問題２　法令上、同一の屋内貯蔵所において、次の危険物を耐火構造の隔壁で完全に区分された２室に貯蔵する場合、この屋内貯蔵所が貯蔵している危険物の指定数量の倍数はいくつか。

軽油……………………4,000 L
鉄粉……………………1,000kg

(1)　3　　(2)　4　　(3)　5　　(4)　6　　(5)　7

問題３　法令上、危険物取扱者免状について、次のうち正しいものはどれか。

(1)　危険物取扱者試験に合格した者は、居住地の都道府県知事に対して免状の交付を申請する。
(2)　免状の書換えは、当該免状を交付した都道府県知事に申請しなければならない。
(3)　免状を汚損した場合は書換え、亡失した場合は再交付の申請を行う。
(4)　免状を亡失した場合、亡失した日から１年以内に再交付の申請を行わないと、自動的に資格が取り消される。
(5)　免状の再交付は、当該免状を交付した都道府県知事または書換えをした都道府県知事に対して申請する。

問題４　法令上、危険物保安監督者について、次のうち誤っているものはどれか。

(1)　危険物保安監督者を選任するのは、製造所等の所有者等である。

(2)　製造所は、危険物の種類や指定数量の大小にかかわらず、危険物保安監督者を選任しなければならない。

(3)　特定の危険物であれば、その危険物を取り扱う製造所等においては、丙種危険物取扱者を危険物保安監督者に選任することができる。

(4)　危険物保安監督者を選任または解任した場合は、その旨を市町村長等に届け出なければならない。

(5)　危険物保安監督者は、火災などの災害が発生した場合には、作業者を指揮して応急の措置を講じなければならない。

問題５　定期点検のうち規則で定める漏れの点検の対象となっている施設は、次のA～Eのうちいくつあるか。

A　地下タンク貯蔵所の地下貯蔵タンク

B　製造所の地下貯蔵タンク

C　移動タンク貯蔵所の移動貯蔵タンク

D　屋内タンク貯蔵所の屋内貯蔵タンク

E　給油取扱所の専用タンク

(1)　1つ　　(2)　2つ　　(3)　3つ　　(4)　4つ　　(5)　5つ

問題６　法令上、第１種販売取扱所に関する記述として、次のうち誤っているものはどれか。

(1)　販売取扱所のうち、取り扱う危険物の指定数量の倍数が15以下のものを第１種販売取扱所という。

(2)　上階のある建築物には、第１種販売取扱所を設けてはならない。

(3)　建築物の第１種販売取扱所に用いる部分とその他の部分との隔壁は、耐火構造とする。

(4)　窓または出入口にガラスを用いる場合は、網入りガラスにする。

(5)　危険物の配合室には、室内に滞留した可燃性の蒸気や微粉を、屋根上に排出する設備を設ける。

問題７　法令上、危険物を貯蔵または取り扱う建築物その他の工作物の周囲に保有しなければならない空地（以下「保有空地」という。）について、次のうち正しいものはどれか。ただし、特例基準を適用する場合を除く。

(1)　屋外貯蔵所においては、貯蔵する危険物の指定数量の倍数に応じて保有空地の幅が定められている。

(2)　屋内貯蔵所においては、貯蔵倉庫の床面積に応じて保有空地の幅が定められている。

(3)　屋外タンク貯蔵所においては、屋外貯蔵タンクの容量に応じて保有空地の幅が定められている。

(4)　製造所においては、取り扱う危険物の類に応じて保有空地の幅が定められている。

(5)　一般取扱所においては、取り扱う危険物の品名に応じて保有空地の幅が定められている。

問題８　法令上、顧客に自ら給油等をさせる給油取扱所の構造および設備の技術上の基準について、次のＡ～Ｅのうち誤っているものの組合せはどれか。

Ａ　当該給油取扱所は、建築物内に設置することはできない。

Ｂ　当該給油取扱所には、顧客に自ら給油等をさせる給油取扱所である旨を、所定の場所に表示しなければならない。

Ｃ　顧客用固定給油設備は、ガソリンおよび軽油相互の誤給油を有効に防止できる構造のものでなければならない。

Ｄ　顧客用固定給油設備の給油ノズルは、自動車等の燃料タンクが満量となったときに、ブザー等が警報を発する構造のものでなければならない。

Ｅ　顧客用固定給油設備は、１回の連続した給油量および給油時間の上限をあらかじめ設定できる構造のものでなければならない。

(1)　ＡとＣ　　(2)　ＡとＤ　　(3)　ＢとＤ　　(4)　ＢとＥ　　(5)　ＣとＥ

問題９　法令上、移動タンク貯蔵所に備え付けておかなければならない書類として、次のＡ～Ｅのうち正しいものはいくつあるか。

Ａ　設置許可書

Ｂ　完成検査済証

Ｃ　定期点検記録

Ｄ　危険物保安監督者の選任解任届出書

Ｅ　危険物の品名、数量または指定数量の倍数の変更届出書

(1)　１つ　　(2)　２つ　　(3)　３つ　　(4)　４つ　　(5)　５つ

問題10　危険物を取り扱う場合に必要となる申請の内容、申請の種類および申請先の組合せとして、次のうち誤っているものはどれか。

	申請の内容	申請の種類	申請先
(1)	製造所等の位置、構造または設備を変更しようとする場合	変更の許可	市町村長等
(2)	製造所等の変更工事に係る部分以外の全部または一部を、完成検査前に仮に使用する場合	承認	市町村長等
(3)	製造所等において、予防規程の内容を変更する場合	認可	市町村長等
(4)	製造所等以外の場所で、指定数量以上の危険物を、10日以内の期間、仮に貯蔵・取り扱う場合	承認	所轄消防長・消防署長
(5)	製造所等の位置、構造または設備を変更しないで、貯蔵する危険物の品名を変更する場合	変更の許可	市町村長等

問題11　法令上、製造所等における消火設備の基準として、建築物その他の工作物、第４類の危険物、電気設備のすべてに適応する消火設備は、次のうちどれか。

(1)　りん酸塩類を使用する粉末消火設備

(2)　棒状の強化液を放射する消火器

(3)　不活性ガス消火設備

(4)　ハロゲン化物を放射する消火器

(5)　泡消火設備

問題12　法令上、給油取扱所における危険物の取扱いとして、次のうち正しいものはどれか。

(1)　専用タンクに危険物を注入しているとき、当該タンクに接続している固定給油設備を使用して自動車に給油した。

(2)　給油する車両のエンジンを停止せずに給油するよう求められたが、危険であるとして給油を拒んだ。

(3)　固定給油設備が故障したため、その修理中だけドラム缶から手動ポンプで直接給油した。

(4)　給油する車両の一部が給油空地からはみ出していたが、そのまま給油した。

(5)　高引火点の液体洗剤を使用して、洗車をした。

問題13　法令上、危険物の取扱作業の保安に関する講習（以下「講習」という。）について、次のA～Dの記述のうち正しいものの組合せはどれか。

A　製造所等において現に危険物の取扱作業に従事している丙種危険物取扱者は、この講習を受講しなければならない。

B　講習は、全国どこの都道府県でも受講できる。

C　講習の受講義務のある危険物取扱者が受講しなかった場合でも、免状の返納を命じられることはない。

D　製造所等の所有者等のうち、危険物の取扱作業に従事しているものは、すべてこの講習を受講しなければならない。

⑴　AとB　⑵　AとC　⑶　BとC　⑷　BとD　⑸　CとD

問題14　法令上、危険物の運搬容器への収納に関する基準について、次のうち誤っているものはどれか。

⑴　運搬容器は、収納する危険物の性質に適応した材質でなければならない。

⑵　固体の危険物は、原則として運搬容器の内容積の95％以下の収納率とする。

⑶　液体の危険物は原則として98％以下の収納率で、55℃の温度で漏れないよう空間容積を十分にとる。

⑷　収納するときは、危険物が漏れないよう運搬容器を必ず密封する。

⑸　自然発火性物品を収納する場合は、不活性ガスを封入して密封するなど、空気と接しないようにする。

問題15　法令上、市町村長等から製造所等の使用停止命令を受ける事項に該当しないものは、次のうちどれか。

⑴　取り扱う危険物の数量は変わらなかったため、許可を受けずに危険物を取り扱うポンプ設備を増設した。

⑵　危険物保安監督者を選任すべき製造所等において、危険物保安監督者は選任したものの、その者に必要な業務をさせていなかった。

⑶　製造所等において８年間、危険物の取扱作業に従事している危険物保安監督者が、危険物の取扱作業の保安に関する講習を、その間一度も受講していなかった。

⑷　製造所等の変更工事が完了したので、完成検査を受ける前であったが、危険物の取扱いをはじめた。

⑸　定期点検を実施すべき製造所等において、特に不具合がなかったため、法令で定める定期点検を行う時期を１年延期した。

物理学および化学

問題16　燃焼に関する説明として、次のうち誤っているものはどれか

⑴　分解燃焼とは、木材などの固体の可燃物が加熱されて分解し、そのとき発生した可燃性の蒸気が、空気と混合して燃焼することをいう。

⑵　蒸発燃焼とは、ガソリンなどの液体の蒸発や固体の昇華によって生じた可燃性の蒸気が、空気と混合して燃焼することをいう。

⑶　木炭の燃焼は、無炎燃焼である。

⑷　アセチレンのように、可燃物が単独で燃焼することを、予混合燃焼という。

⑸　ろうそくが燃えるときのように、可燃性ガスと空気とが適切に混ざり合って燃焼することを、拡散燃焼という。

問題17　次に示す燃焼範囲の危険物から生じる可燃性蒸気を100Lの空気と混合させ、その混合気体に点火源を与えたとき、燃焼が可能な可燃性蒸気の体積として、正しいものはどれか。

燃焼範囲の上限値　7.1vol%

燃焼範囲の下限値　1.3vol%

⑴　1L

⑵　5L

⑶　9L

⑷　12L

⑸　15L

問題18　物質の状態変化について、次のうち正しいものはどれか。

⑴　臨界圧力以上で圧縮された気体は、いかなる温度においても液化しない。

⑵　臨界圧力以上で圧縮すると、気体は温度に関係なく液化する。

⑶　臨界温度より低い温度では、気体は圧縮しても液化しない。

⑷　臨界温度で気体を圧縮すると、臨界圧力に達したとき完全に液化する。

⑸　臨界温度で気体を圧縮すると、臨界圧力に達したときに、気体と液体の区別がつかなくなる。

問題19　消火剤についての説明として、次のうち誤っているものはどれか。

⑴　水消火剤は、水の大きな比熱と蒸発熱によって、冷却効果で消火するものであるが、石油類の火災には適応しない。

⑵　強化液消火薬剤は、アルカリ金属塩類の水溶液であり、噴霧状に放射した場合には、冷却効果と抑制効果により、石油類の火災にも適応する。

⑶　泡消火薬剤は、気体を液体の膜で包んだ泡により燃焼物を覆い、主に窒息効果によって消火するものであり、石油類の火災にも適応する。

⑷　二酸化炭素消火薬剤は、空気より重く、熱的に安定な不燃性の気体であることから、主に窒息効果によって消火するものであり、石油類の火災にも適応する。

⑸　粉末消火薬剤は、りん酸塩類または炭酸水素塩類を主成分とし、主に冷却効果によって消火するものであり、石油類の火災にも適応する。

問題20　次のA～Eのうち、互いに同素体であるものはいくつあるか。

A	酸素	オゾン
B	n-ブタン	イソブタン
C	黄りん	赤りん
D	黒鉛	ダイヤモンド
E	水素	重水素

⑴　1つ　⑵　2つ　⑶　3つ　⑷　4つ　⑸　5つ

問題21　エタノール（C_2H_5OH）の蒸気が空気中で完全に燃焼するときの最高の蒸気濃度として、次のうち正しいものはどれか。
ただし、空気中の酸素濃度は21.0vol%とする。

⑴　4.0vol%
⑵　6.5vol%
⑶　7.5vol%
⑷　11.5vol%
⑸　19.0vol%

問題22　静電気に関する説明として、次のA～Eのうち誤っているものはいくつあるか。

A　静電気は、固体だけでなく液体でも発生する。

B　静電気は、湿度が高いときに蓄積しやすい。

C　静電気の蓄積防止方法として、導電性の低い材料の使用が挙げられる。

D　静電気は、人体にも帯電する。

E　パイプなどの管内を流れる液体の流速を遅くすることは、静電気の発生防止につながる。

(1)　1つ　(2)　2つ　(3)　3つ　(4)　4つ　(5)　5つ

問題23　0.1mol/Lの濃度の炭酸ナトリウム水溶液をつくる操作として、次のうち正しいものはどれか。ただし、炭酸ナトリウム（Na_2CO_3）の分子量を106とし、水（H_2O）の分子量は18.0とする。

(1)　10.6gのNa_2CO_3を、1Lの水に溶かす。

(2)　28.6gの$Na_2CO_3 \cdot 10H_2O$を、1Lの水に溶かす。

(3)　10.6gの$Na_2CO_3 \cdot 10H_2O$を、水に溶かして1Lにする。

(4)　28.6gの$Na_2CO_3 \cdot 10H_2O$を、水に溶かして1Lにする。

(5)　28.6gの$Na_2CO_3 \cdot 10H_2O$を、971.4mLの水に溶かす。

問題24　酸化と還元に関する説明として、次のうち誤っているものはどれか。

(1)　物質が酸素と化合する反応を酸化といい、物質が酸素を失う反応を還元という。

(2)　水素が関与する化学反応の場合は、物質が水素を失う反応を酸化といい、物質が水素と結びつく反応を還元という。

(3)　電子のやり取りに着目した場合は、物質が電子を失う変化を酸化といい、物質が電子を受け取る変化を還元という。

(4)　酸化と還元は1つの化学反応で同時に進行し、酸化と還元が同時に起こっている反応を酸化還元反応という。

(5)　酸化剤とは酸化されやすい物質のことであり、還元剤とは還元されやすい物質のことである。

問題25　下の図は、有機化合物の反応を系統図で示したものである。A～Eの反応の名称として、次のうち誤っているものはどれか。

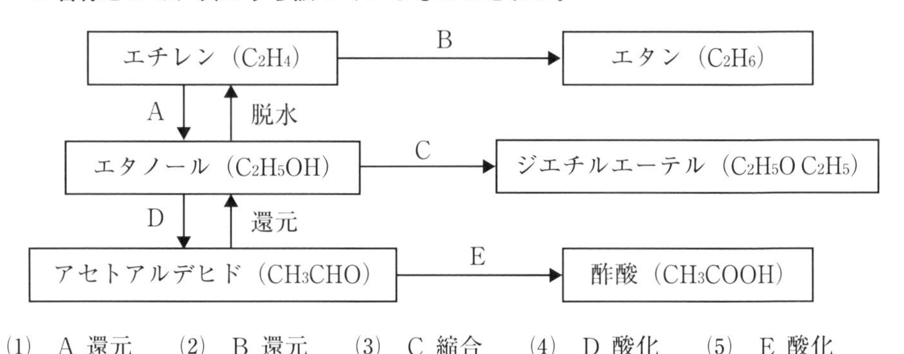

(1)　A 還元　(2)　B 還元　(3)　C 縮合　(4)　D 酸化　(5)　E 酸化

危険物の性質ならびにその火災予防および消火の方法

問題26　危険物の類ごとの性状について、次のA～Eのうち正しいものはいくつあるか。

A　第1類と第4類は、一般に可燃性である。

B　第4類と第6類は、すべて液体である。

C　第2類と第4類は、一般に水に溶けない。

D　第3類と第5類は、固体または液体である。

E　第1類と第5類は、一般に酸化力が強く、有機物などを酸化させる。

(1)　1つ　(2)　2つ　(3)　3つ　(4)　4つ　(5)　5つ

問題27　重クロム酸アンモニウムの性状として、次のうち誤っているものはどれか。

(1)　強力な酸化剤である。

(2)　可燃物と混合すると、加熱、衝撃等により爆発する危険がある。

(3)　加熱すると、約185℃で分解をはじめる。

(4)　オレンジ系色の結晶である。

(5)　水に溶けるが、エタノールには溶けない。

問題28　アルキルアルミニウムの性状として、次のうち誤っているものはどれか。

(1)　アルキル基がアルミニウム原子に１つ以上結合した物質であり、ハロゲン元素を含むものもある。

(2)　アルキル基の炭素数が多いものほど、危険度が大きい。

(3)　固体または液体の物質であり、空気に触れると急激に酸化されて燃焼する。

(4)　純品で流通する場合もあるが、ヘキサン溶液で流通することもある。

(5)　泡消火剤や強化液消火剤といった水を基材とした消火剤を用いると、爆発的に反応する。

問題29　硫黄の性状として、次のうち誤っているものはどれか。

(1)　硫黄には、同素体が存在する。

(2)　約100℃で発火して、有毒ガスを生じる。

(3)　粉末状のものは、粉じん爆発の危険性がある。

(4)　水には溶けないが、二硫化炭素には溶けやすい。

(5)　摩擦等により、静電気を生じやすい。

問題30　メタノールの性状として、次のうち誤っているものはどれか。

(1)　常温（20℃）で引火する。

(2)　蒸気の燃焼範囲は、ガソリンよりも広い。

(3)　特有の芳香があり、水にも有機溶剤にも溶ける。

(4)　深紅の炎を出して燃える。

(5)　飲み下すと、失明に至ることがある。

問題31　三硫化りんの性状等について、次のＡ～Ｅのうち誤っているものの組合せはどれか。

Ａ　黄色の結晶で、水に溶けない。

Ｂ　水とはわずかしか反応しないが、熱水とは反応する。

Ｃ　加水分解すると、有毒なりん化水素を生じる。

Ｄ　熱しても、融点以下で発火することはない。

Ｅ　20℃の、乾燥した状態の空気中では安定である。

(1)　ＡとＢ　(2)　ＡとＣ　(3)　ＢとＤ　(4)　ＣとＤ　(5)　ＣとＥ

問題32　過酸化水素の性状について、次のA～Eのうち、誤っているものの組合せはどれか。

A　分解すると、酸素を発生する。

B　分解防止用の安定剤として、アルカリや尿酸などが用いられる。

C　それ自体は不燃性であるが、可燃物と混合すると、爆発する危険性がある。

D　水によく溶けるが、エタノールやジエチルエーテルには溶けない。

E　強い酸化剤であるが、還元剤として作用する場合もある。

⑴　AとB　⑵　AとC　⑶　BとD　⑷　CとE　⑸　DとE

問題33　次の文の（　　）内に該当する物質として、正しいものはどれか。

「高度さらし粉とは、（　　）を主成分とする白色の粉末であり、加熱すると分解して酸素を放出する。」

⑴　次亜塩素酸カルシウム

⑵　塩素酸カリウム

⑶　過酸化カルシウム

⑷　よう素酸ナトリウム

⑸　臭素酸カリウム

問題34　第２類の危険物の性状について、次のうち誤っているものはどれか。

⑴　いずれも固体の無機化合物である。

⑵　一般に、比重は１より大きい。

⑶　酸化剤と接触または混合すると、爆発する危険性がある。

⑷　いずれも可燃性の物質である。

⑸　燃焼するとき、有毒ガスを発生するものがある。

問題35　特殊引火物の性状として、次のうち誤っているものはどれか。

⑴　ジエチルエーテルは、特有の甘い刺激臭があり、蒸気には麻酔性がある。

⑵　二硫化炭素は、発火点が100℃以下であり、特殊引火物の中でも発火点が特に低い危険物である。

⑶　純品の二硫化炭素は、無色無臭の液体で、水に溶けやすく、水よりも軽い。

⑷　アセトアルデヒドは、非常に揮発しやすい。

⑸　酸化プロピレンは、重合する性質がある。

問題36　次に掲げる危険物のうち、加熱すると有毒なシアンガスを発生する可能性のあるものはどれか。

⑴　過酸化ベンゾイル
⑵　硫酸ヒドラジン
⑶　ピクリン酸
⑷　アゾビスイソブチロニトリル
⑸　アジ化ナトリウム

問題37　炭化カルシウムの性状として、次のうち誤っているものはどれか。

⑴　純品は無色透明または白色の結晶であるが、一般的な流通品は、不純物のため灰色を呈している。
⑵　一般的な流通品は、不純物と空気中の湿気とが反応して特有の臭気がする。
⑶　水と直ちに反応して、エチレンガスを発生し、酸化カルシウム（生石灰）となって崩壊する。
⑷　それ自体には爆発性も可燃性もない。
⑸　高温では強い還元性を有する。

問題38　三ふっ化臭素の性状等について、次のA～Dのうち正しいもののみをすべて掲げているものはどれか。

Ａ　無色の液体で、空気中で発煙する。
Ｂ　水と発熱しながら激しく反応し、ふっ化水素を生じる。
Ｃ　多くの金属に対して、強い腐食作用がある。
Ｄ　容器は、ガラス製のものを用いる。

⑴　ＡＢ　　⑵　ＡＤ　　⑶　ＢＣＤ
⑷　ＡＢＣ　　⑸　ＡＢＣＤ

問題39　ニトロセルロース（綿薬）の性状等について、次のうち誤っているものはどれか。

⑴　セルロースを、硝酸と硫酸の混合液に浸してつくる。
⑵　窒素の含有量が大きいほど危険性が高い。
⑶　弱綿薬をある種の溶剤に溶かしたものがコロジオンである。
⑷　強綿薬は、エタノールに溶ける。
⑸　乾燥状態で貯蔵すると危険である。

問題40　亜塩素酸ナトリウムにかかわる火災の消火方法として、次のA～Eのうち誤っているものはいくつあるか。

A　水による消火

B　二酸化炭素消火剤による消火

C　強化液消火剤による消火

D　ハロゲン化物消火剤による消火

E　泡消火剤による消火

(1)　1つ　　(2)　2つ　　(3)　3つ　　(4)　4つ　　(5)　5つ

問題41　次の文の（　　）内のA～Dに当てはまる語句の組合せとして、正しいものはどれか。

「黄りんは反応性に富み、空気中で（ A ）して十酸化四りん（＝五酸化二りん）を生じるため、通常は（ B ）の中に保存する。黄りんは（ C ）であり、空気を断って250℃に加熱すると、赤りんに変化する。赤りんは、点火すると粉じん爆発する危険がある。黄りんと赤りんを比べると、（ D ）のほうが安定している。」

	A	B	C	D
(1)	分解	アルコール	無毒	黄りん
(2)	自然発火	水	有毒	赤りん
(3)	分解	水	有毒	赤りん
(4)	自然発火	アルコール	無毒	黄りん
(5)	自然発火	水	無毒	黄りん

問題42　第6類の危険物の性状として、次のうち誤っているものはどれか。

(1)　過塩素酸は、常圧で密閉容器に入れて保存しても、徐々に分解して変色する。

(2)　三ふっ化臭素は、可燃物と接触すると発熱する。

(3)　五ふっ化よう素は、水と反応すると、ふっ化水素とよう素酸を生じる。

(4)　硝酸は、人体に触れると薬傷を生じる危険がある。

(5)　発煙硝酸は、濃硝酸に二酸化窒素を加圧飽和させたものであり、硝酸と比べて酸化力は弱い。

問題43　n-ヘキサンの性状について、次のＡ～Ｅのうち正しいもののみをすべて掲げているものはどれか。

Ａ　無色透明の揮発性の液体である。

Ｂ　水より重い。

Ｃ　水には溶けない。

Ｄ　エタノール、ジエチルエーテルによく溶ける。

Ｅ　引火点は常温（20℃）より高い。

⑴　ＡＢＣ　⑵　ＡＣＤ　⑶　ＡＤＥ　⑷　ＢＣＥ　⑸　ＢＤＥ

問題44　鉄粉の火災の消火方法として、次のうち最も適切なものはどれか。

⑴　膨張真珠岩（パーライト）で覆う。

⑵　注水による冷却消火を行う。

⑶　強化液消火剤を放射する。

⑷　粉末消火剤（りん酸塩類）を放射する。

⑸　泡消火剤を放射する。

問題45　次の10種類の物質の説明として、正しいものはどれか。

過酸化カルシウム　二硫化炭素　濃塩酸　硝酸アンモニウム
酢酸エチル　水酸化カルシウム　ピクリン酸　三酸化クロム
アセチレン　りん化カルシウム

⑴　第１類の危険物は２つある。

⑵　第２類と第５類の危険物は、１つずつある。

⑶　第３類と第６類の危険物は、１つもない。

⑷　第４類の危険物は２つある。

⑸　非危険物が２つ含まれている。

第3回 予想模擬試験

▶解答カード P.103
▶解答／解説
別冊 P.34～48

危険物に関する法令

問題1　法令上、危険物に関する記述として、次のうち誤っているものはどれか。

(1)　危険物とは、法別表第一の品名欄に掲げる物品で、同表に定める区分に応じ同表の性質欄に掲げる性状を有するものをいう。

(2)　1気圧において、常温（20℃）で気体の状態のものは危険物に該当しない。

(3)　政令で定める判定試験において示される引火性によって、第1類から第6類に分類される。

(4)　危険物を含有する物質であっても、政令で定める試験において、政令で定める性状を示さないものは危険物には該当しない。

(5)　指定数量とは、危険物ごとに危険性を勘案して政令で定められた数量である。

問題2　法令上、耐火構造の隔壁で完全に区分された3室を有する同一の屋内貯蔵所のそれぞれの部屋に次の危険物を貯蔵する場合、指定数量の倍数の合計はいくつか。

黄りん……………………………………100kg
過酸化水素……………………………3,000kg
クレオソート油………………………4,000 L

(1)　13　　(2)　17　　(3)　18　　(4)　19　　(5)　22

問題3　法令上、製造所等に設置する消火設備について、次のうち誤っているものはどれか。

(1)　屋外消火栓は、防護対象物の各部分からホース接続口までの水平距離が40m以下となるように設置する。

(2)　第3種消火設備は、各消火剤の放射により火災が有効に消火できるように設置する。

(3)　第4種消火設備を設置するときは、原則として防護対象物から大型消火器までの歩行距離が30m以下となるようにする。

(4)　所要単位とは、消火設備の消火能力を示す単位をいう。

(5)　危険物は、指定数量の10倍を1所要単位とする。

問題4　法令上、危険物取扱者免状について、次のうち誤っているものはどれか。

(1)　免状は、危険物取扱者試験に合格した者に対し、都道府県知事が交付する。

(2)　免状に添付されている写真が、撮影から5年経過したときは、免状の書換えを申請しなければならない。

(3)　免状の返納を命じられた者は、その日から起算して1年を経過しないと免状の交付を受けることができない。

(4)　免状を亡失したときは、当該免状を交付した都道府県知事または書換えをした都道府県知事に再交付の申請をする。

(5)　すでに免状の交付を受けている者は、当該免状と同一種類の免状の交付を重ねて受けることはできない。

問題5　法令上、危険物保安監督者に関する次の文の（　　）内のA～Cに当てはまる語句の組合せとして、正しいものはどれか。

「政令で定める製造所等の所有者等は、（ A ）で、（ B ）以上の危険物の（ C ）を有するもののうちから、危険物保安監督者を定めなければならない。」

	A	B	C
(1)	甲種または乙種危険物取扱者	6か月	取扱いの実務経験
(2)	甲種または乙種危険物取扱者	1年	免状の保有期間
(3)	甲種または乙種危険物取扱者	1年	取扱いの実務経験
(4)	甲種、乙種または丙種危険物取扱者	6か月	免状の保有期間
(5)	甲種、乙種または丙種危険物取扱者	1年	取扱いの実務経験

問題6　法令上、定期点検について、次のうち誤っているものはどれか。

(1)　すべての製造所等は、定期点検を行わなければならない。

(2)　定期点検は、製造所等の位置、構造および設備が、政令で定める技術上の基準に適合しているかどうかについて行う。

(3)　製造所等のうち、地盤面下に埋設された配管を有するものに係る定期点検は、当該地下埋設配管の漏れの点検を行わなければならない。

(4)　地下タンク貯蔵所に係る当該地下貯蔵タンクの漏れの点検は、点検方法に関する知識および技能を有する者が行わなければならない。

(5)　移動タンク貯蔵所に係る定期点検は、当該移動貯蔵タンクの漏れの点検を行った日から5年を超えないまでの間に1回以上、当該移動貯蔵タンクの漏れの点検を行わなければならない。

問題７　法令上、製造所において危険物を貯蔵し、または取り扱う建物の構造に関する基準について、次のうち誤っているものはどれか。

⑴　建物には地階を設けることができない。

⑵　壁、柱、床、はりおよび階段は、不燃材料でつくらなければならない。

⑶　屋根は、一部の例外を除き、不燃材料でつくるとともに、金属板その他の軽量な不燃材料でふかなければならない。

⑷　窓および出入口には、防火設備を設けなければならない。

⑸　窓および出入口にガラスを用いる場合は、網入りガラスとし、かつその厚さを５㎜以上としなければならない。

問題８　製造所等における危険物の貯蔵および取扱いのすべてに共通する技術上の基準について、次のうち誤っているものはどれか。

⑴　貯留設備や油分離装置に溜まった危険物は、あふれないように随時汲み上げなければならない。

⑵　危険物の貯蔵または取扱いをする建築物その他の工作物や設備は、当該危険物の性質に応じて、遮光または換気を行わなければならない。

⑶　危険物の変質や異物の混入等により、当該危険物の危険性が増大するおそれがある場合には、定期的に安全性を確認しなければならない。

⑷　危険物は、温度計、湿度計、圧力計等の計器を監視して、当該危険物の性質に応じた適正な温度、湿度または圧力を保つようにしなければならない。

⑸　危険物を保護液中に保存する場合には、危険物が保護液から露出しないようにしなければならない。

問題９　危険物の運搬の基準について、次のうち誤っているものはどれか。

⑴　指定数量以上の危険物を車両で運搬する場合には、「危」と表示した標識を、当該車両の前後の見やすい箇所に掲げなければならない。

⑵　指定数量以上の危険物を車両で運搬する場合には、運搬する危険物に適応する消火設備を備えなければならない。

⑶　温度変化等により、危険物からガスが発生することによって運搬容器内の圧力が上昇するおそれがある場合には、ガス抜き口を設けた運搬容器に収納することができる。

⑷　運搬容器は、収納口を上方または横方に向けて積載しなければならない。

⑸　運搬容器は、落下、転倒、破損しないように積載しなければならない。

問題10　次の文の（　　）内のA～Cに当てはまる語句の組合せとして、正しいものはどれか。

「製造所等（移送取扱所を除く。）を設置するときは、消防本部および消防署を置く市町村の区域では当該（ A ）、それ以外の区域では当該区域を管轄する（ B ）の許可を受けなければならない。また、工事完了後には必ず（ C ）により、許可の内容通りに設置されているかどうかの確認を受けなければならない。」

	A	B	C
(1)	消防長または消防署長	市町村長	保安検査
(2)	市町村長	都道府県知事	完成検査
(3)	消防長または消防署長	市町村長	完成検査
(4)	市町村長	都道府県知事	保安検査
(5)	消防署長	市町村長	完成検査

問題11　法令上、特定の製造所等において定めなければならない予防規程について、次のうち誤っているものはどれか。

(1)　予防規程には、製造所等の火災予防のために必要な事項について定めなければならない。

(2)　予防規程は、危険物保安監督者または危険物保安統括管理者が定め、市町村長等の認可を受けなければならない。

(3)　予防規程は、危険物の貯蔵および取扱いの技術上の基準に適合していなければならない。

(4)　製造所等の従業者は、危険物取扱者以外の者であっても、予防規程の遵守義務がある。

(5)　予防規程を変更したときは、市町村長等の認可を受けなければならない。

問題12　危険物の移送について、法令上、次の文の（　　）内に当てはまる数値として、正しいものはどれか。

「危険物の移送をする者は、当該移送の1の運転要員による連続運転時間（1回がおおむね連続10分以上で、かつ、合計が30分以上の運転の中断をすることなく連続して運転する時間）が（　　）時間を超える移送であるときは、2人以上の運転要員を確保すること。ただし、動植物油類その他総務省令で定める危険物の移送については、この限りではない。」

(1)　3　　(2)　4　　(3)　6　　(4)　8　　(5)　9

問題13　法令上、製造所等における危険物の取扱い時の危険物取扱者による立会いについて、次のうち正しいものはどれか。

(1)　危険物取扱者が、危険物取扱者以外の者の危険物取扱作業の立会いをするためには、製造所等における6か月以上の実務経験が必要である。

(2)　丙種危険物取扱者は、自ら取り扱うことのできる危険物については、立会いをすることもできる。

(3)　危険物施設保安員が危険物を取り扱う場合は、危険物取扱者の立会いは必要としない。

(4)　危険物取扱者以外の従業員が危険物を取り扱う場合、当該製造所等の所有者等の指示があれば、立会いを必要としない。

(5)　乙種危険物取扱者が免状の交付を受けている類以外の危険物を取り扱う場合は、甲種または当該危険物を取り扱うことのできる乙種危険物取扱者の立会いが必要である。

問題14　法令上、製造所等の中には、特定の建築物等から一定の距離（保安距離）を保たなければならないものがあるが、次の組合せのうち誤っているものはどれか。

	建築物等	保安距離
(1)	重要文化財に指定された建造物	50m
(2)	小学校	30m
(3)	病院	30m
(4)	高圧ガスの施設	20m
(5)	一般の住居	20m

問題15　法令上、屋内貯蔵所において、類を異にする危険物を類ごとに取りまとめて相互に1m以上の間隔を置けば同時に貯蔵できる組合せは、次のうちどれか。

(1)　第1類と第4類の危険物

(2)　第1類と第6類の危険物

(3)　第2類と第5類の危険物

(4)　第3類と第5類の危険物

(5)　第5類と第6類の危険物

物理学および化学

問題16　次の文の（　　）内のA～Dに当てはまる語句の組合せとして、正しいものはどれか。

「可燃性液体の燃焼は、その蒸気（可燃性蒸気）と（ A ）との混合気体の燃焼である。混合気体は、可燃性蒸気の濃度が濃すぎても、薄すぎても（ B ）。引火点とは、点火したとき、混合気体が燃え出すために十分な濃度の可燃性蒸気が液面上に発生するための（ C ）の温度（液温）である。引火点は物質ごとに異なっており、一般に引火点が（ D ）物質ほど危険性が高いといえる。」

	A	B	C	D
(1)	空気	燃焼しない	最低	低い
(2)	酸素	燃焼する	最高	高い
(3)	空気	燃焼する	最低	高い
(4)	空気	燃焼しない	最高	低い
(5)	酸素	燃焼する	最低	低い

問題17　静電気について、次のうち正しいものはどれか。

(1)　物体が電気を帯びることを帯電といい、帯電した物体に流れている電気のことを静電気という。
(2)　帯電している物体がもつ電気のことを電荷という。
(3)　電荷には正電荷と負電荷があり、同種の電荷の間には引力が働く。
(4)　導体に帯電体を近づけると、導体の帯電体に近い側の表面には帯電体と同種の電荷が現れる。
(5)　物体間で電荷のやりとりがあると、電気量の総和は小さくなる。

問題18　ベンゼン（C_6H_6）の構造について、次のうち正しいものはどれか。

(1)　すべての原子が同一平面上にある。
(2)　炭素原子間の結合の長さは、エタンの炭素原子間の長さと等しい。
(3)　炭素原子間の結合の長さは、エチレンの炭素原子間の長さよりも短い。
(4)　炭素原子間の結合には2種類の長さがある。
(5)　置換反応よりも付加反応が起こりやすい構造である。

問題19　消火の方法に関する記述として、次のA～Dのうち正しいもののみをすべて掲げているものはどれか。

A　燃焼に必要な酸素の供給を遮断することを、除去消火という。

B　燃焼を継続させる酸化の連鎖反応を抑制することを、窒息消火という

C　燃焼を維持するのに必要な可燃物を取り除くことを、除去消火という。

D　燃焼に必要な熱エネルギーを取り去ることを、冷却消火という。

(1)　A、D

(2)　B、C

(3)　C、D

(4)　A、B、D

(5)　B、C、D

問題20　次の文の（　　）内のA～Cに当てはまる語句の組合せとして、正しいものはどれか。

「自然発火とは、ほかから点火源を与えずに、物質が空気中で自然に（ A ）し、その熱が長時間（ B ）されることによって、ついに（ C ）に達し、燃焼に至る現象をいう。」

	A	B	C
(1)	吸熱	放出	燃焼点
(2)	発熱	蓄積	発火点
(3)	吸熱	放出	発火点
(4)	吸熱	蓄積	発火点
(5)	発熱	放出	燃焼点

問題21　次の物質1 molを完全燃焼させた場合に、消費する理論酸素量が最も多いのはどれか。

(1)　エタノール

(2)　メタノール

(3)　アセトアルデヒド

(4)　酢酸

(5)　アセトン

問題22　電池に関する次の文の（　　）内のA～Dに当てはまる語句の組合せとして、正しいものはどれか。

「イオン化傾向の異なる2種類の金属を、電解質水溶液に浸して導線で結ぶと、イオン化傾向の大きな金属は（ A ）されて、陽イオンとなる。このとき放出された電子は、導線を通ってもう一方の金属に移動し、（ B ）反応を起こす。この電子の移動によって電流が生じる。このように、酸化還元反応に伴って生じる化学エネルギーを電気エネルギーに変換する装置を、電池という。電池には（ C ）のような1次電池と、（ D ）のような2次電池がある。」

	A	B	C	D
(1)	還元	酸化	リチウムイオン電池	アルカリ乾電池
(2)	酸化	還元	アルカリ乾電池	リチウムイオン電池
(3)	還元	酸化	ボルタ電池	マンガン乾電池
(4)	還元	酸化	マンガン乾電池	鉛蓄電池
(5)	酸化	還元	鉛蓄電池	ボルタ電池

問題23　「1価アルコール」に関する説明として、次のうち正しいものはどれか。

(1)　分子中にヒドロキシ基（−OH）を1個含むアルコールのことをいう。
(2)　ヒドロキシ基（−OH）に結合している炭素原子が、1個の水素原子と結合しているアルコールのことをいう。
(3)　ヒドロキシ基（−OH）のついた炭素原子に結合する炭化水素基の数が1個であるアルコールのことをいう。
(4)　異性体の数が1個であるアルコールのことをいう。
(5)　炭素原子間の結合が単結合（一重結合）のみのアルコールのことをいう。

問題24　物質の水溶液中にリトマス試験紙を入れたときの変色について、次のうち正しい組合せはどれか。

	A	B
(1)	水酸化カルシウム	変色しない
(2)	硫酸水素ナトリウム	青くなる
(3)	炭酸カリウム	青くなる
(4)	炭酸ナトリウム	赤くなる
(5)	硝酸カリウム	赤くなる

問題25　可逆反応における化学平衡に関する記述として、次のうち誤っているものはどれか。

(1)　正反応と逆反応の反応速度が等しくなり、見かけ上、反応が停止している状態を、平衡状態という。

(2)　ある一部の成分を取り除くと、その成分が増加する方向に反応が進み、新たな平衡状態になる。

(3)　圧力を小さくすると、気体の分子数が増加する方向に反応が進み、新たな平衡状態になる。

(4)　加熱すると、発熱する方向に反応が進み、新たな平衡状態になる。

(5)　触媒を加えると、平衡に達するまでの時間は変化するが、平衡の移動は起こらない。

危険物の性質ならびにその火災予防および消火の方法

問題26　危険物の類ごとの性状について、次のA～Eの記述のうち誤っているものはいくつあるか。

A　第２類の危険物は、着火または引火しやすい可燃性の固体である。

B　第３類の危険物は、すべて禁水性および自然発火性の両方の性質を有する。

C　第４類の危険物は、蒸気比重が１より大きく、引火性を有する。

D　第５類の危険物は、いずれも分子内に酸素を含有している。

E　第６類の危険物は、それ自体は不燃性であるが、可燃物や有機物を酸化させ、着火させる危険がある。

(1)　１つ　(2)　２つ　(3)　３つ　(4)　４つ　(5)　５つ

問題27　第１類の危険物の性状として、次のうち誤っているものはどれか。

(1)　加熱により発火するものがある。

(2)　可燃物や有機物に接触すると、発火・爆発のおそれがある。

(3)　熱分解すると、酸素を放出して可燃物の燃焼を促進するおそれがある。

(4)　可燃物や金属粉等の異物が混入すると、衝撃や摩擦等により発火・爆発のおそれがある。

(5)　20℃の空気中で放置すると、酸化熱が蓄積し、発火・爆発のおそれがある。

問題28　カリウムを貯蔵し、取り扱う場合、接触により発火するおそれがないものは次のうちどれか。

(1)　水蒸気
(2)　ふっ素
(3)　塩素
(4)　臭素
(5)　アルゴン

問題29　アルミニウム粉の性状について、次のうち誤っているものはどれか。

(1)　空気中に浮遊すると、粉じん爆発を起こす危険性がある。
(2)　銀白色の軽金属粉である。
(3)　比重は1より小さい。
(4)　熱水と接触すると可燃性ガスを発生し、爆発する危険性がある。
(5)　酸化鉄と混合したものに点火すると、酸化鉄は還元され、鉄の単体になる。

問題30　軽油の性状について、次のうち誤っているものはどれか。

(1)　引火点は、30～40℃の範囲内にある。
(2)　淡黄色の液体で、水には溶けない。
(3)　蒸気は空気より重い。
(4)　第1類や第6類の危険物と混合すると、着火する危険性がある。
(5)　石油臭がある。

問題31　過酸化ベンゾイルの貯蔵または取扱いについて、次のうち誤っているものはどれか。

(1)　乾燥状態のものほど爆発の危険性が増大するため、水分を加えて危険性を低減させる。
(2)　強い酸化力を有するため、酸化されやすい物質と一緒に貯蔵しない。
(3)　光によって分解が促進されるため、直射日光を避ける。
(4)　有機物と混合すると爆発の危険性があるため、一緒に貯蔵しない。
(5)　摩擦や衝撃には比較的安定であるが、加熱によって爆発するため、火気や加熱に注意する。

問題32　硝酸の性状について、次のA～Eの記述のうち誤っているものの組合せはどれか。

A　光や加熱によって分解し、酸素と窒素酸化物を生じる。

B　濃度の高いものは、湿気を含む空気中において発煙する。

C　濃硝酸は、硫黄、りんなどの非金属とは反応しない。

D　水と任意の割合で溶け、酸性の水溶液になる。

E　鉄、ニッケル、アルミニウムなどは濃硝酸に侵されるが、希硝酸には不動態化するため侵されない。

(1)　AとB　(2)　AとC　(3)　BとD　(4)　CとE　(5)　DとE

問題33　塩素酸カリウムの貯蔵または取扱いについて、次のうち誤っているものはどれか。

(1)　有機物、硫黄、赤りんとの接触を避ける。
(2)　強酸との接触を避ける。
(3)　容器は密栓する。
(4)　摩擦、衝撃、加熱を避ける。
(5)　安定剤として、塩化アンモニウムを用いる。

問題34　五硫化二りんが水と反応して発生する有毒な気体は、次のうちどれか。

(1)　硫化水素
(2)　五酸化りん
(3)　りん化水素
(4)　りん化水素と二酸化硫黄
(5)　二酸化硫黄

問題35　リチウムの性状として、次のうち誤っているものはどれか。

(1)　深赤色の炎を出して燃える。
(2)　固形のものは常温（20℃）で空気に触れると、直ちに発火する。
(3)　水と反応して水素を発生する。
(4)　銀白色の軟らかい金属である。
(5)　カリウムやナトリウムよりも比重が小さい。

問題36　硫酸ヒドロキシルアミンの性状等について、次のA～Eのうち、正しいものの組合せはどれか。

A　アルカリとの接触で激しく分解するが、酸化剤に対しては安定である。
B　湿気を含んだものは、金属（鉄、銅、アルミニウム）製の容器が適している。
C　加熱や燃焼により、有毒ガスを発生するおそれがある。
D　エーテルやアルコールによく溶ける。
E　粉じんの吸入を避ける。

(1)　AとC　(2)　AとD　(3)　BとD　(4)　BとE　(5)　CとE

問題37　第4類の危険物の一般的な性状について、次の文の（　）内のA～Cに当てはまる語句の組合せとして、正しいものはどれか。

「第4類の危険物は、引火点を有する（ A ）である。（ B ）のものが多く、また比重（液比重）が1より（ C ）ものがほとんどである。（ B ）で比重が1よりも（ C ）ものは、流出すると水面に広がり、火災時に燃焼面積が拡大しやすい。」

	A	B	C
(1)	液体	非水溶性	小さい
(2)	液体または固体	水溶性	大きい
(3)	液体	水溶性	小さい
(4)	液体	水溶性	大きい
(5)	液体または固体	非水溶性	小さい

問題38　引火性固体の性状について、次のうち誤っているものはどれか。

(1)　引火点が40℃未満の固体である。
(2)　常温（20℃）で可燃性の蒸気を発生する危険性がある。
(3)　衝撃により着火する危険性がある固体である。
(4)　ゲル状のものが多い。
(5)　低引火点の引火性液体を含有しているものがある。

問題39　ジエチルエーテルの性状について、次のうち誤っているものはどれか。

(1)　燃焼範囲が広い。
(2)　無色透明で、比重が1より小さい液体である。
(3)　水やアルコールによく溶ける。
(4)　常温（20℃）で引火の危険性がある。
(5)　光に当たると、空気中で酸化され、過酸化物を生成する。

問題40　第５類の危険物の貯蔵または取扱いの注意事項として、次のＡ～Ｅの記述のうち正しいものの組合せはどれか。

Ａ　ピクリン酸には金属製の容器を使用する。

Ｂ　ジアゾジニトロフェノールは、乾燥させた状態で貯蔵する。

Ｃ　硝酸エチルは、常温（20℃）において引火の危険性が大きいため、火気に近づけない。

Ｄ　ジニトロソペンタメチレンテトラミンは、酸を加えて貯蔵する。

Ｅ　エチルメチルケトンパーオキサイドの容器は、ガス抜き口を設けたものを使用し、密栓を避ける。

(1)　ＡとＢ　(2)　ＡとＣ　(3)　ＢとＤ　(4)　ＣとＥ　(5)　ＤとＥ

問題41　ある液体について調べたところ、次のような結果が得られた。この液体は次のうちどれか。

「特有の臭気がある無色の液体で、水には溶けなかったが、多くの有機溶剤によく溶けた。引火性があり、引火点は４℃であった。」

(1)　エタノール

(2)　トルエン

(3)　アセトアルデヒド

(4)　アニリン

(5)　ピリジン

問題42　過酸化ナトリウムの貯蔵、取扱いに関する次のＡ～Ｄの記述について、正誤の組合せとして正しいものはどれか。

Ａ　可燃物、有機物から隔離し、加熱や衝撃を避ける。

Ｂ　水で湿潤とした状態にして貯蔵する。

Ｃ　貯蔵容器は密閉する。

Ｄ　加熱する場合は、白金るつぼを用いる。

	A	B	C	D
(1)	○	×	×	○
(2)	○	×	○	○
(3)	×	○	×	×
(4)	×	○	×	○
(5)	○	×	○	×

問題43　水素化ナトリウムの性状として、次のうち誤っているものはどれか。

(1)　常温（20℃）で粘性のある液体である。
(2)　高温で、水素とナトリウムに分解する。
(3)　水と反応して水素を発生する。
(4)　鉱油中で安定である。
(5)　金属塩に対する還元性が強い。

問題44　過塩素酸の性状について、次のうち誤っているものはどれか。

(1)　臭気のある発煙性液体である。
(2)　蒸気に触れると、皮膚が腐食する。
(3)　無水物は、鉄や銅などと反応して酸化物を生成する。
(4)　オキシドールは、過塩素酸の濃度３％水溶液である。
(5)　有機物に触れると、自然発火することがある。

問題45　次の危険物とそれに適応する消火方法の組合せとして、誤っているものはどれか。

(1)　Na ……………… 乾燥砂をかける。
(2)　C_6H_6 ……………… 泡消火剤を放射する。
(3)　CH_3NO_3 ……………… 二酸化炭素消火剤を放射する。
(4)　Mg ……………… 金属火災用消火剤を用いる。
(5)　$NaClO_3$ ……………… 注水する。

第4回 予想模擬試験

▶解答カード P.103
▶解答／解説
別冊 P.49〜64

危険物に関する法令

問題１　法別表第一に掲げる危険物の品名と類別について、次のうち誤っているものはどれか。

(1)　硝酸塩類は、第１類の危険物である。
(2)　無機過酸化物は、第２類の危険物である。
(3)　アルキルアルミニウムは、第３類の危険物である。
(4)　動植物油類は、第４類の危険物である。
(5)　ヒドロキシルアミン塩類は、第５類の危険物である。

問題２　法令上、指定数量について、次のうち正しいものはどれか。

(1)　液体の危険物の指定数量は、すべてリットルの単位で定められている。
(2)　硫黄と引火性固体の指定数量は、同一である。
(3)　赤りんと黄りんの指定数量は、同一である。
(4)　特殊引火物の指定数量は、非水溶性液体と水溶性液体で異なる。
(5)　危険物の品名と性質が同じものは、指定数量も同一である。

問題３　法令上、製造所等の仮使用に関する次の文中の下線を付した記述Ａ～Ｅのうち、誤っているものはどれか。

「製造所、貯蔵所または取扱所の位置、構造または設備を変更する場合において、当該製造所、貯蔵所または取扱所のうち、当該変更の A工事に係る部分以外の部分の B全部または一部について C所轄消防長または消防署長の D承認を受けたときは、E完成検査を受ける前においても、仮に、当該承認を受けた部分を使用することができる。」

(1)　A　　(2)　B　　(3)　C　　(4)　D　　(5)　E

問題4　法令上、危険物取扱者免状について、次のうち正しいものはどれか。

(1)　危険物取扱者試験に合格し、都道府県知事から危険物取扱者免状の交付を受けた者を、危険物取扱者という。

(2)　交付された免状を亡失または滅失した場合は、危険物取扱者試験を再受験して、免状の再交付を受けなければならない。

(3)　免状の再交付を受けた者が、亡失した免状を発見した場合には、再交付された免状の書換えの際に提出すればよい。

(4)　免状の記載事項に変更を生じたときは、免状の書換えを申請できるが、自分で書き換えることもできる。

(5)　製造所等が市町村長等から設置許可を取り消された場合、当該製造所等に勤務する危険物取扱者も免状の返納を命じられる。

問題5　法令上、次のA～Eの記述のうち、誤っているものはいくつあるか。

A　危険物取扱者以外の者でも、甲種、乙種、丙種いずれかの免状を有する危険物取扱者の立会いがあれば、危険物の取扱いができる。

B　製造所等の所有者の指示があれば、危険物取扱者以外の者でも、危険物取扱者の立会いなしに危険物の取扱いができる。

C　乙種危険物取扱者が免状に指定されていない類の危険物を取り扱う際は、甲種危険物取扱者または当該危険物を取り扱う資格を有するほかの乙種危険物取扱者が立ち会わなければならない。

D　丙種危険物取扱者が取り扱える危険物は、ガソリン、灯油、軽油、第3石油類（重油、潤滑油および引火点130℃以上のものに限る）、第4石油類、動植物油類である。

E　危険物保安監督者に選任された者は、すべての類の危険物の取扱いができる。

(1)　1つ　　(2)　2つ　　(3)　3つ　　(4)　4つ　　(5)　5つ

問題6　法令上、製造所等の位置、構造または設備を変更する際の手続きとして、次のうち正しいものはどれか。

(1)　市町村長等の変更の許可を受けてから、変更の工事に着工する。

(2)　変更の工事に係る部分が完成した後、遅滞なく市町村長等に届け出る。

(3)　変更の工事に着工した後、遅滞なく市町村長等に届け出る。

(4)　市町村長等に変更の計画を届け出てから、変更の工事に着工する。

(5)　変更の工事をしようとする10日前までに、市町村長等に届け出る。

問題７　法令上、危険物保安監督者および危険物保安統括管理者についての記述として、次のうち誤っているものはどれか。

(1)　危険物保安監督者は、甲種または乙種危険物取扱者免状の交付を受けている者であって、製造所等において一定期間の危険物取扱いの実務経験を有するものでなければならない。

(2)　危険物保安統括管理者は、危険物取扱者免状の交付を受けている必要はない。

(3)　危険物保安統括管理者は、危険物取扱いの実務経験を必要としない。

(4)　危険物保安監督者または危険物保安統括管理者を選任した場合は、遅滞なく、その旨を市町村長等に届け出なければならない。

(5)　危険物保安統括管理者は、大量の第１類～第６類の危険物を取り扱う事業所において、事業所全般の危険物の保安に関する業務を統括管理する。

問題８　法令上、予防規程を定めなければならない製造所等として、次のＡ～Ｅのうち誤っているものの組合せはどれか。

Ａ　すべての移送取扱所

Ｂ　すべての一般取扱所

Ｃ　指定数量の倍数が10以上の製造所

Ｄ　指定数量の倍数が10以上の屋内貯蔵所

Ｅ　指定数量の倍数が200以上の屋外タンク貯蔵所

(1)　ＡとＣ　(2)　ＡとＤ　(3)　ＢとＤ　(4)　ＢとＥ　(5)　ＣとＥ

問題９　法令上、危険物の貯蔵の技術上の基準について、次のうち誤っているものはどれか。

(1)　危険物の貯蔵所では、原則として、危険物以外の物品を危険物と同時に貯蔵してはならない。

(2)　類を異にする危険物は、原則として、同一の貯蔵所（耐火構造の隔壁で完全に区分された室が２以上ある貯蔵所では同一の室）で同時に貯蔵してはならない。

(3)　屋内貯蔵所および屋外貯蔵所では、類を異にする危険物であっても0.2m以上の間隔を置いて類ごとに取りまとめて貯蔵すれば、例外として同時貯蔵が認められる。

(4)　屋内貯蔵所では、容器で貯蔵している危険物の温度が55℃を超えないようにしなければならない。

(5)　屋外貯蔵タンクの元弁および注入口の弁またはふたは、危険物を出し入れするとき以外は閉鎖しておく。

問題10　製造所等のうち、政令で定める一定規模以上になると、市町村長等が行う保安に関する検査（保安検査）の対象となるものはどれか。

(1)　製造所
(2)　屋外タンク貯蔵所
(3)　地下タンク貯蔵所
(4)　給油取扱所
(5)　販売取扱所

問題11　法令上、販売取扱所の位置、構造および設備の基準等について、次のうち誤っているものはどれか。

(1)　販売取扱所には、見やすい箇所に、第１種または第２種の販売取扱所である旨を表示した標識と、防火に関し必要な事項を掲示した掲示板を設けなければならない。
(2)　販売取扱所は、建築物の１階に設置しなければならない。
(3)　販売取扱所は、指定数量の倍数が15以下の第１種販売取扱所と、指定数量の倍数が15を超え40以下の第２種販売取扱所に区分される。
(4)　建築物の第１種販売取扱所に使用する部分には、延焼のおそれのない部分のみ窓を設けることができる。
(5)　危険物の配合室の床を、危険物が浸透しない構造とするとともに、適当な傾斜をつけて貯留設備を設けることとするのは、第１種および第２種の販売取扱所に共通の基準である。

問題12　移動タンク貯蔵所によるベンゼンの移送または取扱いの基準として、次のうち正しいものはどれか。

(1)　甲種、乙種（第４類）または丙種の危険物取扱者が同乗しなければならない。
(2)　完成検査済証は、紛失防止のため、事務所に保管しなければならない。
(3)　移送中、移動貯蔵タンクから著しく漏れ出したときは、速やかに目的地に到着するよう努めなければならない。
(4)　移動貯蔵タンクからほかのタンクに注入する際は、移動タンク貯蔵所の原動機を停止しなければならない。
(5)　移動貯蔵タンクから指定数量未満のタンクに注入する際は、所定の注入ノズルを使用すれば、注入ホースを注入口に緊結する必要はない。

問題13　法令上、警報設備を設置しなくてもよい製造所等は、次のうちどれか。

(1)　指定数量の倍数が10の危険物を製造する製造所
(2)　指定数量の倍数が10の危険物を貯蔵する屋外貯蔵所
(3)　指定数量の倍数が20の危険物を貯蔵する屋内貯蔵所
(4)　指定数量の倍数が100の危険物を移送する移動タンク貯蔵所
(5)　指定数量の倍数が100の危険物を貯蔵する屋外タンク貯蔵所

問題14　法令上、危険物の運搬に関する基準に係る規則別表第４について、それぞれが指定数量の10分の１を超える危険物を同一車両で運搬する場合、混載できる危険物の組合せとして正しいものはどれか。

(1)　塩素酸塩類と赤りん
(2)　アルコール類と過塩素酸
(3)　硫化りんと特殊引火物
(4)　硫化りんとナトリウム
(5)　硝酸エステル類と硝酸

問題15　次のＡ～Ｅのうち、法令上、製造所等の所有者等に対して、市町村長等が設置許可を取り消すことができる事由に該当するもののみの組合せとして、正しいものはどれか。

Ａ　市町村長等の許可を受けずに、製造所等の設備を変更した。
Ｂ　定期点検を義務付けられている製造所等が、定期点検を実施しなかった。
Ｃ　市町村長等から予防規程の変更を命じられた製造所等が、その変更命令に従わなかった。
Ｄ　基準に適合するよう市町村長等から製造所等の修理を命じられた製造所等が、その基準適合命令に従わなかった。
Ｅ　危険物保安統括管理者の選任義務がある製造所等が、危険物保安統括管理者を選任していなかった。

(1)　ＡＢＣ　　(2)　ＡＢＤ　　(3)　ＡＤＥ　　(4)　ＢＣＥ　　(5)　ＣＤＥ

物理学および化学

問題16　次のA～Eのうち、燃焼のために必要な要素の組合せとして正しいものはいくつあるか。

A　乾性油 ……………… 窒素 ………… 酸化熱
B　二酸化炭素 ………… 酸素 ………… 衝撃による火花
C　水 …………………… 酸素 ………… 蒸発熱
D　二硫化炭素 ………… 空気 ………… 電気火花
E　亜鉛粉 ……………… 水素 ………… 湿気

(1)　1つ　(2)　2つ　(3)　3つ　(4)　4つ　(5)　5つ

問題17　化学変化に関する記述として、次のうち誤っているものはどれか。

(1)　水が水素と酸素に分かれる化学変化は、分解という。
(2)　ある物質が酸素と化合したとき、その物質は酸化されたという。
(3)　空気は酸素と窒素などの化合物であり、その成分の約2分の1が酸素である。
(4)　酸と塩基によって水と塩ができる化学変化を、中和という。
(5)　一般に物質の化学変化には、熱の発生または吸収を伴う。

問題18　消火剤および消火効果に関する記述として、次のうち最も適切でないものはどれか。

(1)　乾燥砂、膨張ひる石（バーミキュライト）は、主に燃焼に必要な酸素の供給を遮断する窒息効果による作用をもつ。
(2)　窒素ガス消火薬剤は、主に空気中の酸素濃度を一定の濃度以下に低下させることによる窒息効果の作用をもつ。
(3)　二酸化炭素消火薬剤は、空気より重い不燃性の気体であり、主に窒息効果による作用をもつ。
(4)　泡消火薬剤は、主に燃焼の連鎖反応を中断させる抑制効果（不触媒効果）の作用をもつ。
(5)　水は、主に蒸気になる際に熱を奪う冷却効果による作用と、発生する水蒸気による窒息効果による作用をもつ。

問題19　引火点についての説明として、次のＡ～Ｅのうち正しいもののみの組合せはどれか。

Ａ　可燃性液体が、燃焼（爆発）範囲の下限値の濃度の蒸気を発生するときの液体の温度を、引火点という。

Ｂ　引火点よりも低い液温では、燃焼するのに必要な濃度の可燃性蒸気が発生していない。

Ｃ　引火点に達すると、点火源がなくても引火する。

Ｄ　引火点は、物質によって異なる値を示す。

Ｅ　可燃性液体が引火点に達すると、液体表面からの蒸発のほかに、液体内部からも気化が起こり始める。

⑴　ＡＢＣ　⑵　ＡＢＤ　⑶　ＡＤＥ　⑷　ＢＣＥ　⑸　ＣＤＥ

問題20　過酸化水素水200ｇに含まれている過酸化水素が完全に水と酸素に分解した。このとき発生した酸素を捕集したところ、標準状態で22.4Ｌであった。この過酸化水素水中の過酸化水素の質量パーセント濃度は、次のうちどれか。ただし、過酸化水素の分子量は34とする。

⑴　3.0％

⑵　11.2％

⑶　17.0％

⑷　22.4％

⑸　34.0％

問題21　触媒を用いた化学反応についての一般的な説明として、次のＡ～Ｅのうち正しいものはいくつあるか。

Ａ　触媒（正触媒）を用いると、活性化エネルギーの大きい反応経路を経由する。

Ｂ　化学反応によって触媒は消費され、これによって反応速度が速くなる。

Ｃ　触媒は、化学反応の平衡状態には影響を与えない。

Ｄ　化学反応により生じる反応熱は、触媒があることによって大きくなる。

Ｅ　化学反応が終わっても、触媒は変化していない。

⑴　１つ　⑵　２つ　⑶　３つ　⑷　４つ　⑸　５つ

問題22　静電気の帯電体が放電するときの放電エネルギー E〔J〕および静電気の帯電量 Q〔C〕は、帯電電圧を V〔V〕、静電容量を C〔F〕とすると、以下の式で表される。このことについて、次のうち誤っているものはどれか。

$$E=\frac{1}{2}QV、\quad Q=CV$$

(1)　帯電電圧 $V=1$ のときの放電エネルギー E の値を最小着火エネルギーという。
(2)　帯電量 Q を変えずに帯電電圧 V を大きくすると、放電エネルギー E の値は増大する。
(3)　帯電量 Q の値は、帯電電圧 V と静電容量 C の積で求められる。
(4)　放電エネルギー E の値は、静電容量 C が一定であれば帯電電圧 V の２乗に比例する。
(5)　静電容量 $C=2.0\times10^{-10}$ F の物体が1,000 V に帯電すると、放電エネルギー E の値は、1.0×10^{-4} J となる。

問題23　有機化合物の官能基とその官能基をもつ物質の名称の組合せとして、次のうち誤っているものはどれか。

(1)　ヒドロキシ基 ………… エタノール
(2)　ニトロ基 ………… トリニトロトルエン
(3)　アミノ基 ………… アニリン
(4)　カルボキシ基 ………… 酢酸
(5)　ケトン基 ………… アセトアルデヒド

問題24　希硫酸水溶液中に亜鉛板と銅板を電極として浸したボルタ電池について、次のうち誤っているものはどれか。

(1)　放電すると、銅よりイオン化傾向の大きい亜鉛が希硫酸中に溶け出す。
(2)　放電すると、銅板の電極から水素が発生する。
(3)　放電すると、陰極（－）の亜鉛板では酸化反応が起こり、陽極（＋）の銅板では還元反応が起こる。
(4)　放電すると、陽極（＋）の銅板では分極が起こり、電極間の電圧が低下する。
(5)　起電力を大きくするには、亜鉛板と銅板間の距離を狭くする。

問題25　次の物質のうち、１価の酸として正しいものはどれか。

⑴　酢酸

⑵　水酸化ナトリウム

⑶　硫酸

⑷　硫化水素

⑸　りん酸

危険物の性質ならびにその火災予防および消火の方法

問題26　消火に関する記述として、次のうち誤っているものはどれか。

⑴　第１類の危険物による火災には、アルカリ金属の過酸化物など無機過酸化物を除き、一般に大量の注水による消火がよい。

⑵　第２類の危険物による火災には、すべて大量の注水による消火がよい。

⑶　第３類の危険物による火災の消火には、すべて乾燥砂や膨張ひる石を使用することができる。

⑷　第４類の危険物による火災の消火には、水以外の消火剤がよい。

⑸　第５類の危険物による火災には、アジ化ナトリウムを除き、一般に大量の注水による消火がよい。

問題27　次の文の（　　）内のＡ～Ｃに当てはまる語句の組合せとして、正しいものはどれか。

「過酸化水素は、一般にはほかの物質を酸化して（ Ａ ）となるが、過マンガン酸カリウムのような酸化力のより強い物質に対しては（ Ｂ ）として働き、（ Ｃ ）となる。」

	A	B	C
⑴	水	還元剤	酸素
⑵	水素	酸化剤	水
⑶	水素	還元剤	酸素
⑷	水	還元剤	水素
⑸	水	酸化剤	水素

問題28　塩素酸ナトリウムの性状として、次のうち誤っているものはどれか。

(1)　潮解性がある無色の結晶である。
(2)　可燃物との混合物は、爆発の危険性がある。
(3)　強酸の添加により爆発する危険性がある。
(4)　水には溶けるが、アルコールには溶けない。
(5)　300℃以上に加熱すると、分解して酸素を発生する。

問題29　鉄粉の性状として、次のA～Eのうち正しいものはいくつあるか。

A　酸化剤である。
B　微粉状のものは、発火の危険性が大きい。
C　燃焼すると、白っぽい灰のようになる。
D　希塩酸に溶けて水素を発生するが、水酸化ナトリウム水溶液には溶けない。
E　水分を含むと、発火することがある。

(1)　1つ　(2)　2つ　(3)　3つ　(4)　4つ　(5)　5つ

問題30　カリウムの性状または取扱いについて、次のうち誤っているものはどれか。

(1)　水と接触して水素を発生する。
(2)　高温では二酸化炭素と反応して酸素を遊離する。
(3)　ハロゲンとは激しく反応する。
(4)　融点は約64℃である。
(5)　一般に灯油中に保存する。

問題31　クロロベンゼンの性状として、次のうち正しいものはどれか。

(1)　引火点は20℃より低い。
(2)　比重は1より小さい。
(3)　無色無臭の液体である。
(4)　水には溶けない。
(5)　蒸気は空気より軽い。

問題32　過酢酸の性状等について、次のうち誤っているものはどれか。

⑴　刺激臭のある無色の液体である。

⑵　110℃まで加熱すると、爆発する。

⑶　強い酸化作用、助燃作用がある。

⑷　火気厳禁である。

⑸　引火性はない。

問題33　硝酸の流出事故における措置として、次のうち適切でないものはどれか。

⑴　大量の乾燥砂で覆い、流出を防ぐ。

⑵　ぼろ布を用いて吸着させる。

⑶　水または強化液消火剤（主成分：K_2CO_3）を放射して希釈する。

⑷　ソーダ灰で中和してから、水で洗い流す。

⑸　防護マスクを着用する。

問題34　過塩素酸塩類の性状等について、次のうち正しいものはどれか。

⑴　強酸化剤であり、りん、硫黄、木炭の粉末などの可燃物と混合すると、爆発する危険性がある。

⑵　消火方法は、無機過酸化物と同様、注水は適さない。

⑶　過塩素酸カリウムは、濃紫色の粉末である。

⑷　過塩素酸ナトリウムには、潮解性はない。

⑸　過塩素酸アンモニウムは、水に溶けない。

問題35　硫黄を貯蔵する場合の火災予防方法について、次のうち誤っているものはどれか。

⑴　硫黄は、電気の不導体であり、静電気を発生しやすいので、静電気防止対策を講じる。

⑵　酸化剤と混ぜると、加熱・衝撃等で発火の危険があるため、酸化剤との接触を避けて貯蔵する。

⑶　融点が低く、燃焼の際に融解して流動する可能性があるため、金属容器以外のものは使用しないようにする。

⑷　粉末状の硫黄は、粉じん爆発を起こす危険があるため、無用な粉じんのたい積に注意する。

⑸　温度管理に留意し、通風および換気のよい冷暗所に貯蔵する。

問題36　有機金属化合物であるジエチル亜鉛の性状等について、次のA～Eのうち誤っているものの組合せはどれか。

A　無色の液体で、水より重い。

B　空気中で容易に酸化され、自然発火する。

C　水と激しく反応し、水素ガスを発生する。

D　窒素などの不活性ガスの中で貯蔵する。

E　消火の際は、ハロゲン化物消火剤を使用する。

(1)　AとB　(2)　AとC　(3)　BとD　(4)　CとE　(5)　DとE

問題37　次の第5類の危険物のうち、A～Cの性状等にすべて該当するものとして正しいものはどれか。

A　無色の油状液体である。

B　加熱、打撃により爆発の危険がある。

C　ダイナマイトの原料である。

(1)　トリニトロトルエン

(2)　ピクリン酸

(3)　過酸化ベンゾイル

(4)　ニトロセルロース

(5)　ニトログリセリン

問題38　第4類の危険物の性状として、次のうち誤っているものはどれか。

(1)　引火すると炎を上げて燃える。

(2)　沸点が水より高いものがある。

(3)　燃焼下限界と燃焼上限界をもつ。

(4)　燃焼点が引火点より低いものがある。

(5)　引火しても燃焼が継続しないことがある。

問題39　よう素酸カリウムの性状等について、次のうち誤っているものはどれか。

(1)　水に溶ける。

(2)　可燃物を混合して加熱すると、爆発の危険性がある。

(3)　加熱により分解して、よう素を発生する。

(4)　比重は1より大きい。

(5)　消火方法としては、注水消火が最もよい。

問題40　固形アルコールについて、次のうち正しいものはどれか。

⑴　アルコールを低温高圧下で圧縮固化したものである。

⑵　合成樹脂とメタノールまたはエタノールとの化合物である。

⑶　主として、熱分解によって発生する可燃性蒸気が燃焼する。

⑷　常温（20℃）では、引火の危険性はない。

⑸　消火には、粉末消火剤が有効である。

問題41　ジエチルアミンの性状として、次のＡ～Ｅのうち誤っているものの組合せはどれか。

Ａ　空気に触れると容易に自然発火する。

Ｂ　引火点を有する。

Ｃ　無色の液体である。

Ｄ　水と反応してエタンを発生する。

Ｅ　水、エタノールによく溶ける。

⑴　ＡとＣ　⑵　ＡとＤ　⑶　ＢとＣ　⑷　ＢとＥ　⑸　ＤとＥ

問題42　第６類の危険物の性状として、次のうち誤っているものはどれか。

⑴　有機物と混合すると、着火させる危険がある。

⑵　いずれも不燃性の液体である。

⑶　液体の比重は、１より小さい。

⑷　一般に皮膚を侵す作用が強い。

⑸　水と反応して有毒ガスを生じるものがある。

問題43　りん化カルシウムの性状として、次のうち誤っているものはどれか。

⑴　暗赤色の固体である。

⑵　比重は１より大きい。

⑶　弱酸と反応して激しく分解する。

⑷　水と反応して、可燃性のアセチレンガスを発生する。

⑸　常温（20℃）の乾燥した空気中では安定している。

問題44　硫酸ヒドラジンの性状として、次のうち誤っているものはどれか。

(1)　黄色の結晶または褐色の粉末である。

(2)　温水に可溶であり、水溶液は酸性を示す。

(3)　還元性が強い。

(4)　加熱すると分解し、毒性の強いガスを生成する。

(5)　無臭である。

問題45　次のうち、「禁水」の物質のみの組合せとして、正しいものはどれか。

(1)	K	H_2O_2	P
(2)	Na	K	CaC_2
(3)	S	Na_2O_2	K_2O_2
(4)	Na	K_2O_2	$NaClO_3$
(5)	P	S	Na_2O_2

第5回 予想模擬試験

▶解答カード P.103
▶解答／解説
別冊 P.65〜80

危険物に関する法令

問題1　法令上、同一の貯蔵所において以下の危険物を貯蔵する場合、この貯蔵所は指定数量の何倍の危険物を貯蔵していることになるか。

危険物	貯蔵量
アセトアルデヒド	200 L
アセトン	2,000 L
アクリル酸	6,000 L

(1)　12倍　(2)　16倍　(3)　18倍　(4)　20倍　(5)　24倍

問題2　法令上、次のA～Dのうち指定数量の倍数が50のガソリンを貯蔵または取り扱うことのできる製造所等の組合せとして、正しいものはどれか。

A　屋外貯蔵所　　B　屋外タンク貯蔵所

C　給油取扱所　　D　販売取扱所

(1)　AとB　(2)　AとC　(3)　AとD　(4)　BとC　(5)　BとD

問題3　法令上、次の文の（　　）内のA～Cに当てはまる語句の組合せとして、正しいものはどれか。

「指定数量以上の危険物は、貯蔵所以外の場所でこれを貯蔵したり、製造所、貯蔵所および取扱所以外の場所でこれを取り扱ってはならない。ただし、（ A ）の（ B ）を受けて指定数量以上の危険物を、（ C ）以内の期間、仮に貯蔵し、または取り扱う場合は、この限りでない。」

	A	B	C
(1)	市町村長等	許可	1か月
(2)	所轄消防長または消防署長	承認	10日
(3)	所轄消防長または消防署長	許可	1か月
(4)	市町村長等	承認	1週間
(5)	所轄消防長または消防署長	認可	10日

問題4　法令上、危険物取扱者の免状を受けている者が、その免状を亡失、滅失、汚損または破損した場合の申請について、次のうち正しいものはどれか。

(1)　汚損の場合に、当該免状を交付した都道府県知事に書換えの申請をする。
(2)　亡失の場合に、居住地を管轄する市町村長等に再交付の申請をする。
(3)　滅失の場合に、当該免状の書換えをした都道府県知事に再交付の申請をする。
(4)　免状を亡失して再交付を受けた後、亡失した免状を発見した場合は、発見した免状を1週間以内に提出しなければならない。
(5)　免状の汚損または破損により申請する場合、当該免状を提出する必要はない。

問題5　地下タンクを有する給油取扱所を設置する場合の手続きとして、次のうち正しいものはどれか。

(1)　工事着工申請→工事着工→工事完了→完成検査→使用開始
(2)　許可申請→許可→工事着工→完成検査前検査→工事完了届→使用開始
(3)　許可申請→承認→工事着工→工事完了→完成検査申請→完成検査→承認→完成検査済証交付→使用開始
(4)　許可申請→許可書交付→工事着工→工事完了→完成検査申請→完成検査→完成検査済証交付→使用開始
(5)　許可申請→許可書交付→工事着工→完成検査前検査→工事完了→完成検査申請→完成検査→完成検査済証交付→使用開始

問題6　法令上、ガソリン10,000Lを貯蔵または取り扱う屋内貯蔵所の貯蔵倉庫の構造および設備の基準として、次のA～Eのうち正しいものはいくつあるか。

A　独立した専用の建築物とする。
B　床面積は1,000㎡以下とする。
C　床は、地盤面より下に設ける。
D　壁、柱、床および屋根を耐火構造とする。
E　内部に滞留した可燃性蒸気を、屋外の低所に排出する設備を設ける。

(1)　1つ　　(2)　2つ　　(3)　3つ　　(4)　4つ　　(5)　5つ

第5回

問題７　法令上、危険物取扱者に関する記述として、次のうち正しいものはどれか。

⑴　製造所等以外の場所では、危険物取扱者の立会いがなくても、危険物取扱者以外の者が指定数量未満の危険物を取り扱うことができる。

⑵　丙種危険物取扱者は、製造所等において、危険物取扱者以外の者が行う危険物の取扱作業に立ち会うことができる。

⑶　乙種第４類の免状を有する危険物取扱者の立会いがあれば、製造所等において危険物取扱者以外の者が、他類の危険物を取り扱うことができる。

⑷　丙種危険物取扱者は、製造所等において６か月以上の危険物取扱いの実務経験があれば、危険物保安監督者になることができる。

⑸　甲種危険物取扱者は、製造所等における危険物取扱いの実務経験の有無にかかわらず、危険物保安監督者になることができる。

問題８　危険物の指定数量の倍数が10以上の製造所等（移動タンク貯蔵所は除く）では、規則で定めるところにより、警報設備の設置が義務付けられている。次のＡ～Ｅのうち、警報設備に該当しないものはいくつあるか。

Ａ　自動火災報知設備

Ｂ　ガス漏れ検知装置

Ｃ　非常ベル装置

Ｄ　拡声装置

Ｅ　消防機関に報知できる電話

⑴　なし　⑵　１つ　⑶　２つ　⑷　３つ　⑸　４つ

問題９　法令上、危険物施設保安員について、次のうち正しいものはどれか。

⑴　危険物施設保安員は、危険物保安監督者を置く製造所等では必ず選任しなければならない。

⑵　製造所等の所有者等は、危険物施設保安員を選任したとき、市町村長等に遅滞なく届け出なければならない。

⑶　危険物施設保安員は、甲種または乙種危険物取扱者の中から選任しなければならない。

⑷　危険物施設保安員は、危険物保安監督者が旅行、疾病、事故などによって職務を行うことができない場合、その職務を代行しなければならない。

⑸　危険物施設保安員は、定期点検を行った場所の状況と、保安のために行った措置を記録し、保存しなければならない。

問題10　法令上、製造所等の定期点検について、次のうち誤っているものはどれか。

(1)　定期点検は、製造所等の位置、構造および設備が政令で定める技術上の基準に適合しているかどうかについて行う。

(2)　二重殻タンクの強化プラスチック製の外殻についての漏れの点検は、３年を超えないまでの間に１回以上行わなければならない。

(3)　地下埋設配管についての漏れの点検は、５年を超えないまでの間に１回以上行わなければならない。

(4)　危険物施設保安員は、危険物取扱者の立会いを受けなくても、自ら定期点検を行うことができる（規則で定める漏れの点検、固定式の泡消火設備に関する点検は除く）。

(5)　点検記録に記載する事項は、点検を行った製造所等の名称、点検の方法および結果、点検した年月日、点検をした危険物取扱者等の氏名である。

問題11　危険物の取扱いのうち消費および廃棄の技術上の基準について、次のうち誤っているものはどれか。

(1)　吹付け塗装作業は、防火上有効な隔壁等で区画された安全な場所で行わなければならない。

(2)　焼入れ作業は、危険物が危険な温度に達しないようにして行わなければならない。

(3)　染色または洗浄の作業は、可燃性の蒸気の換気をよくして行うとともに、廃液をみだりに放置しないで安全に処置しなければならない。

(4)　焼却によって危険物を廃棄する場合は、安全な場所で、かつ燃焼または爆発による危害や損害を及ぼすおそれのない方法で行い、必ず見張人をつけなければならない。

(5)　埋没という方法によって危険物を廃棄することはできない。

問題12　法令上、危険物を運搬するための容器の外部に「可燃物接触注意」の表示をしなければならないものは、次のうちどれか。

(1)　第２類の危険物のうち鉄粉

(2)　自然発火性物品

(3)　禁水性物品

(4)　第４類の危険物

(5)　第６類の危険物

問題13　移動タンク貯蔵所によるガソリンの移送および取扱いとして、次のＡ～Ｅのうち基準に適合しているものはいくつあるか。

Ａ　移送のため乗車する危険物取扱者が、免状の写しを携帯している。

Ｂ　運転者として乙種第４類の危険物取扱者が乗車し、免状を携帯している。

Ｃ　危険物取扱者ではない運転者のとなりに丙種の危険物取扱者が乗車し、免状を携帯している。

Ｄ　完成検査済証や定期点検記録などの書類の写しを車両に備え付けている。

Ｅ　移動貯蔵タンクからほかのタンクにガソリンを注入する際、移動タンク貯蔵所のエンジンを停止している。

(1)　１つ　　(2)　２つ　　(3)　３つ　　(4)　４つ　　(5)　５つ

問題14　市町村長等の命令として、次のうち誤っているものはどれか。

(1)　製造所等における危険物の貯蔵または取扱いの方法が、危険物の貯蔵・取扱いの技術上の基準に違反しているとき……………貯蔵・取扱いの基準遵守命令

(2)　製造所等の位置、構造または設備が、技術上の基準に適合していないとき……………製造所等の修理、改造または移転命令

(3)　公共の安全の維持または災害の発生防止のために緊急の必要があるとき……………製造所等の一時使用停止または使用制限命令

(4)　危険物保安監督者や危険物保安統括管理者が消防法令に違反したとき……………危険物の取扱作業の保安に関する講習の受講命令

(5)　製造所等において危険物の流出その他の事故が発生したとき、当該製造所等の所有者等が応急措置を講じていないとき……………応急措置命令

問題15　次のＡ～Ｇの事項のうち、製造所等に設置する掲示板（危険物等を表示する掲示板）に掲げる内容として誤っているものはいくつあるか。

Ａ　所有者、管理者または占有者の氏名

Ｂ　貯蔵または取り扱う危険物の類

Ｃ　貯蔵または取り扱う危険物の品名

Ｄ　製造所等の所在地

Ｅ　貯蔵または取り扱う危険物の最大数量

Ｆ　貯蔵または取り扱う危険物の指定数量の倍数

Ｇ　危険物保安監督者を選任する製造所等は、危険物保安監督者の氏名または職名

(1)　１つ　　(2)　２つ　　(3)　３つ　　(4)　４つ　　(5)　５つ

物理学および化学

問題16　次の気体の臨界温度および臨界圧力に関する記述について、誤っているものはどれか。

	臨界温度	臨界圧力
水（水蒸気）	374℃	22.1MPa
アンモニア	132℃	11.3MPa
二酸化炭素	31.1℃	7.4MPa
酸素	−118℃	5.0MPa
水素	−239.9℃	1.3MPa

(1) 酸素および水素は、常温（20℃）では液化できない。
(2) 酸素および水素は、二酸化炭素と比べて液化しにくい。
(3) 二酸化炭素は、常温（20℃）、8 MPaにおいては液状である。
(4) アンモニアは、常温（20℃）、11.3MPaにおいては気体である。
(5) 水は、350℃においても液状であることが可能である。

問題17　過塩素酸201kgから過塩素酸ナトリウム245kgを生成するのに必要な炭酸ナトリウムの量として、次のうち正しいものはどれか。
なお、原子量はH＝1、C＝12、O＝16、Na＝23、Cl＝35.5とする。

(1) 53kg
(2) 106kg
(3) 201kg
(4) 212kg
(5) 424kg

問題18　pH＝1.0の塩酸200mLに0.02mol/Lの水酸化ナトリウム水溶液800mLを加えた。この水溶液の水素イオン指数（pH）は、次のうちどれか。
なお、水酸化ナトリウムの電離度は1とし、log2.0＝0.30とする。

(1) 0.8
(2) 1.6
(3) 1.8
(4) 2.4
(5) 3.6

第5回

問題19　静電気に関する記述として、次のうち誤っているものはどれか。

(1)　静電気は、蓄積すると放電火花を発生することがある。

(2)　静電気の帯電量をQ、帯電電圧をVとすると、静電気の放電エネルギーEは、

$E=\frac{1}{2}QV$　という式で表される。

(3)　静電気は、一般に物体の摩擦等によって生じる。

(4)　加圧された液体が、配管のノズルや亀裂など断面積の小さい開口部から噴出するときは、静電気が帯電しやすい。

(5)　２つの点電荷の間にはたらく静電気力の大きさは、それぞれの電気量の大きさの和に比例し、点電荷間の距離に反比例する。

問題20　次の文の（　　）内のA～Cに当てはまる語句の組合せとして、正しいものはどれか。

「一般に引火点とは、可燃性液体の液面近くに、引火するのに十分な濃度の蒸気を発生する液面の最低温度である。このため引火点は、空気との混合ガスの（ A ）と密接な関係をもっている。可燃性液体は、その温度に相当する一定の（ B ）を有するので、液面付近では、（ B ）に相当する（ C ）がある。」

	A	B	C
(1)	燃焼下限界	蒸気圧	燃焼範囲
(2)	燃焼上限界	蒸気圧	燃焼範囲
(3)	燃焼下限界	蒸気圧	蒸気濃度
(4)	燃焼上限界	沸点	蒸気濃度
(5)	燃焼上限界	沸点	燃焼範囲

問題21　消火器の種類とそれぞれの消火薬剤の主な成分および主な消火効果の組合せとして、次のうち誤っているものはどれか。

	消火器の種類	消火薬剤の主な成分	主な消火効果
(1)	二酸化炭素消火器	炭酸水素ナトリウム	窒息効果
(2)	ハロゲン化物消火器	ブロモトリフルオロメタン	抑制効果・窒息効果
(3)	粉末消火器	りん酸アンモニウム	抑制効果・窒息効果
(4)	強化液消火器	炭酸カリウム	冷却効果
(5)	化学泡消火器	炭酸水素ナトリウム および硫酸アルミニウム	窒息効果

問題22　有機化合物に関する説明として、次のうち誤っているものはどれか。

(1)　カルボン酸とアルコールが縮合すると、エステル結合をもつ化合物が生成する。
(2)　エタノールとジメチルエーテルは、同じ分子式であるが、異性体である。
(3)　アルデヒドを還元すると、第１級アルコールになる。
(4)　ケトンは還元性を有し、容易に酸化されてエステルになる。
(5)　アルデヒドとケトンは、ともにカルボニル基を有しており、カルボニル化合物と呼ばれる。

問題23　アルカリ金属やアルカリ土類金属を含む水溶液または固体を、白金線の先につけてバーナーの炎の中で強熱したとき、それぞれの元素が示す特有の炎の色として、誤っているものはどれか。

(1)　リチウム……………深紅
(2)　ナトリウム…………黄
(3)　カリウム……………赤紫
(4)　カルシウム…………白
(5)　バリウム……………緑

問題24　燃焼に関する説明として、次のうち誤っているものはどれか。

(1)　燃焼とは、熱と発光を伴う酸化作用である。
(2)　燃焼が起こるには、反応物質としての可燃物と酸化剤および反応を開始させるための点火エネルギーが必要である。
(3)　燃焼に必要となる酸化剤として、二酸化炭素や酸化鉄などの酸化物中の酸素が使われることはない。
(4)　木炭などの表面燃焼では、固体の表面に空気が当たり、その固体の表面で燃焼が起こる。
(5)　固体を粉末状にすると、比表面積が大きくなるため、燃焼しやすくなる。

問題25　コロイド溶液に関する記述として、次のうち誤っているものはどれか。

(1)　コロイド溶液に横から光束を当てると、コロイド粒子が光を散乱させるため、光の通り道が明るく光って見える。

(2)　コロイド溶液中のコロイド粒子は、水分子がコロイド粒子に不規則に衝突しているため、ふるえるように不規則に動いている。

(3)　コロイド溶液に電極を入れ、直流の電源につなぐと、帯電しているコロイド粒子は反対符号の電極側へ移動して集まる。

(4)　疎水コロイド溶液に少量の電解質を加えた場合、コロイド粒子は互いに反発力を失ってくっつき合い、大きくなって沈殿する。

(5)　疎水コロイド溶液に親水コロイド溶液を加えると、親水コロイド粒子が疎水コロイド粒子によって取り囲まれ、容易に凝析するようになる。

危険物の性質ならびにその火災予防および消火の方法

問題26　危険物の類ごとの性状について、次のうち誤っているものはどれか。

(1)　第２類の危険物は、分子構造中に酸素を含有しており、周囲の可燃物の燃焼を促進する。

(2)　第３類の危険物は、空気に触れて自然発火する危険や、水と接触して発火したり可燃性ガスを発生したりする危険がある。

(3)　第４類の危険物は、いずれも引火性の液体であり、火気により引火または爆発の危険がある。

(4)　第５類の危険物は、自己反応性物質であり、自己燃焼しやすい。

(5)　第６類の危険物は、いずれも酸化力が強い不燃性の液体である。

問題27　第１類の危険物と可燃物が共存する火災における適切な消火方法として、次のＡ～Ｅの記述うち誤っているものはいくつあるか。

Ａ　塩素酸塩類 ……………… 注水による冷却消火を行う。
Ｂ　過塩素酸塩類 ………… 注水を避け、二酸化炭素消火剤を用いて窒息消火を行う。
Ｃ　無機過酸化物 ………… 注水を避け、乾燥砂を用いる。
Ｄ　亜塩素酸塩類 ………… 強酸の液体により中和する。
Ｅ　硝酸塩類 ………………… 二酸化炭素等による窒息消火が最も効果的である。

(1)　１つ　　(2)　２つ　　(3)　３つ　　(4)　４つ　　(5)　５つ

問題28　マグネシウムの粉末を貯蔵し、または取り扱う場合の火災予防の注意事項として、該当しないものは次のうちどれか。

(1)　酸や水と接触させないこと。
(2)　ハロゲンと接触させないこと。
(3)　二酸化窒素と接触させないこと。
(4)　乾燥塩化ナトリウムと接触させないこと。
(5)　容器を密栓して乾燥した冷暗所に貯蔵すること。

問題29　黄りんの性状について、次のA～Eのうち正しいもののみを掲げた組合せはどれか。

A　空気中に放置すると発火する。
B　人体には無害である。
C　二硫化炭素には不溶である。
D　燃焼すると、十酸化四りんを生じる。
E　反応性は、赤りんより小さい。

(1)　AとC　(2)　AとD　(3)　BとC　(4)　BとE　(5)　DとE

問題30　第４類の危険物であるアルコール類について、次のうち誤っているものはどれか。

(1)　１分子を構成する炭素の原子の数が１個から３個までの飽和１価アルコールだけをアルコール類という。
(2)　アルコール類には、変性アルコールも該当する。
(3)　炭素数が増加するほど、沸点、引火点ともに高くなる。
(4)　炭素数が増加するほど、水溶性は増す。
(5)　消火に際しては、消泡性があるため、泡消火剤の選択に注意を要する。

問題31　硝酸エチルの性状について、次のうち誤っているものはどれか。

(1)　腐敗臭を有する赤褐色の液体である。
(2)　引火点は20℃より低い。
(3)　メタノールに溶ける。
(4)　液比重は１より大きい。
(5)　蒸気比重は１より大きい。

問題32　過酸化水素の貯蔵・取扱いについて、次のうち誤っているものはどれか。

(1)　日光の直射を避けて貯蔵する必要がある。

(2)　金属粉、有機物との混合は、爆発の危険があるので注意する。

(3)　空気に触れないよう、容器は密栓する。

(4)　高濃度の場合、皮膚や粘膜を腐食するので、取扱いの際に注意する。

(5)　流出したときは、多量の水で洗い流す。

問題33　過塩素酸アンモニウムの性状について、次のうち正しいものはどれか。

(1)　赤紫色の結晶である。

(2)　酸化力は弱く、有機物と混合しても発火の危険はない。

(3)　強い衝撃または分解温度以上の加熱により発火する。

(4)　100℃で容易に融解する。

(5)　水、エタノールおよびアセトンに溶けない。

問題34　第２類の危険物にかかわる火災に対する消火の方法として、次のＡ～Ｄのうち適切でないもののみの組合せはどれか。

Ａ　硫黄の火災 ………………………… 水を霧状にしてかける。

Ｂ　アルミニウム粉の火災 ……… ハロゲン化物消火剤を使用する。

Ｃ　亜鉛粉の火災 ……………………… 乾燥砂で覆う。

Ｄ　三硫化りんの火災 ……………… 大量の注水を行う。

(1)　ＡとＢ　　(2)　ＡとＣ　　(3)　ＡとＤ　　(4)　ＢとＣ　　(5)　ＢとＤ

問題35　バリウムの性状として、次のうち誤っているものはどれか。

(1)　水と反応して、酸素を発生する。

(2)　銀白色の結晶である。

(3)　常温（20℃）で表面が酸化する。

(4)　水素と反応して、水素化バリウムを生じる。

(5)　常温（20℃）でハロゲンと反応する。

問題36　酸化プロピレンの性状として、次のうち誤っているものはどれか。

(1)　水に溶けない液体である。
(2)　引火点が低く、冬期でも引火しやすい。
(3)　沸点が低く、夏期には気温のほうが沸点より高くなるおそれがある。
(4)　発火点は、ガソリンよりも高い。
(5)　蒸気は、空気より重い。

問題37　第５類の危険物（アジ化ナトリウムを除く）にかかわる火災に、共通して消火効果を期待できる消火設備は、次のA～Eのうちいくつあるか。

A　不活性ガス消火設備
B　水噴霧消火設備
C　ハロゲン化物消火設備
D　粉末消火設備
E　屋外消火栓設備

(1)　1つ　(2)　2つ　(3)　3つ　(4)　4つ　(5)　5つ

問題38　三酸化クロムの性状として、次のうち誤っているものはどれか。

(1)　暗赤色の結晶である。
(2)　水に溶け、腐食性の強い酸となる。
(3)　潮解性はない。
(4)　高温に加熱すると、分解して酸素を発生する。
(5)　強い毒性があり、皮膚に触れると薬傷を起こす。

問題39　ナトリウムにかかわる火災の消火方法として、次のA～Eのうち不適切なもののみを掲げている組合せはどれか。

A　粉末（炭酸水素ナトリウム）消火剤を放射する。
B　ハロゲン化物消火剤を放射する。
C　二酸化炭素消火剤を放射する。
D　膨張真珠岩（パーライト）で覆う。
E　屋外にたい積していた砂で覆う。

(1)　ABD　(2)　ABE　(3)　ACD　(4)　BCE　(5)　CDE

第5回

問題40　塩素酸アンモニウムの性状について、次のうち誤っているものはどれか。

⑴　無色の針状結晶である。

⑵　水に溶ける。

⑶　エタノールによく溶ける。

⑷　高温で爆発することがある。

⑸　不安定な物質で、常温においても、衝撃により爆発することがある。

問題41　過塩素酸を車両で運搬する場合の注意事項について、次のうち誤っているものはどれか。

⑴　容器に収納するときは、空間容積を設けないようにする。

⑵　容器の外部には、危険物の品名、化学名、数量、危険等級のほかに、危険物に応じた注意事項として「可燃物接触注意」と表示する。

⑶　容器の外部に、緊急時の対応を円滑にするために、「容器イエローカード」のラベルを貼る。

⑷　運搬の際は、日光の直射を避けるため、遮光性のもので被覆する。

⑸　流出した場合には、吸い取るために布やおがくずのような可燃物を使用してはならない。

問題42　アニリンの性状について、次のうち誤っているものはどれか。

⑴　無色無臭の液体である。

⑵　空気中で酸化され、褐色になる。

⑶　蒸気は空気より重い。

⑷　水に溶けにくい。

⑸　エタノール、ベンゼンによく溶ける。

問題43　赤りんの性状として、次のうち誤っているものはどれか。

⑴　燃焼により、有毒な十酸化四りんを生成する。

⑵　水と反応して、りん化水素を発生する。

⑶　純粋なものは、空気中に放置しても自然発火しない。

⑷　塩素酸カリウムなどの酸化性物質と混合すると、発火する。

⑸　比重は１より大きい。

問題44　次の危険物のうち、貯蔵タンクや容器に、窒素、アルゴン等の不活性ガスを封入しなければならないものはどれか。

(1)　硫黄
(2)　ナトリウム
(3)　黄りん
(4)　エチルメチルケトンパーオキサイド
(5)　アルキルアルミニウム

問題45　カルシウムの性状等について、次のA～Eのうち正しいものはいくつあるか。

A　比重は、水より小さい。
B　水と反応して、水素を生じる。
C　水素と高温（200℃以上）で反応し、水素化カルシウムを生じる。
D　空気中で加熱すると、燃焼して酸化カルシウム（生石灰）を生じる。
E　可燃性であり、かつ、反応性はナトリウムより大きい。

(1)　1つ　(2)　2つ　(3)　3つ　(4)　4つ　(5)　5つ

第6回 予想模擬試験

▶解答カード P.103
▶解答／解説
別冊 P.81～96

危険物に関する法令

問題１　法令上、耐火構造の隔壁で完全に区分された３室を有する同一の屋内貯蔵所において、次に示す危険物を貯蔵する場合、この屋内貯蔵所が貯蔵している危険物の指定数量の倍数はいくつか。

第１種自己反応性物質 ………………… 100kg
第２種可燃性固体 ……………………… 1,000kg
第３種酸化性固体 ……………………… 2,000kg

(1)　12　(2)　14　(3)　16　(4)　18　(5)　20

問題２　第４類危険物のアルコール類は、消防法別表第一で定義されている。炭素原子の数が２のエタノール、炭素原子の数が４のn-ブタノール（＝n-ブチルアルコール）は、どちらも飽和１価アルコールであるが、エタノールがアルコール類に該当するのに対し、n-ブタノールは該当しない理由として、正しいものは次のうちどれか。

(1)　常温（20℃）、１気圧において液体でないから。
(2)　非水溶性液体であるから。
(3)　発火点がアルコール類の発火点よりも高いから。
(4)　引火点がアルコール類の引火点よりも高いから。
(5)　１分子を構成する炭素原子の数が３個を超えているから。

問題３　法令上、製造所等における保安距離および保有空地の規制の有無、ならびに危険物の貯蔵・取扱い数量の制限の有無について、正しいものはどれか。

	製造所等の区分	保安距離の規制	保有空地の規制	貯蔵・取扱い数量の制限
(1)	製造所	有	有	有
(2)	屋外貯蔵所	無	有	無
(3)	屋内タンク貯蔵所	無	無	有
(4)	地下タンク貯蔵所	有	有	無
(5)	簡易タンク貯蔵所	無	無	無

問題4　法令上、危険物取扱者が免状に指定されている危険物を取り扱う場合、免状の携帯を義務付けられているものは、次のうちどれか。

(1)　製造所等で、危険物取扱者でない者の危険物の取扱作業に立ち会っている場合
(2)　製造所等で、定期点検の実施または立会いを行っている場合
(3)　危険物保安監督者に選任されて、製造所等で危険物を取り扱っている場合
(4)　指定数量以上の危険物を運搬する車両に乗車する場合
(5)　危険物を移送するため、移動タンク貯蔵所に乗車する場合

問題5　法令上、次のA～Dのうち危険物保安監督者の選任を必要とする製造所等として、正しいものの組合せはどれか。

A　指定数量の倍数が100の第４類の危険物のみを取り扱う給油取扱所
B　指定数量の倍数が50の第４類の危険物のみを移送する移動タンク貯蔵所
C　指定数量の倍数が40の第４類の危険物（引火点45℃）のみを貯蔵し、または取り扱う地下タンク貯蔵所
D　指定数量の倍数が40の第４類の危険物（引火点45℃）のみを貯蔵し、または取り扱う屋内タンク貯蔵所

(1)　AとC　(2)　AとD　(3)　BとC　(4)　BとD　(5)　CとD

問題6　法令上、製造所等を設置する場合における設置場所と許可権者の組合せとして、次のうち誤っているものはどれか。

	製造所等の区分と設置場所	許可権者
(1)	消防本部および消防署を設置している市町村の区域に設置される製造所等（移送取扱所を除く）	当該市町村長
(2)	消防本部および消防署を設置している市町村以外の市町村の区域に設置される製造所等（移送取扱所を除く）	当該区域を管轄する都道府県知事
(3)	消防本部および消防署を設置している１つの市町村の区域内に設置される移送取扱所	当該市町村長
(4)	２つ以上の市町村の区域にわたって設置される移送取扱所	消防庁長官
(5)	２つ以上の都道府県の区域にわたって設置される移送取扱所	総務大臣

第6回

問題７　法令上、地下貯蔵タンク、移動貯蔵タンク等のうち、漏れの点検を１年に１回以上行わなければならないものとして、正しいものはどれか。

⑴　地下貯蔵タンク（二重殻タンクを除く）のうち、危険物の漏れを覚知し、その漏えい拡散を防止するための措置が講じられているもの。

⑵　地下貯蔵タンク（二重殻タンクを除く）のうち、完成検査を受けた日から15年を超えるもの。

⑶　二重殻タンクの強化プラスチック製の外殻。

⑷　二重殻タンクの内殻。

⑸　移動タンク貯蔵所の移動貯蔵タンク。

問題８　法令上、製造所等における予防規程に定めなければならない事項に該当しないものは、次のうちどれか。

⑴　製造所等の位置、構造および設備を明示した書類や図面の整備に関すること。

⑵　危険物保安監督者が旅行、疾病、事故などによって職務を行うことができない場合に、その職務を代行する者に関すること。

⑶　地震が発生した場合および地震に伴う津波が発生し、または発生するおそれがある場合における施設や設備に対する点検、応急措置等に関すること。

⑷　火災発生時における水道の制水弁の開閉に関すること。

⑸　製造所および一般取扱所においては、危険物の取扱工程または設備等の変更に伴う危険要因の把握および当該危険要因に対する対策に関すること。

問題９　移動タンク貯蔵所の位置、構造および設備の技術上の基準について、次のうち誤っているものはどれか。ただし、特例基準が適用されるものを除く。

⑴　保安距離、保有空地は、どちらも必要ない。

⑵　車両の常置場所は、屋外の防火上安全な場所、または壁、床、梁および屋根を耐火構造または不燃材料でつくった建物の１階でなければならない。

⑶　移動貯蔵タンクの容量は20,000Ｌ以下とし、移動貯蔵タンク内に4,000Ｌ以下ごとに間仕切板を設けなければならない。

⑷　静電気による災害のおそれがある液体危険物の移動貯蔵タンクには、接地導線を設けなければならない。

⑸　移動貯蔵タンクに設ける底弁の手動開閉装置のレバーは、手前に引き倒すことによって作動するものでなければならない。

問題10　法令上、給油取扱所に設置することが認められていないものの組合せとして、正しいものはどれか。

A　給油のために出入りする者を対象とした展示場
B　自動車の洗浄のために出入りする者を対象としたレストラン
C　自動車の点検・整備のために出入りする者を対象とした立体駐車場
D　灯油の詰替えのために出入りする者を対象としたコンビニエンスストア
E　給油のために出入りする者を対象としたゲームセンター

(1)　AとB　(2)　AとE　(3)　BとD　(4)　CとD　(5)　CとE

問題11　法令上、製造所等の位置、構造または設備を変更しないで、その製造所等で貯蔵または取り扱う危険物の品名、数量または指定数量の倍数を変更する場合の手続きとして、次のうち正しいものはどれか。

(1)　変更後、遅滞なく、その旨を市町村長等に届け出なければならない。
(2)　変更後、遅滞なく、その旨を所轄消防長または消防署長に届け出なければならない。
(3)　変更した日から10日以内に、その旨を所轄消防長または消防署長に届け出なければならない。
(4)　変更しようとする日から10日前までに、その旨を市町村長等に届け出なければならない。
(5)　変更しようとする日から10日前までに、その旨の許可を市町村長等に申請しなければならない。

問題12　法令上、一定数量以上の危険物を貯蔵または取り扱う場合に、警報設備のうち自動火災報知設備の設置が義務付けられている製造所等として正しいものは、次のうちどれか。

(1)　屋内貯蔵所
(2)　屋外貯蔵所
(3)　第1種販売取扱所
(4)　第2種販売取扱所
(5)　地下タンク貯蔵所

問題13　危険物の運搬の基準として、次のうち誤っているものはどれか。

(1)　運搬容器は、収納口を上方に向けて積載し、積み重ねる場合は高さ３m以下とする。

(2)　第１類の危険物、自然発火性物品、第４類の危険物のうち特殊引火物、第５類の危険物または第６類の危険物は、日光の直射を避けるため遮光性の被覆で覆わなければならない。

(3)　第１類の危険物のうちアルカリ金属の過酸化物、第２類の危険物のうち鉄粉、金属粉、マグネシウムまたは禁水性物品は、雨水の浸透を防ぐため防水性の被覆で覆わなければならない。

(4)　第５類の危険物のうち55℃以下の温度で分解するおそれのあるものは、保冷コンテナに収納するなど、適正な温度管理をしなければならない。

(5)　危険物は、原則として、高圧ガスと同一の車両に混載することができる。

問題14　製造所等における危険物の貯蔵の基準として、次のうち誤っているものはどれか。

(1)　屋内貯蔵所および屋外貯蔵所において、危険物を収納した容器は、原則として高さ３mを超えて積み重ねてはならない。

(2)　屋外貯蔵タンク、屋内貯蔵タンク、地下貯蔵タンク、簡易貯蔵タンクの計量口は、危険物を注入するときの逆流を防ぐため、開放しておかなければならない。

(3)　屋外貯蔵タンクの周囲に防油堤がある場合、その水抜口は通常は閉鎖しておくとともに、防油堤の内部に滞油または滞水したときは、遅滞なく排出しなければならない。

(4)　移動貯蔵タンクには、貯蔵または取り扱う危険物の類、品名および最大数量を表示しなければならない。

(5)　移動貯蔵タンクの底弁は、使用時以外は閉鎖しておかなければならない。

問題15　法令上、消防吏員または警察官が命じることができるものとして、正しいものは次のうちどれか。

(1)　無許可で指定数量以上の危険物を取り扱っている者に対する危険物除去命令。

(2)　製造所等の所有者等に対する貯蔵・取扱いの基準遵守命令。

(3)　走行中の移動タンク貯蔵所に対する停止命令。

(4)　製造所等の所有者等に対する製造所等の使用制限命令。

(5)　製造所等の所有者等に対する資料提出命令。

物理学および化学

問題16　物質が燃焼しやすい条件として、次のうち最も適切な組合せはどれか。

	蒸気圧	熱伝導率	乾燥度	酸素との化学的親和力	物質の粒子
(1)	大	小	高	大	小
(2)	大	大	高	大	小
(3)	小	大	低	大	大
(4)	小	小	高	小	大
(5)	大	大	低	小	小

問題17　静電気の帯電について、次のA～Eのうち正しいものはいくつあるか。

A　可燃性液体に静電気が帯電すると、可燃性液体の燃焼が促進される。

B　静電気の蓄積による放電火花は、時間が短く電気エネルギーが低いが、可燃物の点火源となり得る。

C　可燃性液体に静電気が蓄積すると、発熱するため、可燃性蒸気の発生が促進される。

D　静電気の帯電防止策として、電気絶縁性を高くし、接地をする。

E　静電気により引火した火災に対しては、電気火災に対する消火方法をとる。

(1)　なし　　(2)　1つ　　(3)　2つ　　(4)　3つ　　(5)　4つ

問題18　0℃、1,013Pa（1気圧）において、3.0Lの一酸化炭素と、6.0Lの酸素を反応させた。このとき反応した酸素の体積と反応後の気体の体積の組合せとして、次のうち正しいものはどれか。

	反応した酸素の体積	反応後の気体の体積
(1)	1.5L	3.0L
(2)	1.5L	7.5L
(3)	3.0L	1.5L
(4)	3.0L	3.0L
(5)	3.0L	4.5L

問題19　消火剤としての水について述べた次の文中の下線部A～Dのうち、誤っている箇所のみを掲げたものはどれか。

「水による消火は、燃焼に必要な熱エネルギーを取り去る$_A$冷却効果が非常に大きい。これは、水の比熱と蒸発熱が$_B$小さいからである。また、水の蒸発で発生する多量の水蒸気により、酸素や可燃性蒸気を$_C$希釈する作用もある。しかも水は安価であるため、$_D$普通火災の消火剤として最も多く利用されている。」

(1)　AとC　　(2)　AとD　　(3)　B　　(4)　C　　(5)　BとD

問題20　下図に示す原子について、この原子1個に含まれる陽子、中性子、電子の数の組合せとして、次のうち正しいものはどれか。

	陽子の数	中性子の数	電子の数
(1)	13	27	13
(2)	13	13	14
(3)	13	14	13
(4)	14	27	13
(5)	13	14	14

問題21　イオン化エネルギーと電子親和力についての記述として、次のうち誤っているものはどれか。

(1)　第1イオン化エネルギーとは、原子から電子1個を取り去るときに必要となるエネルギーをいう。

(2)　アルゴン原子の第1イオン化エネルギーは、カリウムより大きい。

(3)　原子の第1イオン化エネルギーは、原子番号に伴い、ほぼ周期的に変化する。

(4)　原子が1個の電子を得て陽イオンになるときに放出されるエネルギーのことを、電子親和力という。

(5)　周期表の同じ横の列では、ハロゲンの電子親和力が最も大きい。

問題22　２種の金属の板を電解液中に離して立て、金属の液外の部分を針金でつないで電池を作ろうとした。この際に、片方の金属をCuとした場合、もう一方の金属として最も大きな起電力が得られるものは、次のうちどれか。

(1)　Al
(2)　Ni
(3)　Fe
(4)　Zn
(5)　Pb

問題23　よう素価に関する記述として、次のうち誤っているものはどれか。

(1)　油脂100gに付加するよう素のｇ数を、よう素価という。
(2)　よう素価が大きいほど、油脂の構成脂肪酸の二重結合の数は多くなる。
(3)　一般に、よう素価は、乾性油で130以上、不乾性油で100以下となる。
(4)　よう素価が大きいほど、成分脂肪酸の不飽和度は低くなる。
(5)　一般に、よう素価が大きい動植物油類は自然発火しやすい。

問題24　有機化合物に関する説明として、次のうち誤っているものはどれか。

(1)　アルデヒドは還元性があり、容易に酸化されてカルボン酸になる。
(2)　カルボン酸は、一般に第１級アルコールまたはアルデヒドの酸化によってできる化合物である。
(3)　ケトンは、一般に第２級アルコールの酸化によってできる化合物である。
(4)　フェノール類は、ベンゼン環の水素原子をカルボキシ基で置換してできる化合物である。
(5)　スルホン酸は、炭化水素の水素原子をスルホ基で置換してできる化合物である。

問題25　分子式$C_4H_{10}O$の化合物の異性体ではないものは、次のうちどれか。

(1)　n-ブチルアルコール
(2)　第２ブチルアルコール
(3)　イソブチルアルコール
(4)　ジエチルエーテル
(5)　ジメチルエーテル

危険物の性質ならびにその火災予防および消火の方法

問題26　危険物について述べた記述として、次のうち誤っているものはどれか。

(1)　危険物には、単体、化合物および混合物がある。
(2)　同一の金属であっても、形状や粒度によって危険物になるものとならないものがある。
(3)　分子中に多くの酸素を含有し、周囲からの酸素の供給がなくても燃焼するものがある。
(4)　水と接触すると、熱と可燃性ガスを生じるものがある。
(5)　引火性液体の燃焼の種類は主に蒸発燃焼であるが、引火性固体は主に表面燃焼である。

問題27　無機過酸化物の性状について、次のA～Dのうち正しいもののみの組合せはどれか。

A　無機過酸化物は、加熱すると分解して酸素を発生する。
B　過酸化カリウムが水と反応して生じる溶液は、強酸である。
C　過酸化ナトリウムは、約100℃で分解して水素を発生する。
D　過酸化マグネシウムは、有機物と混合すると爆発するおそれがある。

(1)　AとB　(2)　AとC　(3)　AとD　(4)　BとC　(5)　BとD

問題28　アルキルアルミニウムの火災における消火方法として、次のA～Eのうち適切なものはいくつあるか。

A　ハロゲン化物消火剤を放射する。
B　乾燥砂で覆う。
C　泡消火剤で窒息消火する。
D　膨張ひる石（バーミキュライト）で燃焼物を囲む。
E　りん酸塩類を主成分とする粉末消火剤を使用する。

(1)　1つ　(2)　2つ　(3)　3つ　(4)　4つ　(5)　5つ

問題29　三硫化四りん（P_4S_3）、五硫化二りん（P_2S_5）および七硫化四りん（P_4S_7）に共通する性状として、次のA～Eのうち正しいものはいくつあるか。

A　黄色または淡黄色の結晶である。
B　約100℃で融解する。
C　比重は水より小さく、水に浮く。
D　加水分解すると有毒な可燃性ガスを発生する。
E　燃焼すると有毒なガスを発生する。

(1)　1つ　(2)　2つ　(3)　3つ　(4)　4つ　(5)　5つ

問題30　酢酸の性状として、次のうち誤っているものはどれか。

(1)　刺激臭を有する無色透明の液体である。
(2)　高純度のものは、冬期になると氷結することがある。
(3)　青い炎を上げて燃焼する。
(4)　常温（20℃）で容易に引火する。
(5)　水溶液は、腐食性を有する。

問題31　エチルメチルケトンパーオキサイド（ジメチルフタレートにより60%に希釈）の性状として、次のうち誤っているものはどれか。

(1)　無色透明の油状の液体である。
(2)　直射日光に当たると、発火する危険性がある。
(3)　ぼろ布、鉄さびなどに接触して分解することがある。
(4)　引火性を有する。
(5)　水に溶け、有機溶媒には溶けない。

問題32　第６類の危険物に共通する火災予防の方法として、容器への密封が必要とされるが、例外的に通気孔のついた容器に入れて冷暗所に貯蔵することとされている危険物は、次のうちどれか。

(1)　硝酸
(2)　発煙硝酸
(3)　過酸化水素
(4)　三ふっ化臭素
(5)　五ふっ化よう素

問題33　亜塩素酸ナトリウムの性状等について、次のうち誤っているものはどれか。

(1)　加熱により分解し、主に酸素を発生する

(2)　水に溶けない。

(3)　酸と混合すると、爆発性のガスを発生する。

(4)　有機物と混合すると、爆発するおそれがある。

(5)　鉄、銅、銅合金などの金属を腐食する。

問題34　硫黄が燃焼した場合の消火剤として、次のうち最も適切なものはどれか。

(1)　水

(2)　二酸化炭素

(3)　ハロゲン化物

(4)　炭酸水素塩類を主成分とする粉末消火剤

(5)　りん酸塩類を主成分とする粉末消火剤

問題35　第３類の危険物のうち、禁水性物品の貯蔵・取扱いについて、次のＡ～Ｄのうち正しいもののみを掲げた組合せはどれか。

Ａ　容器には、通気口のあるふたをして貯蔵する。

Ｂ　容器について、破損や腐食などに注意する。

Ｃ　保護液に入れて貯蔵しているものは、保護液の量に注意して点検する。

Ｄ　黄りんと同一の室に貯蔵する場合は、離隔して貯蔵する。

(1)　ＡとＢ　(2)　ＡとＣ　(3)　ＢとＣ　(4)　ＢとＤ　(5)　ＣとＤ

問題36　硝酸の性状等について、次のうち正しいものはどれか。

(1)　液面に発生した蒸気に火源を近づけると、引火する。

(2)　毒性が強いので、蒸気を吸わないようにする。

(3)　直射日光に当たっても性質が変化することはないので、遮光性を有しない容器に保存することができる。

(4)　濃硝酸は、白金や金など、多くの金属を腐食させる。

(5)　高温の濃硝酸から生じた蒸気を、発煙硝酸という。

問題37　ベンゼンとトルエンの火災に使用する消火器として、次のうち適切でないものはどれか。

(1)　二酸化炭素を放射する消火器
(2)　消火粉末を放射する消火器
(3)　泡（耐アルコール泡）を放射する消火器
(4)　強化液を棒状放射する消火器
(5)　強化液を霧状放射する消火器

問題38　アジ化ナトリウムの性状等について、次のうち誤っているものはどれか。

(1)　無色の結晶であり、比重は１より大きい。
(2)　加熱すると分解して、窒素と金属ナトリウムを生じる。
(3)　酸と反応して、有毒で爆発性のアジ化水素酸を生じる。
(4)　重金属との接触を避けて保管する。
(5)　火災時には、注水による冷却消火がよい。

問題39　文中の（　　）内に当てはまる物質は、次のうちどれか。

「黒色火薬は、硫黄と木炭粉末に（　　）を混合したものである。」

(1)　過酸化カリウム
(2)　硝酸カリウム
(3)　よう素酸カリウム
(4)　過マンガン酸カリウム
(5)　重クロム酸カリウム

問題40　グリセリンの性状として、次のうち誤っているものはどれか。

(1)　甘味のある無色無臭の液体である。
(2)　比重は、水より大きい。
(3)　水に溶け、吸湿性もある。
(4)　ガソリン、軽油にはほとんど解けない。
(5)　ナトリウムと反応して酸素を発生する。

問題41　第２類の危険物の貯蔵、取扱いおよび火災予防の方法について、次のうち誤っているものはどれか。

⑴　還元剤との接触を避ける。
⑵　火気または加熱を避ける。
⑶　鉄粉、金属粉、マグネシウムは、水との接触を避ける。
⑷　引火性固体は、みだりに蒸気を発生させない。
⑸　微粉状のものは、換気により、濃度を燃焼範囲の下限値未満にする。

問題42　ピクリン酸とトリニトロトルエンに共通する事項として、次のうち誤っているものはどれか。

⑴　ニトロ化合物である。
⑵　爆薬の原料になる。
⑶　金属と作用して、爆発性の金属塩を生成する。
⑷　打撃、衝撃等によって爆発の危険性がある。
⑸　急熱すると、発火または爆発の危険性がある。

問題43　ハロゲン間化合物にかかわる火災の消火方法として、次のうち最も適切なものはどれか。

⑴　膨張ひる石（バーミキュライト）で覆う。
⑵　霧状の水を放射する。
⑶　強化液消火剤を放射する。
⑷　泡消火剤を放射する。
⑸　二酸化炭素消火剤を放射する。

問題44　次に掲げる物質の組合せのうち、それらを混合しても発火や爆発の危険性がないものはどれか。

⑴	塩素酸カリウム	赤りん
⑵	硝酸	メタノール
⑶	三酸化クロム	グリセリン
⑷	硫黄	二硫化炭素
⑸	カリウム	水

問題45　危険物と水との反応によって生成されるガスについて、次のA～Eのうち誤っているものの組合せはどれか。

A　リチウム ………………………… 酸素
B　りん化カルシウム ……… りん化水素
C　炭化カルシウム …………… アセチレンガス
D　炭化アルミニウム ……… メタンガス
E　トリクロロシラン ……… エタンガス

(1)　AとB　(2)　AとE　(3)　BとC　(4)　CとD　(5)　DとE

キリトリセン

第 __ 回　予想模擬試験

この解答カードは下記のURLよりダウンロードできます。印刷してお使いください。
https://www.u-can.co.jp/book/download/index.html

〈マーク記入例〉

よい例 ●	悪い例	小さい ⊙	レ点	直線	薄い

甲種

月　　日
東京都
山田一郎

E	□	－	□	□	□	□
	①		①	①	①	①
	②		②	②	②	②
	③		③	③	③	③
	④		④	④	④	④
	⑤		⑤	⑤	⑤	⑤
	⑥		⑥	⑥	⑥	⑥
	⑦		⑦	⑦	⑦	⑦
	⑧		⑧	⑧	⑧	⑧
	⑨		⑨	⑨	⑨	⑨
	⓪		⓪	⓪	⓪	⓪

法令

1	2	3	4	5	6	7	8	9	10	11	12	13	14	15
①	①	①	①	①	①	①	①	①	①	①	①	①	①	①
②	②	②	②	②	②	②	②	②	②	②	②	②	②	②
③	③	③	③	③	③	③	③	③	③	③	③	③	③	③
④	④	④	④	④	④	④	④	④	④	④	④	④	④	④
⑤	⑤	⑤	⑤	⑤	⑤	⑤	⑤	⑤	⑤	⑤	⑤	⑤	⑤	⑤

物理・化学

16	17	18	19	20	21	22	23	24	25
①	①	①	①	①	①	①	①	①	①
②	②	②	②	②	②	②	②	②	②
③	③	③	③	③	③	③	③	③	③
④	④	④	④	④	④	④	④	④	④
⑤	⑤	⑤	⑤	⑤	⑤	⑤	⑤	⑤	⑤

性質・消火

26	27	28	29	30	31	32	33	34	35	36	37	38	39	40	41	42	43	44	45
①	①	①	①	①	①	①	①	①	①	①	①	①	①	①	①	①	①	①	①
②	②	②	②	②	②	②	②	②	②	②	②	②	②	②	②	②	②	②	②
③	③	③	③	③	③	③	③	③	③	③	③	③	③	③	③	③	③	③	③
④	④	④	④	④	④	④	④	④	④	④	④	④	④	④	④	④	④	④	④
⑤	⑤	⑤	⑤	⑤	⑤	⑤	⑤	⑤	⑤	⑤	⑤	⑤	⑤	⑤	⑤	⑤	⑤	⑤	⑤

①マーク記入例の「よい例」のようにマークしてください。
②カードには、ＨＢかＢの鉛筆を使ってマークしてください。
③訂正するときは、消しゴムできれいに消してください。
④カードを、折り曲げたり、よごしたりしないでください。
⑤カードの、必要のない所にマークしたり、記入したりしないでください。

キリトリセン

第＿回 予想模擬試験

この解答カードは下記のURLよりダウンロードできます。印刷してお使いください。
https://www.u-can.co.jp/book/download/index.html

〈マーク記入例〉

よい例 ●	悪い例	小さい ⊙	レ点	直線	薄い

甲種

月	日

東京都

山田一郎

E		—			
	①		①	①	①
	②		②	②	②
	③		③	③	③
	④		④	④	④
	⑤		⑤	⑤	⑤
	⑥		⑥	⑥	⑥
	⑦		⑦	⑦	⑦
	⑧		⑧	⑧	⑧
	⑨		⑨	⑨	⑨
	⓪		⓪	⓪	⓪

法令

1	2	3	4	5	6	7	8	9	10	11	12	13	14	15
①	①	①	①	①	①	①	①	①	①	①	①	①	①	①
②	②	②	②	②	②	②	②	②	②	②	②	②	②	②
③	③	③	③	③	③	③	③	③	③	③	③	③	③	③
④	④	④	④	④	④	④	④	④	④	④	④	④	④	④
⑤	⑤	⑤	⑤	⑤	⑤	⑤	⑤	⑤	⑤	⑤	⑤	⑤	⑤	⑤

物理・化学

16	17	18	19	20	21	22	23	24	25
①	①	①	①	①	①	①	①	①	①
②	②	②	②	②	②	②	②	②	②
③	③	③	③	③	③	③	③	③	③
④	④	④	④	④	④	④	④	④	④
⑤	⑤	⑤	⑤	⑤	⑤	⑤	⑤	⑤	⑤

性質・消火

26	27	28	29	30	31	32	33	34	35	36	37	38	39	40	41	42	43	44	45
①	①	①	①	①	①	①	①	①	①	①	①	①	①	①	①	①	①	①	①
②	②	②	②	②	②	②	②	②	②	②	②	②	②	②	②	②	②	②	②
③	③	③	③	③	③	③	③	③	③	③	③	③	③	③	③	③	③	③	③
④	④	④	④	④	④	④	④	④	④	④	④	④	④	④	④	④	④	④	④
⑤	⑤	⑤	⑤	⑤	⑤	⑤	⑤	⑤	⑤	⑤	⑤	⑤	⑤	⑤	⑤	⑤	⑤	⑤	⑤

①マーク記入例の「よい例」のようにマークしてください。
②カードには、ＨＢかＢの鉛筆を使ってマークしてください。
③訂正するときは、消しゴムできれいに消してください。
④カードを、折り曲げたり、よごしたりしないでください。
⑤カードの、必要のない所にマークしたり、記入したりしないでください。

キリトリセン

第＿回　予想模擬試験

この解答カードは下記のURLよりダウンロードできます。印刷してお使いください。
https://www.u-can.co.jp/book/download/index.html

〈マーク記入例〉　よい例 ●　悪い例　小さい ⊙　レ点 ✓　直線 ◯　薄い ●

甲種

月　　日
東京都
山田一郎

E		–				
	①		①	①	①	①
	②		②	②	②	②
	③		③	③	③	③
	④		④	④	④	④
	⑤		⑤	⑤	⑤	⑤
	⑥		⑥	⑥	⑥	⑥
	⑦		⑦	⑦	⑦	⑦
	⑧		⑧	⑧	⑧	⑧
	⑨		⑨	⑨	⑨	⑨
	⓪		⓪	⓪	⓪	⓪

法令

1	2	3	4	5	6	7	8	9	10	11	12	13	14	15
①	①	①	①	①	①	①	①	①	①	①	①	①	①	①
②	②	②	②	②	②	②	②	②	②	②	②	②	②	②
③	③	③	③	③	③	③	③	③	③	③	③	③	③	③
④	④	④	④	④	④	④	④	④	④	④	④	④	④	④
⑤	⑤	⑤	⑤	⑤	⑤	⑤	⑤	⑤	⑤	⑤	⑤	⑤	⑤	⑤

物理・化学

16	17	18	19	20	21	22	23	24	25
①	①	①	①	①	①	①	①	①	①
②	②	②	②	②	②	②	②	②	②
③	③	③	③	③	③	③	③	③	③
④	④	④	④	④	④	④	④	④	④
⑤	⑤	⑤	⑤	⑤	⑤	⑤	⑤	⑤	⑤

性質・消火

26	27	28	29	30	31	32	33	34	35	36	37	38	39	40	41	42	43	44	45
①	①	①	①	①	①	①	①	①	①	①	①	①	①	①	①	①	①	①	①
②	②	②	②	②	②	②	②	②	②	②	②	②	②	②	②	②	②	②	②
③	③	③	③	③	③	③	③	③	③	③	③	③	③	③	③	③	③	③	③
④	④	④	④	④	④	④	④	④	④	④	④	④	④	④	④	④	④	④	④
⑤	⑤	⑤	⑤	⑤	⑤	⑤	⑤	⑤	⑤	⑤	⑤	⑤	⑤	⑤	⑤	⑤	⑤	⑤	⑤

①マーク記入例の「よい例」のようにマークしてください。
②カードには、ＨＢかＢの鉛筆を使ってマークしてください。
③訂正するときは、消しゴムできれいに消してください。
④カードを、折り曲げたり、よごしたりしないでください。
⑤カードの、必要のない所にマークしたり、記入したりしないでください。

キリトリセン

第＿回 予想模擬試験

この解答カードは下記のURLよりダウンロードできます。印刷してお使いください。
https://www.u-can.co.jp/book/download/index.html

〈マーク記入例〉

よい例 ●	悪い例	小さい ⊙	レ点	直線	薄い

甲種

月　日
東京都
山田一郎

E	□	－	□	□	□	□
	①		①	①	①	①
	②		②	②	②	②
	③		③	③	③	③
	④		④	④	④	④
	⑤		⑤	⑤	⑤	⑤
	⑥		⑥	⑥	⑥	⑥
	⑦		⑦	⑦	⑦	⑦
	⑧		⑧	⑧	⑧	⑧
	⑨		⑨	⑨	⑨	⑨
	⓪		⓪	⓪	⓪	⓪

法令

1	2	3	4	5	6	7	8	9	10	11	12	13	14	15
①	①	①	①	①	①	①	①	①	①	①	①	①	①	①
②	②	②	②	②	②	②	②	②	②	②	②	②	②	②
③	③	③	③	③	③	③	③	③	③	③	③	③	③	③
④	④	④	④	④	④	④	④	④	④	④	④	④	④	④
⑤	⑤	⑤	⑤	⑤	⑤	⑤	⑤	⑤	⑤	⑤	⑤	⑤	⑤	⑤

物理・化学

16	17	18	19	20	21	22	23	24	25
①	①	①	①	①	①	①	①	①	①
②	②	②	②	②	②	②	②	②	②
③	③	③	③	③	③	③	③	③	③
④	④	④	④	④	④	④	④	④	④
⑤	⑤	⑤	⑤	⑤	⑤	⑤	⑤	⑤	⑤

性質・消火

26	27	28	29	30	31	32	33	34	35	36	37	38	39	40	41	42	43	44	45
①	①	①	①	①	①	①	①	①	①	①	①	①	①	①	①	①	①	①	①
②	②	②	②	②	②	②	②	②	②	②	②	②	②	②	②	②	②	②	②
③	③	③	③	③	③	③	③	③	③	③	③	③	③	③	③	③	③	③	③
④	④	④	④	④	④	④	④	④	④	④	④	④	④	④	④	④	④	④	④
⑤	⑤	⑤	⑤	⑤	⑤	⑤	⑤	⑤	⑤	⑤	⑤	⑤	⑤	⑤	⑤	⑤	⑤	⑤	⑤

①マーク記入例の「よい例」のようにマークしてください。
②カードには、ＨＢかＢの鉛筆を使ってマークしてください。
③訂正するときは、消しゴムできれいに消してください。
④カードを、折り曲げたり、よごしたりしないでください。
⑤カードの、必要のない所にマークしたり、記入したりしないでください。

■元素の周期表

典型元素（1〜2族）　遷移元素（3〜11族）　典型元素（12〜18族）

族／周期	1	2	3	4	5	6	7	8	9	10	11	12	13	14	15	16	17	18
1	1 H ● 水素																	2 He ● ヘリウム
2	3 Li リチウム	4 Be ベリリウム											5 B ホウ素	6 C 炭素	7 N ● 窒素	8 O ● 酸素	9 F ● フッ素	10 Ne ● ネオン
3	11 Na ナトリウム	12 Mg マグネシウム											13 Al アルミニウム	14 Si ケイ素	15 P リン	16 S 硫黄	17 Cl ● 塩素	18 Ar ● アルゴン
4	19 K カリウム	20 Ca カルシウム	21 Sc スカンジウム	22 Ti チタン	23 V バナジウム	24 Cr クロム	25 Mn マンガン	26 Fe 鉄	27 Co コバルト	28 Ni ニッケル	29 Cu 銅	30 Zn 亜鉛	31 Ga ガリウム	32 Ge ゲルマニウム	33 As ヒ素	34 Se セレン	35 Br ○ 臭素	36 Kr ● クリプトン
5	37 Rb ルビジウム	38 Sr ストロンチウム	39 Y イットリウム	40 Zr ジルコニウム	41 Nb ニオブ	42 Mo モリブデン	43 Tc テクネチウム	44 Ru ルテニウム	45 Rh ロジウム	46 Pd パラジウム	47 Ag 銀	48 Cd カドミウム	49 In インジウム	50 Sn スズ	51 Sb アンチモン	52 Te テルル	53 I ヨウ素	54 Xe ● キセノン
6	55 Cs セシウム	56 Ba バリウム	57〜71 ランタノイド	72 Hf ハフニウム	73 Ta タンタル	74 W タングステン	75 Re レニウム	76 Os オスミウム	77 Ir イリジウム	78 Pt 白金	79 Au 金	80 Hg ○ 水銀	81 Tl タリウム	82 Pb 鉛	83 Bi ビスマス	84 Po ポロニウム	85 At アスタチン	86 Rn ● ラドン
7	87 Fr フランシウム	88 Ra ラジウム	89〜103 アクチノイド															
	アルカリ金属	アルカリ土類金属															ハロゲン	希ガス

凡例：原子番号　元素記号　元素名

単体が20℃・1気圧で　●＝気体　○＝液体　記号なし＝固体

□（濃い網）：非金属の典型元素　□（白）：金属の典型元素　□（薄い網）：金属の遷移元素

強 ← 金属性 → 弱

●法改正・正誤等の情報につきましては、下記「ユーキャンの本」ウェブサイト内「追補（法改正・正誤）」をご覧ください。
https://www.u-can.co.jp/book/information

●本書の内容についてお気づきの点は
・「ユーキャンの本」ウェブサイト内「よくあるご質問」をご参照ください。
https://www.u-can.co.jp/book/faq
・郵送・FAXでのお問い合わせをご希望の方は、書名・発行年月日・お客様のお名前・ご住所・FAX番号をお書き添えの上、下記までご連絡ください。
【郵送】〒169-8682 東京都新宿北郵便局 郵便私書箱第2005号
ユーキャン学び出版 危険物取扱者資格書籍編集部
【FAX】03-3350-7883
◎より詳しい解説や解答方法についてのお問い合わせ、他社の書籍の記載内容等に関しては回答いたしかねます。

●お電話でのお問い合わせ・質問指導は行っておりません。

ユーキャンの 甲種危険物取扱者 1回でうかる！ 予想模試 第2版

2020年２月21日　初　版　第１刷発行
2024年10月25日　第２版　第１刷発行

編　者　ユーキャン危険物取扱者試験研究会
発行者　品川泰一
発行所　株式会社 ユーキャン 学び出版
〒151-0053
東京都渋谷区代々木1-11-1
Tel 03-3378-2226

編　集　株式会社 東京コア

発売元　株式会社 自由国民社
〒171-0033
東京都豊島区高田3-10-11
Tel 03-6233-0781（営業部）

印刷・製本　望月印刷株式会社

※落丁・乱丁その他不良の品がありましたらお取り替えいたします。お買い求めの書店か自由国民社営業部（Tel 03-6233-0781）へお申し出ください。

© U-CAN, Inc. 2024 Printed in Japan ISBN978-4-426-61608-3

本書の全部または一部を無断で複写複製（コピー）することは、著作権法上の例外を除き、禁じられています。

別冊

解答／解説編

CONTENTS

ユーキャンの

甲種 危険物取扱者

第2版

第1回 予想模擬試験 解答一覧

危険物に関する法令		物理学および化学		危険物の性質ならびにその火災予防および消火の方法	
問題 1	(4)	問題16	(1)	問題26	(3)
問題 2	(2)	問題17	(3)	問題27	(2)
問題 3	(4)	問題18	(2)	問題28	(2)
問題 4	(5)	問題19	(3)	問題29	(4)
問題 5	(1)	問題20	(5)	問題30	(5)
問題 6	(5)	問題21	(5)	問題31	(1)
問題 7	(2)	問題22	(4)	問題32	(4)
問題 8	(4)	問題23	(3)	問題33	(2)
問題 9	(2)	問題24	(4)	問題34	(5)
問題10	(1)	問題25	(5)	問題35	(1)
問題11	(3)			問題36	(5)
問題12	(3)			問題37	(4)
問題13	(5)			問題38	(2)
問題14	(1)			問題39	(3)
問題15	(4)			問題40	(3)
				問題41	(4)
				問題42	(1)
				問題43	(2)
				問題44	(5)
				問題45	(1)

☆得点を計算してみましょう。

挑戦した日	危険物に関する法令	物理学および化学	危険物の性質ならびにその火災予防および消火の方法	計
1回目 ／	／15	／10	／20	／45
2回目 ／	／15	／10	／20	／45

※各科目60％以上の正解率が合格基準です。

第1回　予想模擬試験　解答／解説

危険物に関する法令

問題1　解答 (4)　速習 P.145、P.279

異なった類の危険物の性状を2つ以上有する物品（**複数性状物品**）を、第何類の物品に分類するかは、次の通り規則で定められています。よって、(4)が正解です。

- **第1類**（酸化性固体）＋**第2類**（可燃性固体）の性質 ⇒ **第2類**
- **第1類**（酸化性固体）＋**第5類**（自己反応性物質）の性質 ⇒ **第5類**
- **第2類**（可燃性固体）＋**第3類**（自然発火性物質および禁水性物質）の性質 ⇒ **第3類**
- **第3類**（自然発火性物質および禁水性物質）＋**第4類**（引火性液体）の性質 ⇒ **第3類**
- **第4類**（引火性液体）＋**第5類**（自己反応性物質）の性質 ⇒ **第5類**

問題2　解答 (2)　速習 P.381～382

液体危険物（二硫化炭素を除く）の**屋外貯蔵タンク**の周囲には、危険物の流出を防止するため**防油堤**を設けることとされています。特に**引火点**を有する液体危険物の貯蔵タンクの場合は、防油堤の容量を**タンク容量の110%以上**とし、設問のように、同一の防油堤内に引火点を有する液体危険物のタンクが**2基以上**ある場合には、**容量が最大であるタンクの110%以上**とします。

したがって、設問では4基の貯蔵タンクのうち1号タンク（重油500kL）の容量が最大なので、500kLの110%以上すなわち、500×1.1＝550kL以上ということになります。よって、(2)が正解となります。

問題3　解答 (4)　速習 P.339～340、P.349

市町村長等への**届出**を必要とする手続きとその期限は次の通りです。

届出を必要とする手続き	届出期限
製造所等の**譲渡**または**引渡し**	遅滞なく
製造所等の**用途の廃止**	遅滞なく
危険物の**品名**、**数量**または**指定数量の倍数**の**変更**	変更しようとする日の**10日前**まで
危険物保安監督者の選任・解任	遅滞なく
危険物保安統括管理者の選任・解任	遅滞なく

製造所等の位置・構造・設備を変更しないで、その製造所等で貯蔵または取り扱う危険物の**品名**、**数量**または**指定数量の倍数**を**変更**しようとする場合は、変更しようとする日の**10日前**までに市町村長等に**届出**をする必要があります（なお、製造所等の位置・構造・設備を変更して、危険物の品名、数量または指定数量の倍数も変更するという場合には、製造所等についての変更の**許可**を申請します）。よって、(4)が正解です。なお、(1)

～(3)は、それぞれを行ったあとに、遅滞なく届出をします。また、(5)の**危険物施設保安員**の選任（または解任）については、市町村長等への届出は不要です。

問題4 解答 (5)

速習 P.328～330

指定数量は、危険物の貯蔵・取扱いが消防法による規制を受けるかどうかを判断する基準量であり、「危険物の規制に関する政令」別表第三で次のように定められています。

類別	品　名	性　質	指定数量
第１類		第１種酸化性固体	50kg
		第２種酸化性固体	300kg
		第３種酸化性固体	1,000kg
第２類	硫化りん		100kg
	赤りん		100kg
	硫黄		100kg
		第１種可燃性固体	100kg
	鉄粉		500kg
		第２種可燃性固体	500kg
	引火性固体		1,000kg
第３類	カリウム		10kg
	ナトリウム		10kg
	アルキルアルミニウム		10kg
	アルキルリチウム		10kg
		第１種自然発火性および禁水性物質	10kg
	黄りん		20kg
		第２種自然発火性および禁水性物質	50kg
		第３種自然発火性および禁水性物質	300kg
第４類	特殊引火物		50L
	第１石油類	非水溶性液体	200L
		水溶性液体	400L
	アルコール類		400L
	第２石油類	非水溶性液体	1,000L
		水溶性液体	2,000L
	第３石油類	非水溶性液体	2,000L
		水溶性液体	4,000L
	第４石油類		6,000L
	動植物油類		10,000L
第５類		第１種自己反応性物質	10kg
		第２種自己反応性物質	100kg
第６類			300kg

そこで、それぞれの**危険物ごとに倍数を求めてその数を合計**します。
- 黄りん〔第３類危険物：指定数量20kg〕⇒ 40÷20＝２倍
- 過酸化水素〔第６類危険物：指定数量300kg〕⇒ 600÷300＝２倍
- 酢酸エチル〔第４類危険物 第１石油類 非水溶性：指定数量200Ｌ〕
  ⇒ 1,600÷200＝８倍

∴２＋２＋８＝12倍となります。よって、⑸が正解となります。

問題5 解答 ⑴ 速習 P.348

⑴**誤り**。製造所等の**設置**や**変更**の**許可申請**などは、製造所等の**所有者等**（所有者、管理者または占有者）が行います。危険物保安監督者の業務ではありません。
⑵**正しい**。危険物の取扱作業が**技術上の基準**や**予防規程**などの保安に関する規定に適合するよう、作業者に必要な**指示**を与えることは、危険物保安監督者の業務とされています。
⑶**正しい**。**危険物施設保安員**を置く製造所等においては、危険物施設保安員に必要な指示を行うことも危険物保安監督者の業務とされています。なお、危険物施設保安員を置かない製造所等の場合は、危険物保安監督者自らが危険物施設保安員の業務を行うこととされています。
⑷**正しい**。火災などの災害が発生した場合は、作業者を指揮して**応急の措置**を講じるとともに、直ちに**消防機関等に連絡する**ことが危険物保安監督者の業務とされています。
⑸**正しい**。火災などの災害を防止するため、隣接する製造所等その他**関連する施設の関係者と連絡を保つ**ことも、危険物保安監督者の業務とされています。

問題6 解答 ⑸ 速習 P.343～344

免状に関する手続きの申請先をまとめると、次の通りです。

手続き	申請先
交付	・**受験**した都道府県の知事
書換え	・**免状を交付**した都道府県知事 ・**居住地**の都道府県知事 ・**勤務地**の都道府県知事
再交付	・**免状を交付**した都道府県知事 ・**書換え**をした都道府県知事
亡失した免状を発見したとき	・**再交付**を受けた都道府県知事

⑴**誤り**。市町村長等は、免状に関する手続きの申請先ではありません。
⑵**誤り**。消防長、消防署長は、免状に関する手続きの申請先ではありません。
⑶**誤り**。免状の**書換え**は、当該免状を**交付した都道府県知事**のほかに、**居住地**または**勤務地**を管轄する**都道府県知事**にも申請することができます。
⑷**誤り**。免状の**再交付**は、当該免状を**交付した都道府県知事**のほかに、当該免状の**書換えをした都道府県知事**にも申請することができます。居住地または勤務地を管轄する都道府県知事にも申請できるというのは、誤りです。
⑸**正しい**。

問題7 解答 (2)　速習 P.353

A **正しい**。**定期点検**は、原則として**危険物取扱者**または**危険物施設保安員**が行うこととされています。危険物取扱者であれば、甲種～丙種を問いません。

B **正しい**。**危険物施設保安員**であれば定期点検を行うことができます。その危険物施設保安員が危険物取扱者免状の交付を受けているかどうかは問いません。なぜなら、製造所等の定期点検は、危険物の取扱いそのものではないからです。

C **誤り**。危険物取扱者免状の交付を受けていない**危険物保安統括管理者**は、危険物取扱者でも危険物施設保安員でもないので、**危険物取扱者の立会い**がない限り、定期点検を行うことはできません。

D **正しい**。定期点検は、例外として**危険物取扱者の立会い**があれば、危険物取扱者や危険物施設保安員以外の者であっても行うことができます。**丙種危険物取扱者**は、無資格者が危険物を取り扱う際の立会いは行えませんが、定期点検の立会いは行うことができます。

したがって、誤っているものはＣ１つで、(2)が正解です。

問題8 解答 (4)　速習 P.412～414

(1)**正しい**。右の図①の通りです。

(2)**正しい**。右の図②の通りです。

(3)**正しい**。右の図③の通りです。

(4)**誤り**。「**禁水**」は、第１類危険物のうちアルカリ金属の過酸化物（もしくはこれを含有するもの）または第３類危険物の禁水性物品等を貯蔵または取り扱う場合に掲げます。「過酸化物を除く第１類」というのは誤りです。

(5)**正しい**。「**火気注意**」は、引火性固体以外の第２類危険物を貯蔵または取り扱う場合に掲げます。

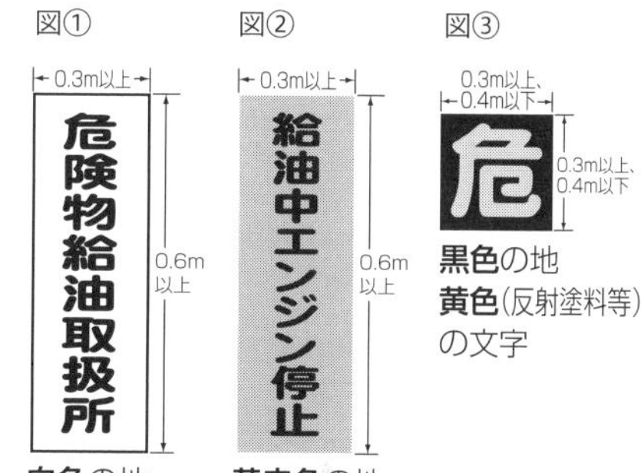

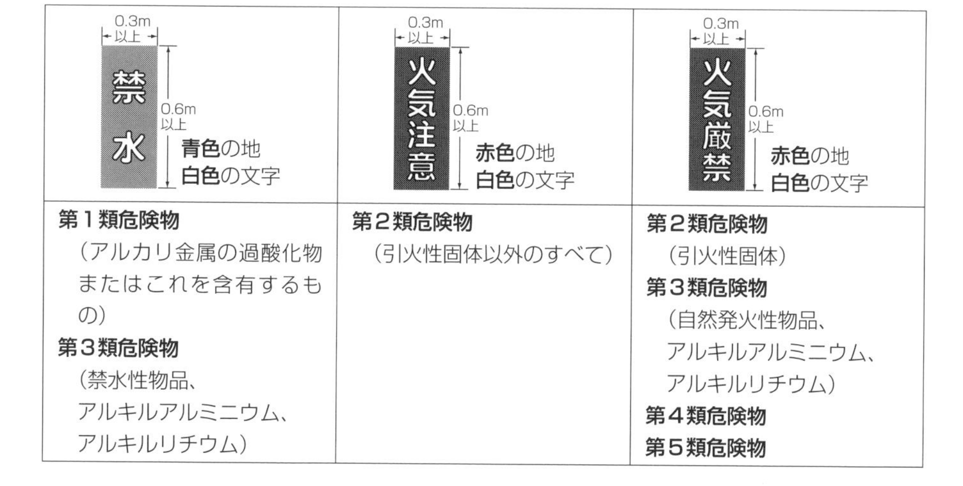

青色の地 白色の文字	赤色の地 白色の文字	赤色の地 白色の文字
第１類危険物 （アルカリ金属の過酸化物またはこれを含有するもの） **第３類危険物** （禁水性物品、アルキルアルミニウム、アルキルリチウム）	**第２類危険物** （引火性固体以外のすべて）	**第２類危険物** （引火性固体） **第３類危険物** （自然発火性物品、アルキルアルミニウム、アルキルリチウム） **第４類危険物** **第５類危険物**

問題9 解答 (2) 速習 P.426～427

(1)**誤り**。**アルキルアルミニウム**等を移送する場合には、移送経路等を記載した書面をあらかじめ消防機関に送付して、その書面の写しを携帯する必要があります。しかし、それ以外の危険物の移送の場合、行政機関に届出をしたり、消防機関に書面を送付したりするなどの手続きは必要ありません。

(2)**正しい**。危険物を移送する移動タンク貯蔵所には、その危険物の取扱いができる資格をもった**危険物取扱者**を**乗車**させなければなりません。**丙種危険物取扱者**にとって**ガソリン**は取扱いができる危険物なので、乗車して移送することができます（車両の運転は危険物取扱者以外の者がしてもかまいません）。

(3)**誤り**。消防吏員または警察官が移動タンク貯蔵所を停止させて免状の提示を求めることがあるため、移送の際、危険物取扱者は必ず**免状を携帯**していなければなりません。事務所等で保管したり、免状の写しを携帯したりすることは認められません。

(4)**誤り**。**休憩**や**故障**等のために**一時停止**するときは、**安全な場所**であればよく、消防機関等の承認を得た場所である必要はありません。

(5)**誤り**。移動貯蔵タンクの**底弁**、**マンホール**および**注入口のふた**、**消火器**等の**点検**は、**移送開始前**に行うよう定められています。１か月に１回以上行うというのは誤りです。

問題10 解答 (1) 速習 P.401

所要単位とは、その製造所等にどれくらいの消火能力をもった消火設備が必要なのかを判断するときに基準となる単位です。所要単位は、下の表に基づいて計算します。

製造所等の構造、危険物		１所要単位当たりの数値
製造所 取扱所	外壁が耐火構造	延べ面積　100m²
	それ以外	延べ面積　50m²
貯蔵所	外壁が耐火構造	延べ面積　150m²
	それ以外	延べ面積　75m²
危険物		指定数量の　10倍

よって(1)の**外壁が耐火構造**の**製造所**の建築物は、**延べ面積100㎡**を１所要単位とします。150㎡というのは誤りです。

問題11 解答 (3) 速習 P.430

製造所等の**所有者等**は、当該製造所等において危険物の流出等の事故が発生した場合、**引き続く危険物の流出および拡散の防止、流出した危険物の除去**など、災害の発生防止のための**応急措置**を直ちに講じるよう定められています。したがって、B、C、Dの３つがこの応急措置に含まれます（これを講じていない場合、市町村長等は、所有者等に対し**応急措置命令**を発することができます）。

これに対し、A、Eの２つは含まれません（火災などの災害が発生した場合に、作業者を指揮して応急の措置を講じたり、直ちに消防機関等に連絡することは、**危険物保安監督者**の業務とされています）。よって、(3)が正解となります。

問題12 解答 (3) 速習 P.421

(1)**正しい。**移動貯蔵タンクからほかのタンクに**引火点40℃未満**の危険物を注入するときは、**移動タンク貯蔵所の原動機（エンジン）を停止**することとされています。エタノールは**引火点13℃**なので、エンジンを停止させる必要があります。

(2)**正しい。ガソリン**を貯蔵していた移動貯蔵タンクに**灯油**もしくは**軽油**を注入するとき（またはその逆のとき）は、**静電気**などによる災害を防止するための措置を講じることとされています。

(3)**誤り。**移動貯蔵タンクからほかのタンクに液体危険物を注入するときは、原則として、**注入ホースを注入口に緊結する**こととされています。例外として、所定の注入ノズルを使用して指定数量未満のタンクに**引火点40℃以上**の第４類危険物を注入する場合は除くとされていますが、**ガソリン**の引火点は−40℃以下なので、例外は適用されません。

(4)**正しい。**移動貯蔵タンクから液体危険物を**容器に詰め替える**ことは、**原則として禁止**です。ただし、引火点**40℃以上**の**第４類危険物**に限り、注入ホースの先端に手動開閉装置がついた注入ノズルを用いて、安全な注油速度で詰替えができるとされています。

(5)**正しい。クレオソート油**は、引火点73.9℃（引火点**40℃以上**の**第４類危険物**）なので、注入ホースの先端に手動開閉装置がついた注入ノズルを用いて、安全な注油速度であれば、移動貯蔵タンクから容器に詰め替えることができます。

問題13 解答 (5) 速習 P.344～345、P.348

(1)**誤り。**下の図の〈例外〉に該当します。免状交付後の最初の４月１日からまだ３年を経過していないので、受講の期限は過ぎていません。

(2)**誤り。**下の図の〈例外〉に該当します。講習受講後の最初の４月１日からまだ３年を経過していないので、受講の期限は過ぎていません。

(3)**誤り。**下の図の〈例外〉に該当します。講習受講後の最初の４月１日からまだ３年を経過していないので、受講の期限は過ぎていません。

(4)**誤り。**危険物取扱作業に現に従事していない者には受講義務はありません。

(5)**正しい。危険物保安監督者**は甲種または乙種の**危険物取扱者**であり、危険物取扱作業に現に従事していながら５年を経過しているので、受講の期限を過ぎています。

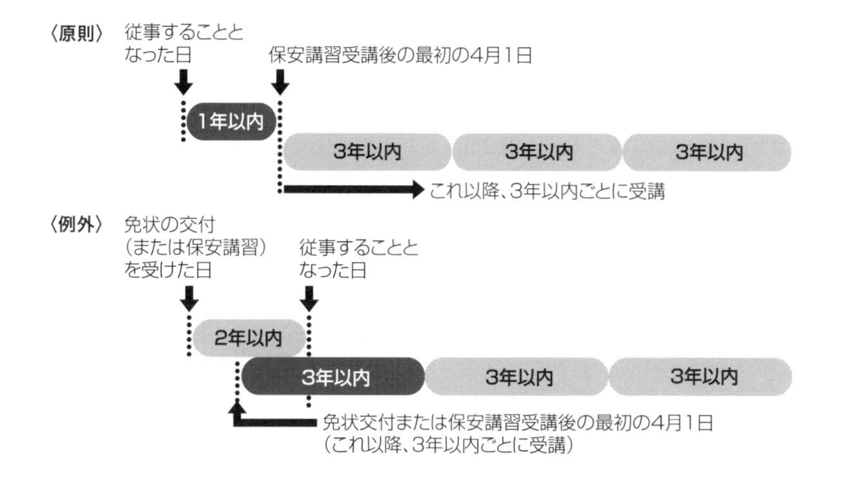

問題14 解答 (1) 速習 P.377

(1)**正しい。屋外貯蔵所**において貯蔵または取扱いができる危険物は、次の①と②に限られています。
①第2類危険物…**硫黄、引火性固体**（**引火点0℃以上**のもの）
②第4類危険物…**特殊引火物以外**のもの（**第1石油類**は**引火点0℃以上**のもの）
硫黄は①、エタノールと重油は②に該当します。
(2)**誤り。**軽油は②に該当しますが、黄りんは第3類危険物、アセトンは第1石油類で引火点−20℃です。
(3)**誤り。**マグネシウムは第2類危険物ですが、上記①に該当しません。ナトリウムは第3類危険物です。
(4)**誤り。**ガソリンは第1石油類で引火点−40℃以下です。灯油と重油は、上記②に該当します。
(5)**誤り。**二硫化炭素は特殊引火物、過酸化水素は第6類危険物です。

問題15 解答 (4) 速習 P.413、P.424

液体の危険物であることから、第1類（酸化性固体）と第2類（可燃性固体）は除外されます。また**危険等級Ⅲ**なので、下の表より第3類と第5類が除外され、(4)が正解となります。なお、「**火気厳禁**」は第2類、第3類、第4類、第5類の注意事項です。

危険等級	類　別	品名等
Ⅰ	第1類	第1種酸化性固体の性状を有するもの
	第3類	カリウム、ナトリウム、アルキルアルミニウム、アルキルリチウム、黄りん、第1種自然発火性物質、禁水性物質の性状を有するもの
	第4類	特殊引火物
	第5類	第1種自己反応性物質の性状を有するもの
	第6類	すべて
Ⅱ	第1類	第2種酸化性固体の性状を有するもの
	第2類	硫化りん、赤りん、硫黄、第1種可燃性固体の性状を有するもの
	第3類	危険等級Ⅰに該当しないもの
	第4類	第1石油類、アルコール類
	第5類	危険等級Ⅰに該当しないもの
Ⅲ	−	第1類、第2類、第4類で上記以外のもの

物理学および化学

問題16 解答 (1) 速習 P.123、P.146、P.280

酸素の供給を断つ消火方法を**窒息消火**といいますが、酸素濃度を**14%以下**に下げると燃焼が継続できなくなるため、酸素濃度を下げる方法も**窒息消火**に含まれます。しかし分子中に酸素を有する酸化剤や有機過酸化物などは、その酸素によって燃焼（**自己燃焼**）できるので、窒息消火は効果がありません。よって、(1)が正解となります。

問題17 解答 (3)　速習 P.57、P.114

常温において、物質が空気中で自然に発熱し、その熱が長期間蓄積されて**発火点**に達し、ついには燃焼する現象を**自然発火**といいます。点火源は必要としません。自然発火の原因となる**発熱**の種類と、それによって発火する物質をまとめると下の表の通りです。

(3)の**セルロイド**が自然発火する原因となる熱は、**分解熱**（化合物が成分元素に分解するときに発生する熱）です。**吸着熱**とは、吸着剤（活性炭など）の表面に気体が吸着されるときに発生する熱をいいます。

酸化熱	乾性油、原綿（げんめん）、石炭、ゴム粉、鉄粉、亜鉛粉
分解熱	セルロイド、ニトロセルロース
吸着熱	活性炭、木炭粉末
重合熱	スチレン、アクリロニトリル
発酵熱	たい肥、ごみ、干し草

問題18 解答 (2)　速習 P.107～108

固体と液体について燃焼の種類をまとめると、次の通りです。

- **固体の燃焼**

分解燃焼：固体が加熱されて分解し、そのとき発生した可燃性蒸気が燃焼する
例）**紙、木材、石炭、プラスチック**

自己燃焼：分解燃焼のうち、その固体に含まれている酸素によって燃える燃焼
例）**セルロイド、ニトロセルロース**

表面燃焼：固体の表面だけが赤く燃える燃焼（分解も蒸発もしない）
例）**木炭、コークス、アルミニウム粉**

蒸発燃焼：加熱された固体が熱分解せずに蒸発して、その蒸気が燃える燃焼
例）**硫黄、ナフタレン**

- **液体の燃焼**

蒸発燃焼：液体の可燃性蒸気が空気と混合し、点火源によって燃える燃焼
例）**ガソリン、灯油、アセトアルデヒド**

したがって、正しい組合せは、ＡとＤで、(2)が正解です。

問題19 解答 (3)　速習 P.28～29

温度が上昇するにつれて物体の体積が増加する現象を、**熱膨張**といいます。熱膨張によって増加する体積は、次の式によって求められます。

増加する体積＝元の体積×体膨張率×温度差

本問では、内容積200Ｌのドラム缶に10％の空間を残してガソリンを入れたので、温度上昇する前の元の空間容積は、200×10％＝20Ｌ。
∴ガソリンの元の体積は、200−20＝180Ｌ。
これを上の式に入れて計算すると、
ガソリンの増加体積＝$180\times(1.35\times10^{-3})\times40=9.72$Ｌ
したがって、温度上昇したあとのドラム缶の空間容積は、
（元の空間容積）－（ガソリンの増加体積）
＝20−9.72＝10.28Ｌ　となるので、(3)が正解です。

問題20 解答 (5) 速習 P.15〜16

空気と接した液体の表面からは、普段から蒸発が起きています。ところが、液体を加熱していくと、やがて液体内部からも蒸発が起こり、気泡が激しく発生します。この現象を**沸騰**といい、このときの液体の温度を**沸点**といいます。

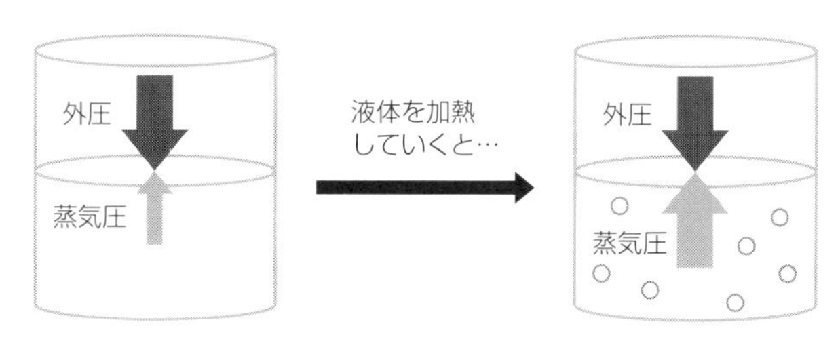

液体の内部から蒸発が生じるためには、液体の**蒸気圧**が液体の表面にかかる**外圧以上**の大きさになる必要があります。液体を加熱するとその液体の蒸気圧は**高く**なり、蒸気圧が**外圧と等しくなった**とき、その液体は沸騰しはじめます。沸点は外圧の大小によって変化し、外圧が高くなれば沸点は高くなり、外圧が**低く**なれば沸点は**低く**なります。よって、(5)が正解です。

問題21 解答 (5) 速習 P.69〜71

水酸化ナトリウムが水溶液中で $NaOH \rightarrow Na^{+}+OH^{-}$ というように完全に電離していることから、水酸化物イオン濃度 $[OH^{-}]=0.06mol/L=6\times10^{-2}mol/L$

水溶液は、温度が一定であれば**水素イオン濃度** $[H^{+}]$ と**水酸化物イオン濃度** $[OH^{-}]$ の**積**は一定の値をとります。これを**水のイオン積**といい、水溶液の温度が25℃の場合、その値は$\mathbf{1.0\times10^{-14}}$と決まっています。つまり、次の式が成り立ちます。

$[H^{+}]\times[OH^{-}]=1.0\times10^{-14}$

したがって、本問では $[H^{+}]\times6\times10^{-2}=1.0\times10^{-14}$

この式を変形して、$[H^{+}]=\dfrac{1.0\times10^{-14}}{6\times10^{-2}}=\dfrac{10^{-12}}{6}$

$\mathbf{pH=-\log[H^{+}]}$ と表されるので、$pH=-\log\dfrac{10^{-12}}{6}$

公式 $\log\dfrac{M}{N}=\log M-\log N$ より、$pH=-(\log10^{-12}-\log6)$

公式$\log MN=\log M+\log N$ より、$\log6=\log(2\times3)=\log2+\log3$

$\log10^{-12}=-12$、また、$\log2=0.30$、$\log3=0.50$より、$\log6=0.30+0.50=0.80$

$\therefore pH=-(-12-0.80)=12.8$

したがって、(5)が正解となります。

問題22 解答 (4) 速習 P.83

アルキンとは、分子中の炭素間に**三重結合**（C≡C）を１つ含む不飽和炭化水素の総称です。炭素数が２のアルキン（C_2H_2）は**アセチレン**と呼ばれ、**炭化カルシウム**（カルシウムカーバイド）と水を反応させることによって生成できます。

したがって、Aには三重結合、Bには炭化カルシウムが入り、(4)が正解となります。

問題23 解答 (3) 速習 P.80

金属の**腐食**とは「さびる」ということです。金属の**腐食が進みやすい環境**として次のような場所が挙げられます。

金属の腐食が進みやすい環境
①湿度が高いなど、水分の存在する場所（**水分**により腐食する） ②乾燥した土と湿った土など、**土質が異なっている**場所 ③酸性が高い土中などの場所（**酸**により腐食する） ④**中性化が進んだ**（強アルカリ性でない）**コンクリート内** ⑤限度以上の**塩分**（塩化物イオンCl^-）が存在する場所 ⑥**異種金属**が接触（接続）している場所 ⑦直流電気鉄道の近くなど、**迷走電流**が流れている場所

(1)**誤り**。乾いた土壌と湿った土壌の境は、上記②に該当し、不適切です。
(2)**誤り**。砂と粘土の境も、上記②に該当し、不適切です。
(3)**正しい**。**中性化が進んだ**（強アルカリ性でない）**コンクリート内**は、上記④に該当するため不適切ですが、**強アルカリ性**の環境が保たれている正常なコンクリート内であれば、金属の腐食は進行しません。
(4)**誤り**。種類の違う材質の配管と接続して埋設するのは、上記⑥に該当し、不適切です。ただし、配管に使われている金属よりもイオン化傾向の大きい異種金属と接続するのであれば、腐食を防ぐことができます（その異種金属のほうで腐食が進むから）。
(5)**誤り**。直流駆動電車の軌道に近い土壌は、上記⑦に該当し、不適切です。

問題24 解答 (4) 速習 P.14、P.53、P.58

(1)**正しい**。化学反応式の中に**反応熱**（反応に伴って出入りする熱）を書き加えて、両辺を等号（＝）で結んだ式を**熱化学方程式**といいます。このため熱化学方程式を見ると、化学反応式と同様、反応の前後での**物質の量的関係**がわかります。

$2H_2$（気）＋O_2（気）＝$2H_2O$（気）＋486.0kJ

式の係数は**物質量（mol）の比**を表すので、水素2molと酸素1molが反応すると水蒸気（気体）が2molできることがわかります。
(2)**正しい**。水素1mol当たりで考えるときは、上の式の両辺を2で割ります。これにより、486.0÷2＝243.0kJの発熱があることがわかります。
(3)**正しい**。H_2の分子量は1×2＝2、O_2の分子量は16×2＝32、H_2Oの分子量は1×2＋16＝18です。また、物質1mol当たりの質量は分子量に〔g〕をつけたものなので、$2H_2$の質量は2×2＝4g、O_2の質量は32g、$2H_2O$の質量は2×18＝36gとなります。
(4)**誤り**。**気体1mol当たりの体積**は、標準状態（0℃、1気圧）ではすべて**22.4L**です。したがって、水素2mol＝22.4×2＝44.8Lと酸素1mol＝22.4Lとが反応して、水蒸気（気体）が2mol＝22.4×2＝44.8L発生します。67.2Lは誤りです。
(5)**正しい**。固体から液体、あるいは液体から気体へと、物質を構成している粒子の運動が活発になる方向へ状態変化する場合は、熱エネルギーが必要となるため、周囲から**熱を吸収**します（**吸熱**）。これに対し、本問のように気体から液体に変化する場合には、熱エネルギーが余るため、周囲に**熱を放出**します（**放熱**）。

問題25 解答 (5)　速習 P.24、P.53〜55

プロパン（C_3H_8）が完全燃焼するときの化学反応式をつくり、**理論酸素量**（ある物質が完全燃焼するために必要な酸素の量）をまず求めます。

$C_3H_8 + 5O_2 \rightarrow 3CO_2 + 4H_2O$

この式より、プロパン1molあたりの理論酸素量は5molであることがわかります。

次に、プロパン（C_3H_8）の分子量を求めると、

(12×3)+(1×8)=44。つまり、プロパン1mol当たり44gです。

本問のプロパンは4.4gなので、0.1mol。

∴0.1molのプロパンを完全燃焼するために必要な理論酸素量は、0.5molです。

気体1molの体積は、その気体の種類に関係なく、0℃1気圧（標準状態）では**22.4L**を占めるので、0.5molの酸素の体積は、22.4L×0.5=11.2L。

空気は、窒素：酸素＝4：1の混合気体なので、空気：酸素＝5：1の体積比です。

以上より、プロパン4.4gが完全燃焼するのに必要な0℃1気圧における空気の体積の値は、11.2L×5=56.0Lであることがわかります。

よって、(5)が正解となります。

危険物の性質ならびにその火災予防および消火の方法

問題26 解答 (3)　速習 P.138〜140、P.197、P.286〜287

(1)**誤り。第1類**の危険物は**酸化性固体**であり、ほかの物質を強く酸化させる性質がありますが、自分自身は燃えません（**不燃性**）。可燃物というのは誤りです。

(2)**誤り。第2類**の危険物は、**可燃性固体**です（すべて固体）。このうち**引火性固体**は、危険物そのものに直接着火するのではなく、危険物から蒸発した**可燃性蒸気**に引火します。引火性のものはないというのは誤りです。

(3)**正しい。第4類**の危険物は、**引火性液体**です。具体的には、危険物から蒸発した可燃性蒸気が**空気**と混合し、その混合気体中の可燃性蒸気の濃度が**燃焼範囲内**にあるとき、点火源により燃焼します。

(4)**誤り。第5類**の危険物は、**自己反応性物質**です。このうち**ニトロセルロース**には長時間放置すると**自然発火**する危険性がありますが、第5類がすべて自然発火性物質であるというのは誤りです。

(5)**誤り。第6類**の危険物は、**酸化性液体**です（すべて液体）。酸化力が強く、ほかの物質を強く酸化させ、着火させる危険性がありますが、自分自身は**不燃性**です。可燃性の固体または液体であるというのは誤りです。

問題27 解答 (2)　速習 P.206、P.210〜223

A **正しい。黄りん**は**自然発火性**のみ、**リチウム**は**禁水性**のみというように、第3類危険物のすべてが自然発火性と禁水性の両方の性質を有しているわけではありませんが、自然発火性**または**禁水性の性状を有するというのは、第3類危険物のすべてに共通します。

B **誤り。りん化カルシウム**や**炭化カルシウム**のような**不燃性**の物質も含まれているので、いずれも可燃性というのは誤りです。

C **誤り。カリウム**は**銀白色**の固体、**ノルマルブチルリチウム**は**黄褐色**の液体というように、無色でない固体・液体も多くあります。

D **正しい。ジエチル亜鉛**など**有機金属化合物**は、金属原子を含んだ**有機化合物**です。
E **誤り。黄りん**には野菜のニラに似た**不快臭**があり、トリクロロシランには**刺激臭**があります。第３類がいずれも無臭というのは誤りです。
したがって、正しいものは、ＡとＤで、(2)が正解です。

問題28 解答 (2) 速習 P.162

(1)**正しい。臭素酸ナトリウム**は、**無色の結晶**です。
(2)**誤り。水に溶けます**。一方、エタノールなどの**アルコールには溶けません。**
(3)**正しい。**強力な**酸化剤**であり、可燃物や粉末金属、硫黄を含む物質と激しく反応して**発火**や**爆発**を起こすことがあります
(4)**正しい。**融点（**381℃**）以上に加熱すると、**酸素**の発生とともに分解します。
(5)**正しい。**有機物とも激しく反応して、発火や爆発を起こすことがあります。

問題29 解答 (4) 速習 P.77～78、P.194

(1)**正しい。**常温（20℃）でも空気中の**水分**と反応し、**水素**を発生します。
(2)**正しい。**塩素Clなど**ハロゲン元素**と接触すると**自然発火**することがあるので、水分およびハロゲン元素との接触を避ける必要があります。
(3)**正しい。**硫酸などの**酸**と反応して、**水素**を発生します。
(4)**誤り。亜鉛**はアルミニウムと同様、**酸**にも**アルカリ**にも反応する**両性元素**です。このため、水酸化ナトリウムの水溶液（アルカリ）にも反応しますが、このとき発生するのは**水素**です。酸素を発生するというのは誤りです。
(5)**正しい。**亜鉛原子Znは、２個の価電子（原子の最も外側の軌道を回る電子）を有しており、この２個の価電子を放出することにより、**Zn^{2+}**という＋2のイオン（**２価の陽イオン**）になりやすい性質があります。

問題30 解答 (5) 速習 P.85～86、P.241～242

(1)**正しい。無色透明**の液体で、特有の**刺激臭**（果実臭）があります。なお、蒸気は**有毒**であり、粘膜を刺激します。
(2)**正しい。**アセトアルデヒドは、**沸点21℃**（第４類危険物で最も低い）で、揮発性で引火しやすい性質があります。
(3)**正しい。**アセトアルデヒドの貯蔵タンクや容器に**銅**やその合金、または**銀**を使用すると、爆発性の化合物を生じるおそれがあるため、**鋼製**の容器を使用し、窒素ガス等の不活性ガスを封入します。
(4)**正しい。酸化**されると、カルボン酸である**酢酸**を生成します。また、**還元**されると、**エタノール**（アルコール）を生成します（→別冊P.27参照）。
(5)**誤り。**アセトアルデヒドは第４類危険物ですが、同じ特殊引火物に分類されている酸化プロピレンと同様、**水によく溶ける**性質があります。

問題31 解答 (1)　速習 P.289〜290

A **正しい。**ピクリン酸は**黄色の結晶**で、**アルコール**、**ジエチルエーテル**、**ベンゼン**などに溶けます。また熱水にも溶けます。
B **正しい。有毒**であり、**苦味**があります。
C **誤り。**ピクリン酸は、**乾燥状態**のものほど**危険性が増大**するので、通常10％程度の水を加えて保存します。水分を含むと爆発の可能性が増すというのは誤りです。
D **正しい。金属**と作用して**爆発性の金属塩**をつくります。このため、金属製の容器は使用不可です。
E **誤り。よう素**、**ガソリン**、**アルコール**、**硫黄**等と混合すると、摩擦や打撃により爆発の危険があります。エタノール（アルコール）で湿らせるのは誤りです。
したがって、正しいもののみを掲げている組合せは、A、B、Dで、(1)が正解です。

問題32 解答 (4)　速習 P.156

過酸化カリウム、過酸化ナトリウムなどの**アルカリ金属の過酸化物**は、**水**と反応して**熱**および**酸素**を生じるという点が特徴です。このため、**火災の初期段階**において、水の放射による消火は、棒状・霧状のいずれにしてもできません。この場合は**炭酸水素塩類**を主成分とする**粉末消火剤**または**乾燥砂**を使用し、火災の中期以降は、危険物ではなく可燃物のほうに大量の水を注水して延焼を防ぐことが適切とされています。
よって、(4)が正解となります。

問題33 解答 (2)　速習 P.78、P.195

A **誤り。**マグネシウムは**銀白色**の金属ですが、**比重1.7**なので**軽金属**に分類されます。軽金属とは、比重がおおむね4以下の金属の総称で、Al、Mg、Ca、Na、K、Liなどが該当します（これに対し、Pt、Au、Hg、Ag、Cu、Fe、Znなどは重金属に分類されます）。
B **正しい。**点火すると**白光**を放って激しく燃焼し、**酸化マグネシウム**になります。
C **誤り。酸化剤**と混合すると、打撃等で**発火**します。
D **正しい。熱水**と速やかに反応（水とは徐々に反応）して、**水素**を発生します。
E **正しい。**常温（20℃）の乾いた空気中では**酸化被膜**で覆われ、酸化が進行しません。
したがって、誤っているものは、AとCで、(2)が正解です。

問題34 解答 (5)　速習 P.266〜267

動植物油のような脂肪油には、空気中の酸素と結びついて樹脂状に固まりやすい性質があります。これを油脂の**固化**といい、空気中で固化しやすい脂肪油を**乾性油**、固化しにくい脂肪油を**不乾性油**といいます。脂肪油に含まれている脂肪酸のうち、炭素原子の結合に不飽和結合をもつものを**不飽和脂肪酸**といいます。不飽和結合の部分では化学反応が起こりやすく、空気中の**酸素**と結びついて酸化反応が進みます。このとき発生する**反応熱**が蓄積され、やがて**発火点**に達すると**自然発火**が起こります。特に、**布や紙などに染み込んだ状態**にして長期間、**風通しの悪い場所に積み重ね**ておくと、酸化による反応熱が放熱されず、蓄積されやすいため、自然発火の危険性が大きくなります（特に**乾性油**）。よって、(5)が正解となります。

問題35 解答 (1) 速習 P.314～315

A **誤り**。五ふっ化よう素は、**刺激臭**がありますが、**無色の液体**です。
B **正しい**。**水**と激しく反応し、猛毒で腐食性のある**ふっ化水素**のほか、**よう素酸**を発生します。
C **正しい**。五ふっ化よう素は、**ふっ素原子**を多く含む**ハロゲン間化合物**なので、反応性に富み、**金属**や**非金属**と容易に反応して**ふっ化物**（ふっ化水素など）を生成します。
D **誤り**。Cで述べた通り、非金属とも反応します。
E **正しい**。**ふっ化水素**の水溶液は、**ガラスを腐食**するため、ガラス製の容器は使用できません（金属製、陶器製の容器も使用できません。ポリエチレン製の容器ならば使用できます）。
したがって、誤っているものは、AとDで、(1)が正解です。

問題36 解答 (5) 速習 P.313～314

(1)**正しい**。純粋な硝酸は**無色の液体**ですが、光や熱によって分解して**二酸化窒素**が生じると、**黄褐色**を呈することがあります。
(2)**正しい**。かんなくず、木片、紙、布などの**有機物**と接触すると、**自然発火**させる危険性があります。
(3)**正しい**。**二硫化炭素**、**アミン類**、ヒドラジン類などと混合して、**発火**または**爆発**する危険性があります。
(4)**正しい**。**ステンレス**は、その表面に**酸化被膜**と呼ばれる耐食性の薄い膜ができているため腐食されません。また、**アルミニウム**や鉄、ニッケルなどは**希硝酸**には激しく腐食されますが、**濃硝酸**には**不動態化**（表面に酸化被膜ができた状態になること）によって腐食されません。
(5)**誤り**。硝酸は、強力な酸化剤であり、**銅**、**水銀**、**銀**などの**水素よりイオン化傾向の小さな**金属とも反応します（ただし、金と白金は除く）。

問題37 解答 (4) 速習 P.213

ノルマルブチルリチウムは、**ヘキサン**や**ベンゼン**などの溶剤で希釈すると**反応性が低減**します。これに対し、C**水**や**アルコール類**、**アミン類**などとは激しく反応するため、接触させることはできません。Aエタノール、Dグリセリンはどちらもアルコール類です（グリセリンは3価のアルコール）。
したがって、希釈する溶媒として適しているのは、BとEで、(4)が正解です。

問題38 解答 (2) 速習 P.189

(1)**正しい**。赤りんは、**赤褐色の粉末**です。**無臭**であり、また毒性もありません。
(2)**誤り**。**水**にも**二硫化炭素**にも**溶けません**。
(3)**正しい**。空気中で点火すると、**粉じん爆発**する危険性があります。
(4)**正しい**。赤りんは、**発火点260℃**です。なお、同素体の黄りん（発火点50℃）を含む不良品は、自然発火のおそれがあります。
(5)**正しい**。常圧（1気圧）では、約**400℃**で**昇華**（固体から直接気体へと状態変化すること）します。

問題39 解答 (3) 速習 P.246

(1)**正しい。**ベンゼンは、**無色の液体**です。特有の刺激臭（**芳香臭**）があります。
(2)**正しい。蒸気比重2.8**なので、空気より重い（第４類の危険物の蒸気比重はすべて１より大きい）です。
(3)**誤り。**ベンゼンは**水に溶けません。**
(4)**正しい。**アルコール、ジエチルエーテル、n-ヘキサンなど多くの**有機溶剤**（ほかの物質を溶かす性質をもつ有機化合物）によく溶けます。
(5)**正しい。揮発性**を有し、**有毒**です。毒性が強く、蒸気を吸入すると、急性または慢性の中毒症状を呈します。

問題40 解答 (3) 速習 P.168

(1)**正しい。**過マンガン酸カリウムは、**赤紫色**（せきししょく）で金属光沢のある結晶です。
(2)**正しい。水によく溶け**、水溶液は**濃紫色**になります。
(3)**誤り。**過マンガン酸カリウムは約**200℃**で分解し、**酸素**を発生します。約100℃で分解するというのは誤りです。
(4)**正しい。可燃物**や**有機物**と混合すると、加熱・摩擦・衝撃により**爆発**する危険性があります。また、濃硫酸を加えると爆発するおそれがあります。
(5)**正しい。**過マンガン酸カリウムには酸化力のほか、**殺菌力**があるため、漂白剤や殺菌消毒剤、消臭剤、染料などとして用いられています。

問題41 解答 (4) 速習 P.149、P.152、P.156、P.163

A **潮解性なし。**$KClO_3$（**塩素酸カリウム**）には、潮解性はありません。
B **潮解性あり。**$NaClO_3$（**塩素酸ナトリウム**）には、潮解性があります。
C **潮解性なし。**NH_4ClO_4（**過塩素酸アンモニウム**）には、潮解性はありません。
D **潮解性あり。**K_2O_2（**過酸化カリウム**）には、潮解性があります。
E **潮解性あり。**$NaNO_3$（**硝酸ナトリウム**）には、潮解性があります。

したがって、潮解性のある物質のみを掲げている組合せは、B、D、Eで、(4)が正解です。

問題42 解答 (1) 速習 P.282～285、P.289

(1)**正しい。硝酸エチル**は、**引火点10℃**なので、常温（20℃）で引火する危険性があります。
(2)**誤り。過酸化ベンゾイル**は、そもそも引火性の物質ではありません。
(3)**誤り。過酢酸**は、引火性の物質ですが、**引火点41℃**なので、常温（20℃）では引火の危険性はありません。なお、過酢酸の市販品は、不揮発性溶媒の40％溶液とされています。
(4)**誤り。エチルメチルケトンパーオキサイド**は引火性の物質ですが、**引火点72℃**なので、常温（20℃）で引火の危険性はありません。なお、高純度のものは非常に不安定で危険なため、市販品は50～60％に希釈されています。希釈剤として、ジメチルフタレート（フタル酸ジメチル）という可塑剤（かそざい）が用いられます。
(5)**誤り。ピクリン酸**は、引火性の物質ですが、**引火点207℃**なので、常温（20℃）で引火の危険性はありません。

問題43 解答 (2) 速習 P.223～224

A **誤り。トリクロロシラン**（$SiHCl_3$）は、**塩素化けい素化合物**であり、政令で定める**第3類**の危険物（自然発火性物質および禁水性物質）です。
B **正しい**。常温（20℃）で**無色の液体**です。揮発性、刺激臭があり、有毒です。
C **正しい**。トリクロロシランは、**引火点−14℃**（常温〔20℃〕より**低い**）です。
D **誤り**。引火点が低いうえ、**燃焼範囲1.2～90.5vol%**と**広い**ため、**引火の危険性が高い**物質です。
E **正しい**。**水**と激しく反応して加水分解し、**塩化水素**（HCl）を発生します。
したがって、A、Dが誤りで、(2)が正解です。

問題44 解答 (5) 速習 P.311～312

(1)**正しい**。**金属**と反応するので、**ガラス**や**陶磁器**などの容器を使用します。
(2)**正しい**。極めて不安定なため、密閉容器中で保存しても次第に分解して黄変し、爆発的分解を起こすので、定期的に検査し、**汚損・変色**しているときは**廃棄**します。
(3)**正しい**。**加熱**すると、**爆発**します。また、**加熱分解**により有毒な**塩化水素ガス**を発生します。
(4)**正しい**。流出した場合は、**ソーダ灰**、**チオ硫酸ナトリウム**で十分に**中和**してから**大量の水**で洗い流します。
(5)**誤り**。**おがくず**、**木片**、**布**などの有機物と接触すると、**自然発火**させることがあります。したがって、おがくずやぼろ布に吸収するというのは誤りです。

問題45 解答 (1) 速習 P.115

(1)**危険性がある**。2種類またはそれ以上の物質が**混合**したり**接触**したりすることによって**発火**または**爆発**の危険が生じることを**混合危険**といいます。**酸化性物質**（第1類や第6類の危険物）と**還元性物質**（第2類や第4類の危険物）が混合すると、混合危険が生じます。

三酸化クロムは**第1類**の危険物、メタノールは**第4類**の危険物なので、混合危険を生じます。
(2)**危険性なし**。塩素酸カリウム、臭素酸カリウムはどちらも**第1類**の危険物なので、混合危険は生じません。
(3)**危険性なし**。硫黄、赤りんは、どちらも**第2類**の危険物なので、混合危険は生じません。
(4)**危険性なし**。酢酸、エタノールは、どちらも**第4類**の危険物なので、混合危険は生じません。
(5)**危険性なし**。ヘキサンは**第4類**の危険物であり、アルキルアルミニウムは**第3類**の危険物なので、混合危険は生じません。

第2回 予想模擬試験 解答一覧

危険物に関する法令		物理学および化学		危険物の性質ならびにその火災予防および消火の方法	
問題 1	(1)	問題16	(4)	問題26	(3)
問題 2	(4)	問題17	(2)	問題27	(5)
問題 3	(5)	問題18	(4)	問題28	(2)
問題 4	(3)	問題19	(5)	問題29	(2)
問題 5	(4)	問題20	(3)	問題30	(4)
問題 6	(2)	問題21	(2)	問題31	(4)
問題 7	(1)	問題22	(2)	問題32	(3)
問題 8	(2)	問題23	(4)	問題33	(1)
問題 9	(3)	問題24	(5)	問題34	(1)
問題10	(5)	問題25	(1)	問題35	(3)
問題11	(1)			問題36	(4)
問題12	(2)			問題37	(3)
問題13	(1)			問題38	(4)
問題14	(4)			問題39	(4)
問題15	(3)			問題40	(2)
				問題41	(2)
				問題42	(5)
				問題43	(2)
				問題44	(1)
				問題45	(4)

☆得点を計算してみましょう。

挑戦した日	危険物に関する法令	物理学および化学	危険物の性質ならびにその火災予防および消火の方法	計
1回目 ／	／15	／10	／20	／45
2回目 ／	／15	／10	／20	／45

※各科目60%以上の正解率が合格基準です。

第2回 予想模擬試験 解答／解説

危険物に関する法令

問題1 解答 (1)
速習 P.327

(1)**誤り**。**第1類**の危険物の品名に**過塩素酸塩類**がありますが、**過塩素酸**そのものは**第6類**です。消防法別表第一に定められている各類の**品名**は下表の通りです。

類別	性質	品名	
第1類	酸化性固体	1 塩素酸塩類 2 過塩素酸塩類 3 無機過酸化物 4 亜塩素酸塩類 5 臭素酸塩類 6 硝酸塩類	7 よう素酸塩類 8 過マンガン酸塩類 9 重クロム酸塩類 10 その他のもので政令で定めるもの 11 前各号に掲げるもののいずれかを含有するもの
第2類	可燃性固体	1 硫化りん 2 赤りん 3 硫黄 4 鉄粉 5 金属粉	6 マグネシウム 7 その他のもので政令で定めるもの 8 前各号に掲げるもののいずれかを含有するもの 9 引火性固体
第3類	自然発火性物質および禁水性物質	1 カリウム 2 ナトリウム 3 アルキルアルミニウム 4 アルキルリチウム 5 黄りん 6 アルカリ金属（カリウムおよびナトリウムを除く）およびアルカリ土類金属	7 有機金属化合物（アルキルアルミニウムおよびアルキルリチウムを除く） 8 金属の水素化物 9 金属のりん化物 10 カルシウムまたはアルミニウムの炭化物 11 その他のもので政令で定めるもの 12 前各号に掲げるもののいずれかを含有するもの
第4類	引火性液体	1 特殊引火物 2 第1石油類 3 アルコール類 4 第2石油類	5 第3石油類 6 第4石油類 7 動植物油類
第5類	自己反応性物質	1 有機過酸化物 2 硝酸エステル類 3 ニトロ化合物 4 ニトロソ化合物 5 アゾ化合物 6 ジアゾ化合物	7 ヒドラジンの誘導体 8 ヒドロキシルアミン 9 ヒドロキシルアミン塩類 10 その他のもので政令で定めるもの 11 前各号に掲げるもののいずれかを含有するもの
第6類	酸化性液体	1 過塩素酸 2 過酸化水素 3 硝酸	4 その他のもので政令で定めるもの 5 前各号に掲げるもののいずれかを含有するもの

問題2 解答 (4)
速習 P.328〜330

それぞれの**危険物ごとに倍数を求めてその数を合計**します（→別冊P.3参照）。

- 軽油〔第4類危険物 第2石油類 非水溶性：指定数量1,000L〕
  ⇒ 4,000÷1,000＝4倍

● 鉄粉〔第２類危険物：指定数量500kg〕
⇒ 1,000÷500＝２倍
∴４＋２＝６倍となります。よって、(4)が正解です。

問題3 解答 (5)

速習 P.343〜344

(1)**誤り**。免状の**交付**は、**受験した都道府県**の知事に申請します。
(2)**誤り**。免状の**書換え**は、その免状を**交付**した都道府県知事に限らず、**居住地**または**勤務地**を管轄する都道府県知事に申請してもかまいません。
(3)**誤り**。免状を**亡失**、**滅失**、**汚損**、**破損**したときは、いずれも免状の**再交付**を申請します。これに対し、**書換え**の申請をするのは、免状の記載事項に一定の変更を生じたときです。
(4)**誤り**。免状を亡失した場合に資格を取り消すような制度はありません。
(5)**正しい**。免状の**再交付**の申請は、免状を**交付**した都道府県知事、または**書換え**をした都道府県知事にしなければなりません。

問題4 解答 (3)

速習 P.347〜348

(1)**正しい**。危険物保安監督者の**選任**および**解任**は、製造所等の**所有者等**（所有者、管理者または占有者）が行います。
(2)**正しい**。製造所等のうち、**製造所**、**屋外タンク貯蔵所**、**給油取扱所**、**移送取扱所**の４つは、危険物保安監督者の**選任を常に必要**とする施設です。
(3)**誤り**。危険物保安監督者になれるのは、**甲種**または**乙種**の危険物取扱者のうち、製造所等において**６か月**以上危険物取扱いの実務経験を有する者のみです。**丙種**の危険物取扱者は、危険物保安監督者になる資格がありません。
(4)**正しい**。危険物保安監督者の選任・解任を行ったときは、遅滞なく**市町村長等**に**届出**をしなければなりません。
(5)**正しい**。災害発生時の応急措置は、危険物保安監督者の業務の１つです。

問題5 解答 (4)

速習 P.353、P.391

地下貯蔵タンク、**移動貯蔵タンク**などを有する製造所等では、通常の定期点検のほかに、これらのタンク等について、漏れの有無を確認するための「**漏れの点検**」が義務付けられています。したがって、Aの**地下タンク貯蔵所の地下貯蔵タンク**、Bの**製造所の地下貯蔵タンク**、Cの**移動タンク貯蔵所の移動貯蔵タンク**のほか、Eの**給油取扱所の専用タンク**も、地盤面下に埋設して設置するものとされていることから漏れの点検の対象となります。これに対し、Dの屋内タンク貯蔵所の屋内貯蔵タンクは対象となりません。
よって、漏れの点検の対象となっているのは、A、B、C、Eの４つで、(4)が正解です。

問題6 解答 (2)

速習 P.395〜396

(1)**正しい**。指定数量の倍数が**15以下**ならば**第１種**、**15超〜40以下**ならば**第２種**です。
(2)**誤り**。第１種、第２種ともに、販売取扱所は建築物の**１階に設置**することとされていますが、いずれも上階が存在することは差し支えありません。
(3)**正しい**。上階がある場合には、上階の床も**耐火構造**とします。
(4)**正しい**。これは第１種、第２種の販売取扱所に共通の基準です。
(5)**正しい**。これも第１種、第２種の販売取扱所に共通の基準です。

問題7 解答 (1)　速習 P.368、P.373、P.378、P.380、P.396

(1)**正しい。屋外貯蔵所**の場合、貯蔵する危険物の**指定数量の倍数**に応じて保有空地の幅を定めています。
(2)**誤り。屋内貯蔵所**の場合、壁・柱・床が**耐火構造**であるかどうかに分けて、それぞれ貯蔵する危険物の**指定数量の倍数**に応じて保有空地の幅を定めています。
(3)**誤り。屋外タンク貯蔵所**の場合、貯蔵する危険物の**指定数量の倍数**に応じて保有空地の幅を定めています。
(4)**誤り。製造所**の場合、貯蔵する危険物の**指定数量の倍数**に応じて保有空地の幅を定めています。
(5)**誤り。一般取扱所**の場合、貯蔵する危険物の**指定数量の倍数**に応じて保有空地の幅を定めています。

問題8 解答 (2)　速習 P.394

A **誤り**。給油取扱所のうち建築物内に設置するものを**屋内給油取扱所**といいます。
顧客に自ら給油等をさせる給油取扱所（セルフ型スタンド）も、屋内給油取扱所として設置することができます。
B **正しい**。進入する際の見やすい箇所に、**セルフ型スタンドである旨の表示**をする必要があります。
C **正しい**。ガソリンと軽油相互の**誤給油**を有効に防止できる構造が求められます。
D **誤り**。**給油ノズル**は、自動車等の燃料タンクが満量となったときに**給油を自動的に停止する**構造のものでなければなりません。ブザー等が警報を発する構造というのは誤りです。
E **正しい**。１回の連続した**給油量**および**給油時間**の上限をあらかじめ設定できなければなりません。
したがって、誤っているものは、ＡとＤで、(2)が正解です。

問題9 解答 (3)　速習 P.419

移動タンク貯蔵所は、危険物の移送のために移動する車両なので、路上での立入検査等に対応できるよう、次の1)～4)の書類を常に**車両に備え付け**ておくことが定められています。

1）**完成検査済証**
2）**定期点検記録**
3）**譲渡・引渡しの届出書**
4）**品名、数量または指定数量の倍数の変更届出書**

Ａ設置許可書、Ｄ危険物保安監督者の選任解任届出書は、車両に備え付けておく書類に含まれていません。正しいものは、Ｂ、Ｃ、Ｅの３つなので、(3)が正解です。

問題10 解答 (5) 速習P.336～340

(5)**誤り**。製造所等の**位置・構造・設備を変更しない**で、その製造所等で貯蔵または取り扱う危険物の**品名**、**数量**または**指定数量の倍数**を**変更**しようとする場合は、変更しようとする日の**10日前まで**に**市町村長等**に**届出**をします。変更の許可を申請するというのは誤りです。なお、製造所等の位置・構造・設備を変更して、危険物の品名、数量または指定数量の倍数も変更するという場合は、変更の許可を申請することになります。

問題11 解答 (1) 速習P.126～130

消火剤ごとに適応する火災の区別をまとめると下表の通りです。**普通火災（A火災）**は木材や紙等の普通の可燃物による火災、**油火災（B火災）**は石油類等の可燃性液体や油脂類等による火災、**電気火災（C火災）**は電線やモーター等の電気設備による火災です。なお、(3)の不活性ガス消火設備とは、二酸化炭素や窒素等の不活性ガスを消火剤とする消火設備のことです。

消火剤			主な消火方法	適応する火災		
				普通火災（A）	油火災（B）	電気火災（C）
水・泡系	水	棒状	冷却	○	×	×
		霧状	冷却	○	×	○
	強化液	棒状	冷却	○	×	×
		霧状	冷却　抑制	○	○	○
	泡		窒息　冷却	○	○	×
ガス系	二酸化炭素		窒息　冷却	×	○	○
	ハロゲン化物		抑制　窒息	×	○	○
粉末系	**りん酸塩類**		抑制　窒息	**○**	**○**	**○**
	炭酸水素塩類		抑制　窒息	×	○	○

上記より、建築物その他の工作物、第4類の危険物、電気設備のすべてに適応できる消火設備は、(1)**りん酸塩類**を使用する粉末消火設備ということがわかります。

問題12 解答 (2) 速習P.420～421

(1)**誤り**。給油取扱所の**専用タンク**に危険物を**注入**しているときは、その専用タンクに接続している**固定給油設備**の**使用を中止**しなければなりません。

(2)**正しい**。**給油**するときは、自動車等の**原動機（エンジン）**を**必ず停止**させなければなりません。設問の場合、給油を拒んだのは、法令上正しい対応です。

(3)**誤り**。給油取扱所では、**固定給油設備**を使用して自動車等に**直接給油**しなければなりません。手動ポンプ等を使ってドラム缶などの容器から給油することは認められません。

(4)**誤り**。自動車等の一部または全部が**給油空地**（自動車等に給油したり、給油する自動車等が出入りしたりするための空地）から**はみ出し**たままで給油してはなりません。

(5)**誤り**。自動車等の洗浄に、**引火点を有する液体洗剤**は**使用不可**です。

問題13 解答 (1)

速習 P.344～345

A **正しい。** 製造所等で現に**危険物の取扱作業に従事している危険物取扱者**は、一定の時期に、都道府県知事が実施する**保安講習**を受講しなければなりません。受講の義務は**甲種**、**乙種**、**丙種**を問わず同一です。

B **正しい。** 保安講習は、いずれの都道府県でも受講することができます。

C **誤り。** 受講義務のある危険物取扱者が受講しなかった場合、その危険物取扱者は**消防法令に違反**していることになるため、免状を交付した**都道府県知事**は、その危険物取扱者に**免状の返納**を命じることができます。

D **誤り。** 製造所等の所有者等は必ずしも危険物取扱者の有資格者とは限りません。危険物の取扱作業に現に従事していても、**危険物取扱者でない者**には保安講習の受講義務はありません。

したがって、正しいものは、AとBで、(1)が正解です。

問題14 解答 (4)

速習 P.423～424

(1) **正しい。** 運搬容器の材質は、**鋼板**、**アルミニウム板**、**ガラス**など規則で定められたものでなければならず、また収納する危険物と危険な反応を起こさないなど、**危険物の性質に適応した材質**でなければなりません。

(2) **正しい。** **固体**の危険物は、原則として内容積の**95%以下**の収納率で収納します。

(3) **正しい。** **液体**の危険物は、原則として**98%以下**の収納率であって、かつ**55℃**の温度で漏れないよう空間容積を十分にとる必要があります。

(4) **誤り。** 収納するときは、危険物が漏れないよう運搬容器を**密封**するのが原則ですが、温度変化等により危険物からのガスの発生によって**運搬容器内の圧力が上昇**するおそれがある場合には、発生するガスが毒性・引火性を有する等の危険性があるときを除いて、**ガス抜き口**を設けた運搬容器に収納することができます。

(5) **正しい。** **自然発火性物品**（第3類危険物）を収納する場合は、**不活性ガス**を封入して密封するなど、空気と接しないようにする必要があります。

問題15 解答 (3)

速習 P.431

(1) **該当する。** **無許可変更**（許可を受けずに製造所等の位置、構造または設備を変更すること）は、製造所等の**許可の取消し**または**使用停止命令**の対象事項です。

(2) **該当する。** **危険物保安監督者**を選任すべき製造所等が、危険物保安監督者を**選任しない**、または選任してもその者に**必要な業務をさせていない**場合は、製造所等の**使用停止命令**の対象となります。

(3) **該当しない。** 設問の危険物保安監督者には**保安講習**の受講義務があるので、受講しなかったことにより**免状の返納命令**を受ける可能性はありますが、製造所等の**使用停止命令**の対象事項ではありません。

(4) **該当する。** **完成検査前使用**（完成検査の前または仮使用の承認なしに製造所等を使用すること）は、製造所等の**許可の取消し**または**使用停止命令**の対象事項です。

(5) **該当する。** **定期点検未実施等**（定期点検を実施すべき製造所等が定期点検を実施しない、または実施しても点検記録の作成・保存をしないこと）は、製造所等の**許可の取消し**または**使用停止命令**の対象事項です。

問題16 解答 (4) 速習P.107〜108、P.116、P.222

(1)**正しい**。**分解燃焼**とは、紙、木材、石炭、プラスチックなどの固体が加熱されて分解し、そのとき発生した可燃性蒸気が（空気と混合して）燃焼することをいいます。
(2)**正しい**。**蒸発燃焼**とは、ガソリンなどの液体の蒸発、またはナフタレンなどの固体の昇華によって生じた可燃性蒸気が（空気と混合して）燃焼することをいいます。
(3)**正しい**。木炭やコークスなどの燃焼は、分解も蒸発もせずに、その固体の表面だけが赤く燃える燃焼（**表面燃焼**）であり、炎が出ない**無炎燃焼**です。
(4)**誤り**。アセチレンは、常温（20℃）で気体（可燃性のアセチレンガス）です。可燃性のガス（可燃性蒸気）が燃焼するには空気と一定の濃度範囲で混合する必要があり、あらかじめ両者が混合して燃焼する場合を**予混合燃焼**、混合しながら燃焼する場合を**拡散燃焼**といいます。単独で（＝空気なしで）燃焼するというのは誤りです。
(5)**正しい**。ろうそくは、可燃性ガスと空気が混合しながら燃焼します（**拡散燃焼**）。

問題17 解答 (2) 速習P.110

可燃性蒸気は、空気との混合割合（可燃性蒸気の濃度）が一定の範囲内にあるとき、何らかの点火源が与えられることによって燃焼します。可燃性蒸気が燃焼できる濃度の範囲を**燃焼範囲**といい、燃焼範囲の濃度が濃いほうの限界を**上限値**（上限界）、薄いほうの限界を**下限値**（下限界）といいます。可燃性蒸気の濃度は、空気との混合気体の中にその蒸気が何％含まれているかを容量％で表したものであり、次の式で求められます。

$$\textbf{可燃性蒸気の濃度}〔\mathrm{vol\%}〕=\frac{\textbf{蒸気の体積}〔\mathrm{L}〕}{\textbf{蒸気の体積}〔\mathrm{L}〕+\textbf{空気の体積}〔\mathrm{L}〕}\times 100$$

そこで、(1)から順に可燃性蒸気の濃度を計算し、燃焼範囲内にあるかを検討します。

(1) $\frac{1}{1+100}\times 100 \fallingdotseq 0.99\mathrm{vol\%}$ ⇒下限値1.3vol％より低い（濃度が薄すぎる）

(2) $\frac{5}{5+100}\times 100 \fallingdotseq 4.76\mathrm{vol\%}$ ⇒下限値1.3vol％と上限値7.1vol％の範囲内

(3) $\frac{9}{9+100}\times 100 \fallingdotseq 8.26\mathrm{vol\%}$ ⇒上限値7.1vol％より高い（濃度が濃すぎる）

(4)と(5)は、(3)よりさらに値が高くなるので、やはり濃度が濃すぎて燃焼できません。
したがって、燃焼が可能な可燃性蒸気の体積として正しいのは、(2)です。

問題18 解答 (4) 速習P.22

気体は一定の温度以下において圧力を加えると**液化**しますが、逆に言うと、一定の温度以下でなければ液化しません。この一定の温度を**臨界温度**といい、臨界温度の気体を液化させるのに必要な圧力を**臨界圧力**といいます。たとえば、二酸化炭素の臨界温度は31.1℃、臨界圧力は73.0〔atm〕なので、31.1℃の二酸化炭素を圧縮すると、圧力が73.0〔atm〕に達したとき完全に液化します。これに対し、臨界温度を超えている気体は、いくら強く圧縮しても液化しません。また、臨界温度より低い温度の場合は、臨界圧力より小さい圧力でも液化します。
よって、(4)が正解です。

問題19 解答 (5) 速習 P.126～130

(1)**正しい。水**は比熱と蒸発熱が大きいので、非常に高い**冷却効果**を発揮します。しかし**油火災**については、燃えている油が水に浮いて炎が拡大する危険性が高いので、適応しません。

(2)**正しい。強化液**は、アルカリ金属塩である**炭酸カリウム**の水溶液です。**冷却効果**だけでなく、炭酸カリウムの働きで消火後も再燃防止効果があります。**油火災**については、**噴霧状放射**にした場合だけ炭酸カリウムによる**抑制効果**が働くため、適応可能です。

(3)**正しい。泡消火薬剤**は、多量に放射された泡が燃焼物を覆うことにより、**窒息効果**で消火するもので、油火災にも適応します。

(4)**正しい。二酸化炭素**は非常に安定した**不燃性**の物質です。空気中に放出すると、空気より重いので、燃焼物周辺の酸素濃度を低下させる**窒息効果**があります。このため、油火災に適応します。

(5)**誤り**。粉末消火薬剤は、**りん酸塩類**（りん酸アンモニウム）を使用するものと、**炭酸水素塩類**を使用するものがありますが、いずれも薬剤の**抑制効果**と**窒息効果**によって**油火災**に適応します。主に冷却効果によるというのは誤りです。

問題20 解答 (3) 速習 P.44

同素体とは、同じ元素からできた**単体**なのに、原子の結合状態が異なるために性質が異なるものをいいます。主なものは次の通りです。

炭素の同素体	ダイヤモンド 黒鉛（グラファイト） フラーレン	**硫黄の同素体**	斜方硫黄 単斜硫黄 ゴム状硫黄
酸素の同素体	酸素 オゾン	**りんの同素体**	黄りん 赤りん

したがって、互いに同素体であるものは、A、C、Dの３つで、(3)が正解です。

Bは**異性体**（同一の分子式をもつ化合物であるのに、分子内の構造が異なるために性質が異なるもの）、Eは**同位体**（原子に含まれる陽子の数が同じであるにもかかわらず、中性子の数が異なるために質量数が異なる原子）です。

問題21 解答 (2) 速習 P.53～54

化学反応式を見ると反応の前後における物質の量的関係がわかります。

エタノール（$\mathbf{C_2H_5OH}$）が完全に燃焼（**酸素**$\mathbf{O_2}$と化合）するときの化学反応式は次の通りです。

$C_2H_5OH + 3O_2 \rightarrow 2CO_2 + 3H_2O$

この式より、エタノールと酸素の物質量（mol）の比が１：３であることがわかります。

物質量の比は同温同圧のもとでは体積比と等しいので（アボガドロの法則）、完全燃焼するエタノールの体積は、酸素21 Lの３分の１ = ７ Lということになります。

したがって、この場合のエタノールの蒸気濃度Xvol%（体積%）は、

$$X = \frac{\text{エタノール蒸気の体積}}{\text{エタノール蒸気の体積}+\text{空気の体積}} = \frac{7}{7+100} = 0.06542\cdots \fallingdotseq 6.54\text{vol\%}$$

以上より、(1)～(5)のうち6.54vol%以下で最高の濃度は、(2)です。

問題22 解答 (2) 速習 P.33〜34

A **正しい**。物質が電気を帯びることを**帯電**といい、帯電した電気のことを**静電気**といいます。静電気は物質の**摩擦**によって発生することが一般的に知られていますが、そのほかに**流動帯電**（液体が管内を流れる際に帯電する現象）などによっても発生します。つまり、固体でも液体でも静電気は発生します。

B **誤り**。**湿度が高く**なって空気中の水分が多くなると、静電気は物質から空気中の**水分へと移動**するため、**蓄積しにくく**なります。

C **誤り**。静電気は、電気を通さない不導体など**導電性の低い**（絶縁性が高い）**物質ほど発生しやすく**なります。帯電した電気が移動しにくい（蓄積しやすい）からです。したがって、静電気の蓄積防止方法としては、導電性の**高い**材料の使用が挙げられます。

D **正しい**。導電性の高い物質でも、絶縁状態にして静電気の逃げ道をなくした場合は帯電が起こります。人体にもこのような場合には静電気が帯電します。

E **正しい**。液体がパイプやホースなどの管内を流れるときは、その**流速に比例**して静電気の発生量が**増加**します。したがって、**流速を遅く**することは静電気の発生防止につながります。なお、管径を大きくすることでも、静電気の発生を抑制できます。

したがって、誤っているものは、BとCの２つで、(2)が正解です。

問題23 解答 (4) 速習 P.64

溶液１L中に何molの溶質が溶けているかを表した濃度を**モル濃度**といい、単位として〔**mol/L**〕を使います。溶液＝溶質＋溶媒なので、**溶液１L中**ということは、本問の場合、溶質を溶媒の水に溶かして水溶液全体が１Lにならなければなりません。したがって、「１Lの水に溶かす」としている(1)、(2)は誤りです。また (5)は数値の単位がそろっていないので、値の合計が1,000になっても意味がありません。

そこで「水に溶かして１Lにする」としている(3)(4)について考えます。

$Na_2CO_3 \cdot 10H_2O$は**炭酸ナトリウム10水和物**といいます（**水和物**とは分子中に水〔**水和水**という〕をもつ物質のこと）。$Na_2CO_3 \cdot 10H_2O$の分子量はNa_2CO_3の分子量106と、H_2Oの分子量18.0の10倍との合計なので、106＋180＝286となります。つまり１molの質量＝286gです。設問では0.1mol/L の濃度にするのだから、0.1molの質量＝28.6gの$Na_2CO_3 \cdot 10H_2O$を水に溶かして、水溶液全体で１Lにすれば、濃度0.1mol/L の炭酸ナトリウム水溶液ができるわけです。このとき、水和水の質量は溶媒の水の質量に含まれることになるので、28.6gのうちNa_2CO_3（無水物である炭酸ナトリウム）の0.1mol分＝10.6gだけが溶質の質量ということになります。以上より、(4)が正解です。(3)は、水和水を含んだ$Na_2CO_3 \cdot 10H_2O$の0.1molの質量を10.6gと考えているので誤りです。

問題24 解答 (5) 速習 P.73〜75

(1)**正しい**。化学反応における**酸素**のやり取りに着目すると、物質が**酸素と化合**して酸化物になる反応を**酸化**といい、酸化物が**酸素を失う**反応を**還元**といいます。

(2)**正しい**。**水素**が関与する化学反応においては、物質が**水素を失う**変化を**酸化**といい、物質が**水素と化合**する変化を**還元**という場合があります。

(3)**正しい**。**電子のやり取り**に着目すると、物質（原子）が**電子を失う**変化を**酸化**といい、物質（原子）が**電子を受け取る**変化を**還元**ということもできます。

(4)**正しい**。酸化と還元は、１つの化学反応において同時に起こります。このような酸化と還元が同時に起こっている反応を、**酸化還元反応**といいます。

⑸**誤り。酸化剤**とは、ほかの物質を**酸化させる**物質（自分自身は**還元**される）をいい、**還元剤**とは、ほかの物質を**還元させる**物質（自分自身は**酸化**される）をいいます。

問題25 解答 ⑴ 速習 P.84、P.91

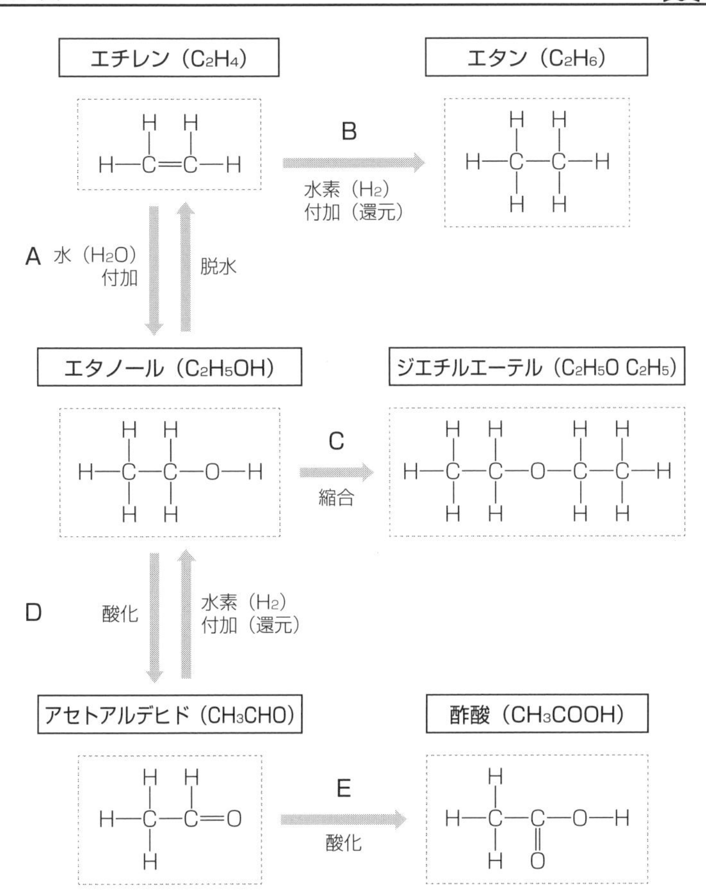

⑴**誤り。** Aは**水**（H_2O）の**付加**（不飽和結合〔二重結合や三重結合〕が開いてほかの原子や原子団が新たに結合する反応）です。水の結合は還元とはいいません。

⑵**正しい。** Bは**水素**（H_2）の**付加**です。水素が関与する化学反応においては、**水素と化合**する反応を**還元**といいます。

⑶**正しい。** Cは**縮合**（反応物の２分子から水などが取れて、２分子が結合する反応）です。エタノール２分子からH_2Oが取れてジエチルエーテルになっています。

⑷**正しい。** Dはエタノールが**水素**（H_2）を失っています。**水素**が関与する化学反応においては、物質が**水素を失う**変化を**酸化**といいます。

⑸**正しい。** Eはアセトアルデヒドが**酸素と化合**しているので、**酸化**です。化学反応式で表すと、$2CH_3CHO + O_2 \rightarrow 2CH_3COOH$となります。

危険物の性質ならびにその火災予防および消火の方法

問題26 解答 (3) 速習P.138～140

A **誤り。第1類（酸化性固体）**は、ほかの物質を酸化させる物質であり、自分自身は燃えません（**不燃性**）。一方、**第4類（引火性液体）**は、自分自身から発生した蒸気（可燃性蒸気）が空気と混合して燃焼するので、**可燃性**です。

B **正しい。第4類（引火性液体）、第6類（酸化性液体）**は、どちらも常温（20℃）ですべて**液体**です。

C **正しい。第2類（可燃性固体）**も**第4類（引火性液体）**も、一般に**水に溶けない**物質です。

D **正しい。第3類（自然発火性物質および禁水性物質）**と**第5類（自己反応性物質）**が「○○**物質**」という名称なのは、いずれも**固体**または**液体**の物質を両方含んでいるからです。

E **誤り。第1類（酸化性固体）**は酸化力が強く、有機物などを酸化させます。一方の**第5類（自己反応性物質）**は**可燃性**であり、なかには強い酸化作用を有する物質もありますが、「一般に酸化力が強く」というのは誤りです。

したがって、正しいのは、B、C、Dの3つで、(3)が正解です。

問題27 解答 (5) 速習P.169～170

(1)**正しい。重クロム酸アンモニウム**は、第1類危険物（**酸化性固体**）であり、強力な**酸化剤**（ほかの物質を酸化させる物質）です。

(2)**正しい**。可燃物と混合すると、加熱・衝撃・摩擦によって**発火**または**爆発**を起こすことがあります。

(3)**正しい**。加熱すると185℃で分解し、**窒素**を発生します。

(4)**正しい。橙黄色**（オレンジ系色）**の結晶**です。

(5)**誤り**。水に溶け、**エタノールにもよく溶けます**。

問題28 解答 (2) 速習P.211～212

(1)**正しい**。アルキルアルミニウムは、**アルキル基**（C_2H_5など）がアルミニウム原子に1つ以上結合した化合物の総称です。**ハロゲン元素**を含むものもあります。

(2)**誤り**。アルキル基の**炭素数**またはハロゲン数が**多い**ものほど、空気や水との反応性が**小さく**なるため、危険度も**小さく**なります。

(3)**正しい**。アルキルアルミニウムは、第3類危険物（自然発火性物質および禁水性物質）であり、一般に**無色の液体**ですが、**固体**のものもあります。また、**空気**に触れると酸化反応を起こして**自然発火**します。

(4)**正しい。ヘキサン**や**ベンゼン**などの溶剤で希釈すると**反応性が低減**します。このため、ヘキサン溶液として流通することがあります。

(5)**正しい。水**との接触で激しく反応し、発生したガスが**発火**してアルキルアルミニウムを飛散させます。効果的な消火薬剤がなく、消火は困難です。火勢が大きい場合は、**乾燥砂、膨張ひる石**などで流出を防ぎ、火勢を抑制しながら燃えつきるまで監視します。

問題29 解答 (2)　速習 P.189～190

(1)**正しい。**硫黄には斜方硫黄、単斜硫黄、ゴム状硫黄などの**同素体**（同じ元素からできた単体なのに、原子の結合状態が異なるために性質が異なるもの）が存在します。
(2)**誤り。**約**360℃**で発火して、有毒な**亜硫酸ガス**（二酸化硫黄SO_2）を発生します。
(3)**正しい。硫黄粉**は、空気中に飛散すると**粉じん爆発**を起こす危険性があります。
(4)**正しい。水には溶けません**が、**二硫化炭素**には溶けます。
(5)**正しい。**電気の**不導体**なので、摩擦等で**静電気**を発生しやすい性質があります。

問題30 解答 (4)　速習 P.251～252

(1)**正しい。引火点11℃**なので、常温（20℃）で引火します。
(2)**正しい。**燃焼範囲は**ガソリン**が**1.4～7.6vol%**、**メタノール**は**6.0～36vol%**なので、メタノールのほうがかなり広いです。
(3)**正しい。**メタノールは特有の**芳香**をもつ**無色の液体**であり、**水**や多くの**有機溶剤**によく溶けます。
(4)**誤り。**メタノールは、**淡い炎**であり、燃えていても認識しづらいことが危険性につながります。深紅の炎というのは誤りです。
(5)**正しい。毒性が強く**、飲み下すと、失明や死に至ることさえあります。

問題31 解答 (4)　速習 P.187～188

A **正しい。**三硫化りん（三硫化四りん）は、**黄色の結晶**です。**水に溶けず**、二硫化炭素やベンゼンに溶けます。
B **正しい。**水とは徐々に反応するのみ（冷水とは反応せず）ですが、**熱水（熱湯）**とは速やかに反応します。
C **誤り。加水分解**（水と反応して起こる分解反応）により、有毒で可燃性の**硫化水素**を生じます。なお、猛毒の**りん化水素**を生じるのは、りん化カルシウムです。
D **誤り。融点172.5℃**、**発火点100℃**なので、融点以下でも発火します。
E **正しい。**水分を避け、通風・換気のよい乾燥した冷暗所に保管します。
したがって、誤っているものは、CとDで、(4)が正解です。

問題32 解答 (3)　速習 P.312

A **正しい。過酸化水素**は非常に不安定で、分解して**酸素**を発生するので、その酸素（ガス）によって容器が破裂しないよう、**容器は密栓せず**、通気のための穴（ガス抜き口）のある栓をします。
B **誤り。**過酸化水素の分解を抑制する**安定剤**として使用するのは、**尿酸**、**りん酸**、**アセトアニリド**などです。アルカリは、過酸化水素の安定剤にはなりません。
C **正しい。**過酸化水素自体は**不燃性**の液体ですが、金属粉、有機物などの可燃物との混合により分解し、加熱や動揺によって**発火・爆発**する危険性があります。
D **誤り。水**に溶けやすく、**エタノール**や**ジエチルエーテル**にも溶けます。なお、ベンゼンには溶けません。
E **正しい。**過酸化水素水H_2O_2は、強力な**酸化剤**であり、一般には物質を酸化して**水**H_2Oになりますが、過マンガン酸カリウムのような、より酸化力の強い物質に対しては**還元剤**として働き、**酸素**O_2となります。
したがって、誤っているものは、BとDで、(3)が正解です。

問題33 解答 (1) 速習 P.174

水道水の殺菌やプールの消毒などに用いるさらし粉（カルキ）の高品質なものを**高度さらし粉**といいます。第１類危険物（酸化性固体）の**次亜塩素酸カルシウム**を主成分とする白色の粉末であり、次亜塩素酸カルシウムは、加熱すると**150℃**以上で分解し、**酸素**を放出します。

問題34 解答 (1) 速習 P.82、P.184～188

⑴**誤り。**分子内に**炭素C**を含んでいる化合物（一酸化炭素、二酸化炭素など一部の物質を除く）を**有機化合物**といい、有機化合物以外の化合物を**無機化合物**といいます。第２類危険物（可燃性固体）は、いずれも固体ですが、**赤りんP**、**硫黄S**、**マグネシウムMg**などは**単体**（１種類の元素からなる純物質）であり、これらはそもそも化合物ではありません。また、引火性固体に該当する**固形アルコール**はメタノールやエタノールといった有機化合物を凝固剤で固めたものであり、やはり無機化合物ではありません。
⑵**正しい。比重**は、**１より大きい**ものが大部分です。
⑶**正しい。**第２類危険物は酸化されやすい物質（**還元性**の物質）であり、**酸化剤**と接触または混合すると、加熱や打撃等によって**爆発**する危険性があります。
⑷**正しい。**第２類危険物は、いずれも**可燃性**の固体です。
⑸**正しい。硫化りん**や**硫黄**が燃焼するときに、有毒な**亜硫酸ガス**（二酸化硫黄）を発生します。

問題35 解答 (3) 速習 P.114、P.240～242

⑴**正しい。ジエチルエーテル**には、特有の**甘い刺激臭**（芳香臭）があり、蒸気には**麻酔性**があります。
⑵**正しい。二硫化炭素**は、**発火点90℃**（第４類危険物で最も低い）です。
⑶**誤り。二硫化炭素**は特有の**不快臭**をもつ**無色の液体**ですが、純品の二硫化炭素はほとんど**無臭**です。**水には溶けず、水より重い**（**比重1.3**）ことから、液面に水を張ったり、収納した容器やタンク等を**水没**させたりして、可燃性蒸気の発生を防ぎながら貯蔵します。
⑷**正しい。アセトアルデヒド**は、**沸点21℃**（第４類危険物で最も低い）で、非常に**揮発**しやすく、**引火**しやすい物質です。
⑸**正しい。重合**とは、分子量の小さい物質が繰り返し結合して、分子量の大きい物質をつくる反応をいいます。**酸化プロピレン**には重合する性質があり、その際に発生する熱（**重合熱**）が火災の原因となります。

問題36 解答 (4) 速習 P.291

アゾビスイソブチロニトリルは、融点（105℃）以上に加熱すると急激に分解し、窒素とシアンガスを発生します（発火はしません）。シアンガスとは、気体化した**シアン化水素**（青酸ガス）のことであり、有毒で、空気との混合気体は爆発性があります。よって、⑷が正解です。

問題37 解答 (3)　速習 P.222～223

(1)**正しい**。純粋なものは、**無色**透明または白色の正方晶系の結晶ですが、一般に流通しているものは、硫黄やりん等の不純物を含むため**灰色**または灰黒色を呈しています。
(2)**正しい**。一般に流通しているものは、不純物と空気中の湿気とが反応して生じるごく微量の硫化水素、りん化水素、アンモニアなどの**特有の臭気**を発している。
(3)**誤り**。炭化カルシウムは、**水**と反応して熱と**アセチレンガス**（C_2H_2）を発生し、**水酸化カルシウム**$Ca(OH)_2$（**消石灰**）になります。水との反応により、エチレンガスを発生して酸化カルシウムCaO（生石灰）になるというのは誤りです。
(4)**正しい**。水との反応で生じる**アセチレンガス**には**可燃性**、**爆発性**がありますが、**炭化カルシウム**そのものは**不燃性**です。
(5)**正しい**。高温では強い**還元性**を有し、多くの酸化物を還元します。

問題38 解答 (4)　速習 P.314～315

A **正しい**。**無色の液体**です。また、**空気中で発煙**する性質があります。
B **正しい**。**水**と激しく反応して発熱と分解を起こし、猛毒で腐食性のある**ふっ化水素**を生じます。
C **正しい**。三ふっ化臭素BrF_3は、**ハロゲン間化合物**（2種類のハロゲン元素が結合した化合物）であり、ほとんどの**金属**や多くの非金属と反応して**ふっ化物**（ふっ化水素など）をつくります。**ふっ化水素**は、その強い腐食性により、ほとんどすべての**金属を腐食**します。
D **誤り**。ふっ化水素の水溶液は、金属だけでなく**ガラスも腐食する**ため、金属製容器やガラス製の容器は使えません（ポリエチレン製の容器は使えます）。
したがって、正しいものは、A、B、Cで、(4)が正解です。

問題39 解答 (4)　速習 P.286～287

(1)**正しい**。**ニトロセルロース**（**硝化綿**または**綿薬**ともいう）は、**セルロース**（植物の細胞膜や繊維の主成分）を**硝酸**と**硫酸**の混合液に浸してつくります。液に浸す時間の長さなどにより、**硝化度**（窒素含有量）の異なるものが得られます。

硝化度	名称
硝化度12.8%を超えるもの	**強硝化綿**（強綿薬）
硝化度12.8%未満のもの	**弱硝化綿**（弱綿薬）
硝化度12.5～12.8%のもの	ピロ綿薬

(2)**正しい**。**硝化度**（窒素含有量）が**大きい**ほど爆発の危険性が大きくなります。
(3)**正しい**。**コロジオン**とは、**弱硝化綿（弱綿薬）**を**ジエチルエーテル**と**アルコール**に溶かしたものをいいます。ラッカー等の原料になります。
(4)**誤り**。**エタノール**に溶けるのは**弱硝化綿（弱綿薬）**です。強硝化綿（強綿薬）はエタノールに溶けません。
(5)**正しい**。**乾燥状態**のものは、直射日光や加熱によって分解しやすく、**自然発火**の危険性があるため、アルコールまたは水で**湿潤の状態**を維持して貯蔵します。

問題40 解答 (2) 速習P.161～162

亜塩素酸ナトリウムは第１類危険物（酸化性固体）です。第１類危険物がかかわる火災は、危険物の**分解**によって**酸素**が放出されることで可燃物の燃焼が促進されるので、消火のためには、**大量の水で冷却**し、**分解温度以下に温度を下げる**ことで危険物の分解を抑制することが最も有効です。したがって、**冷却効果**を発揮する**水・泡系の消火剤**（A水による消火、C強化液消火剤による消火、E泡消火剤による消火）は適切です。

これに対し、第１類危険物は自分自身がもつ**酸素**を供給できるので、**窒息効果**を主体とする消火方法では効果がありません。このため、**ガス系の消火剤**（B二酸化炭素消火剤による消火、Dハロゲン化物消火剤による消火）は不適切であると判断できます。

したがって、消火方法として誤っているものは、BとDの２つで、(2)が正解です。

問題41 解答 (2) 速習P.189、P.213～214

黄りんは第３類危険物であり、**自然発火性**の物質ですが、**禁水性の性質はありません。**多くの物質と激しく反応するほか、空気中で**自然発火**して有毒な十酸化四りん（＝五酸化二りん）を生じるので、厳重な隔離貯蔵が必要ですが、水とは反応しないので、通常は**水**（保護液）の中に貯蔵します。黄りんそのものも**有毒**（猛毒性）であり、内服すると数時間で死亡します。黄りんの同素体である**赤りん**（第２類危険物）は、空気中で点火すると粉じん爆発の危険性がありますが、黄りんに比べると安定しています。よって、(2)が正解になります。

問題42 解答 (5) 速習P.311～315

(1)**正しい。過塩素酸**は、非常に**不安定**な物質であり、密閉した容器に入れて冷暗所に保存しても、徐々に**分解**して**黄色**に変色します。

(2)**正しい。三ふっ化臭素**は、木材、紙、油脂類等の**可燃性物質**と接触すると反応が起こり、**発熱**します。

(3)**正しい。五ふっ化よう素**は、**水**と激しく反応して、**ふっ化水素**のほかに**よう素酸**を発生します。

(4)**正しい。硝酸**は、**腐食作用**が強く、人体に触れると**薬傷**（化学薬品による皮膚の損傷）を生じます。

(5)**誤り。発煙硝酸**は、濃硝酸に**二酸化窒素**を**加圧飽和**させたもので、空気中で有毒な褐色のガス（二酸化窒素）を発生します。硝酸よりもさらに**酸化力が強い**物質であり、硝酸と比べて酸化力が弱いというのは誤りです。

問題43 解答 (2) 速習P.247

A**正しい。無色透明**の**液体**です。**揮発性**で、かすかな特有の臭気があります。

B**誤り。比重0.7**なので、水より軽いです。

C**正しい。水に溶けません。**これに対し、多くの有機溶剤（ほかの物質を溶かす性質をもつ有機化合物の総称。アルコール、ジエチルエーテルなど）にはよく溶けます。

D**正しい。**エタノール、ジエチルエーテルによく溶けます。

E**誤り。引火点**は**－20℃以下**です。

したがって、正しいものは、A、C、Dで、(2)が正解です。

問題44 解答 (1) 速習 P.192〜193

一般に**高温の微粉末**に**注水**すると、その表面積の大きさゆえに、水が一気に気化して爆発を起こしやすくなります。これを**水蒸気爆発**といい、加熱した**鉄粉**に注水した場合にもその危険があります。このため、鉄粉の火災に対しては、**乾燥砂**や**膨張真珠岩**（パーライト）などで覆う**窒息消火**が最も効果的とされているため、(1)が正解になります。

問題45 解答 (4) 速習 P.144〜308

設問の10種類の物質を危険物の類ごとに分類すると、次の通りです。
第１類………過酸化カルシウム、硝酸アンモニウム、三酸化クロム
第２類………なし
第３類………りん化カルシウム
第４類………二硫化炭素、酢酸エチル
第５類………ピクリン酸
第６類………なし
非危険物……濃塩酸、水酸化カルシウム、アセチレン
よって、(4)が正解です。

第3回　予想模擬試験　解答一覧

危険物に関する法令		物理学および化学		危険物の性質ならびにその火災予防および消火の方法	
問題 1	(3)	問題16	(1)	問題26	(2)
問題 2	(2)	問題17	(2)	問題27	(5)
問題 3	(4)	問題18	(1)	問題28	(5)
問題 4	(2)	問題19	(3)	問題29	(3)
問題 5	(1)	問題20	(2)	問題30	(1)
問題 6	(1)	問題21	(5)	問題31	(5)
問題 7	(5)	問題22	(2)	問題32	(4)
問題 8	(3)	問題23	(1)	問題33	(5)
問題 9	(4)	問題24	(3)	問題34	(1)
問題10	(2)	問題25	(4)	問題35	(2)
問題11	(2)			問題36	(5)
問題12	(2)			問題37	(1)
問題13	(5)			問題38	(3)
問題14	(5)			問題39	(3)
問題15	(2)			問題40	(4)
				問題41	(2)
				問題42	(5)
				問題43	(1)
				問題44	(4)
				問題45	(3)

☆得点を計算してみましょう。

挑戦した日	危険物に関する法令	物理学および化学	危険物の性質ならびにその火災予防および消火の方法	計
1回目 ／	／15	／10	／20	／45
2回目 ／	／15	／10	／20	／45

※各科目60％以上の正解率が合格基準です。

第3回 予想模擬試験 解答／解説

危険物に関する法令

問題1 解答 ⑶ 速習 P.326〜328

⑴**正しい**。消防法により「危険物とは、**別表第一の品名欄に掲げる物品**で、同表に定める区分に応じ**同表の性質欄に掲げる性状を有するもの**をいう」と定義されています。

⑵**正しい**。消防法上の「危険物」は**固体**または**液体**のどちらかであり、**常温（20℃）で気体のものは含まれません。**

⑶**誤り**。危険物は「酸化性固体」「引火性液体」といった**性状によって**第１類から 第６類に分類されます。性状を有するかどうか不明の場合には、政令で定められた判定試験を行いますが、引火性によって第１類から第６類に分類するというのは誤りです。

⑷**正しい**。性状を有するかどうか不明の場合は物品ごとに政令の定める判定試験を行い、政令で定める性状を示さないものは危険物に該当しないものとされます。

⑸**正しい**。**指定数量**とは、危険物の貯蔵または取扱いが**消防法による規制**を受けるかどうかを判断する基準量のことです。危険物ごとにその危険性を勘案して政令によって定められています（「危険物の規制に関する政令」の別表第三）。

問題2 解答 ⑵ 速習 P.328〜330

それぞれの**危険物ごとに倍数を求めてその数を合計**します（→別冊P.3参照）。

- 黄りん〔第３類危険物：指定数量20kg〕⇒ 100÷20＝５倍
- 過酸化水素〔第６類危険物：指定数量300kg〕⇒ 3,000÷300＝10倍
- クレオソート油〔第４類危険物 第３石油類 非水溶性：指定数量2,000Ｌ〕
  ⇒ 4,000÷2,000＝２倍

∴５＋10＋２＝17倍となります。よって、⑵が正解です。

問題3 解答 ⑷ 速習 P.398〜401

⑴**正しい**。**屋外消火栓**を設置する場合は、防護対象物の各部分からホース接続口までの水平距離が**40m以下**となるようにします。

⑵**正しい**。**第３種消火設備**は、各消火剤の放射によって火災が**有効に消火**できるように設置することとされています。

⑶**正しい**。**第４種消火設備**は、防護対象物から大型消火器までの歩行距離が**30m以下**となるように設置します（ただし、第１種、第２種または第３種の消火設備と併置する場合はこの限りでない）。

⑷**誤り**。消火設備の消火能力を示す単位は、**能力単位**といいます。一方、**所要単位**とはその製造所等にどれくらいの消火能力をもった消火設備が必要なのかを判断するときに基準となる単位をいい、製造所等の構造や規模または危険物の量によって定められています。

⑸**正しい**。**危険物**は、**指定数量の10倍**を**１所要単位**とするよう定められています。

問題4 解答 (2) 速習 P.343～344

(2)**誤り**。免状の記載事項に次の変更を生じたときは、遅滞なく**免状の書換え**を申請しなければならないとされています。

- 氏名、本籍地の属する都道府県などが変わったとき
- 添付されている**写真**が、撮影から**10年経過**したとき

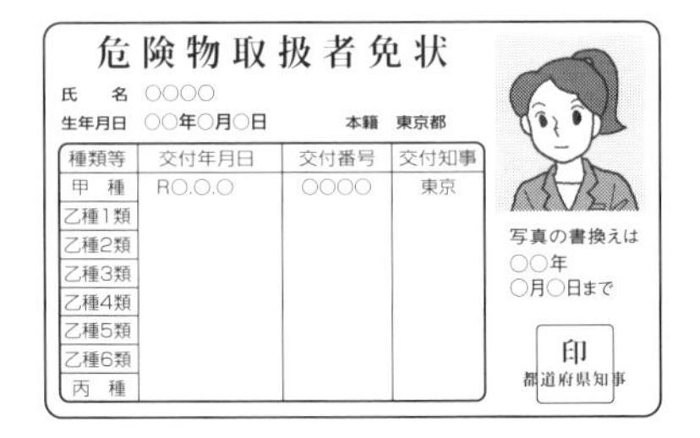

免状の表面には、甲種、乙種、丙種の区別や、乙種危険物取扱者の免状を取得した類などが表示される。

つまり過去10年以内に撮影した写真が免状の記載事項とされているため、10年経過することに免状の書換えをする必要が生じます。5年というのは誤りです。

問題5 解答 (1) 速習 P.347～348

政令で定める製造所等の所有者等（所有者、管理者または占有者）は、**甲種**または**乙種**の危険物取扱者であって、製造所等において**6か月**以上の危険物**取扱いの実務経験**を有するものから**危険物保安監督者**を選任しなければなりません（乙種の場合は免状を取得した類の保安監督に限られる）。よって、(1)が正解です。なお、丙種危険物取扱者は危険物保安監督者になる資格がありません。

問題6 解答 (1) 速習 P.352～354

(1)**誤り**。定期点検は、法令により、次の製造所等において実施するよう定められています。すべての製造所等が定期点検を行わなければならないというのは誤りです。

- **指定数量の大小に関係なく**実施義務あり

- **地下タンク貯蔵所**
- **地下タンク**を有する**製造所**
- **地下タンク**を有する**給油取扱所**
- **地下タンク**を有する**一般取扱所**
- **移動タンク貯蔵所**
- **移送取扱所**

地下タンクは、地上から漏れていることがわからないので、すべて定期点検の対象となります。

- **指定数量の倍数が一定以上**の場合に実施義務あり

- 10倍以上……………製造所、一般取扱所
- 100倍以上…………屋外貯蔵所
- 150倍以上…………屋内貯蔵所
- 200倍以上…………屋外タンク貯蔵所

屋内タンク貯蔵所、簡易タンク貯蔵所、販売取扱所の3つは指定数量と関係なく定期点検を実施する必要がありません。

問題7 解答 (5)　速習 P.370～371

(5)**誤り**。製造所において危険物を取り扱う建物の構造に関する基準のうち、主なものは次の通りです。**窓および出入口**に**ガラス**を用いる場合は、**網入りガラス**とすることが定められていますが、ガラスの厚さについての規定はありません。

屋根	**不燃材料**でつくり、金属板等の**軽量な不燃材料でふく**（建物内で爆発が起きても爆風が上に抜けるようにする）
壁、柱、床、梁（はり）、階段	● **不燃材料**でつくる ● 延焼（えんしょう）のおそれのある外壁は、出入口以外の開口部をもたない**耐火構造**にする
窓、出入口	● **防火設備**を設ける（延焼のおそれのある外壁の出入口は、自閉式の特定防火設備） ● ガラスを用いる場合は**網入（あみい）りガラス**とする
床（液状危険物を取り扱う建物）	● 危険物が**浸透しない**構造とする ● 適当な**傾斜**をつけ、漏（も）れた危険物を一時的に貯留（ちょりゅう）する設備（「**ためます**」等）を設ける
地階	**設置できない**

なお、屋根については、第２類の危険物（粉状のものおよび引火性固体を除く）のみを取り扱う建築物の場合、不燃材料ではなく、耐火構造とすることができるとされています。

問題8 解答 (3)　速習 P.416～417

(3)**誤り**。政令では、製造所等における危険物の貯蔵および取扱いのすべてに共通する技術上の基準（**共通基準**）のなかで、「危険物を貯蔵し、又は取り扱う場合においては、危険物の変質、異物の混入等により、当該危険物の**危険性が増大しないように必要な措置を講ずること**」と定めています（「危険物の規制に関する政令」第24条第９号）。したがって、「危険性が増大するおそれがある場合には、定期的に安全性を確認しなければならない」というのは誤りです。

問題9 解答 (4)　速習 P.423～426

(1)**正しい**。**運搬**については、**指定数量と関係なく**消防法の規制を受けるのが原則とされていますが、**標識**と**消火設備**に関しては、**指定数量以上**の場合にだけ備えるものとされています。

(2)**正しい**。(1)と同様。

(3)**正しい**。危険物を収納するときは、温度変化等によって危険物が漏れないよう、運搬容器を**密封**することが原則とされています。ただし、温度変化等により危険物からのガスの発生によって**運搬容器内の圧力が上昇**するおそれがある場合は、発生するガスが毒性・引火性を有する等の危険性があるときを除き、**ガス抜き口**を設けた運搬容器に収納することができるとされています。

(4)**誤り**。政令では、「運搬容器は、**収納口を上方に向けて**積載すること」と定めています（「危険物の規制に関する政令」第29条第４号）。したがって、「上方または横方に向けて」というのは誤りです。

(5)**正しい**。運搬容器は、落下、転倒、破損しないように積載します。

問題10 解答 (2) 速習 P.336～337、P.340

製造所等を**設置**する場合や、製造所等の位置、構造または設備を**変更**する場合は、**市町村長等**に申請して**許可**を受けなければならないとされています。この申請先や届出先の「市町村長等」には、次の区分に応じ、市町村長のほかに都道府県知事と総務大臣が含まれます。

移送取扱所を除く製造所等	申請先・届出先
消防本部および消防署を設置する市町村	**市町村長**
上記以外の市町村	**都道府県知事**
移送取扱所	**申請先・届出先**
消防本部および消防署を設置する１つの市町村の区域に設置される場合	市町村長
上記以外の市町村の区域、または２つ以上の市町村にまたがって設置される場合	都道府県知事
２つ以上の都道府県にまたがって設置される場合	総務大臣

設置や変更の許可書の交付を受けて着工した工事が完了すると、次は市町村長等に**完成検査**を申請します。この検査によって技術上の基準に適合していることが認められると、完成検査済証が交付され、使用開始となります。

問題11 解答 (2) 速習 P.354～355

(1)**正しい**。**予防規程**とは、**火災を予防するため**に製造所等がそれぞれの実情に合わせて作成する自主保安に関する規程です。
(2)**誤り**。予防規程の作成義務がある製造所等は政令によって定められており、その製造所等の**所有者等**が予防規程を定め、**市町村長等の認可**を受けるものとされています。したがって、危険物保安監督者または危険物保安統括管理者が予防規程を定めるというのは誤りです。
(3)**正しい**。予防規程が危険物の貯蔵・取扱いの**技術上の基準に適合**していないなど火災予防に適当でないと認めるときは、市町村長等は認可をしてはならず、必要があればその予防規程の変更を命じることができるとされています。
(4)**正しい**。予防規程の作成義務は製造所等の所有者等にありますが、これを遵守する義務は、危険物取扱者でない**従業者**にもあります。
(5)**正しい**。予防規程を**変更**したときも、作成したときと同様に**市町村長等の認可**が必要です。

問題12 解答 (2) 速習 P.426～427

移送とは、**移動タンク貯蔵所**（タンクローリー）によって危険物を輸送することをいいます。移送に関する基準では、次のように**長時間**にわたるおそれのある移送の場合に、**２人以上の運転要員**が必要であるとしています。

- **連続運転時間**が**４時間**を超える移送
- **１日当たり９時間**を超える移送

よって、(2)が正解です。

問題13 解答 (5)　速習 P.342～343

(1)**誤り。**製造所等で危険物取扱者以外の者が危険物の取扱いをする場合、危険物の指定数量とは関係なく、**甲種または乙種の危険物取扱者の立会いが必要**とされています。ただし、これらの危険物取扱者の**実務経験は問いません。**
(2)**誤り。丙種危険物取扱者**は、危険物の取扱いについての**立会いはできません。**
(3)**誤り。危険物施設保安員**は、危険物取扱者でないものでもなれるので、危険物の取扱いをする際には**甲種または乙種の危険物取扱者の立会いが必要**です。
(4)**誤り。**製造所等の所有者等の指示の有無とは関係なく、立会いは必要です。
(5)**正しい。乙種危険物取扱者**は、免状を取得した類の危険物についてのみ、取扱いおよび立会いができます。

問題14 解答 (5)　速習 P.366～367

保安距離の長さは、保安対象物ごとに次のように定められています。

保安対象物		保安距離
①**一般の住居**（同一敷地外のもの）		**10m以上**
②**学校、病院、劇場、その他多数の人を収容する施設** 小学校・中学校・高校・幼稚園等の学校、保育所等の児童福祉施設、老人福祉施設、障害者支援施設、病院、劇場、映画館　等		**30m以上**
③**重要文化財等に指定された建造物**		**50m以上**
④**高圧ガス、液化石油ガスの施設**		**20m以上**
⑤**特別高圧架空（かくう）電線**	使用電圧 7,000V超～35,000V以下	水平距離で **3m以上**
	使用電圧 35,000V超	水平距離で **5m以上**

よって、(5)が正解です。

問題15 解答 (2)　速習 P.417～418

類を異にする危険物は、同一の貯蔵所（耐火構造の隔壁で完全に区分された室が2つ以上ある場合は同一の室）で**同時貯蔵**することはできませんが、下記の危険物については、類ごとに危険物を取りまとめて相互に**1m以上の間隔**を置けば、例外的に同時貯蔵が認められます。

- 第1類危険物（アルカリ金属の過酸化物またはこれを含有するものを除く）と第5類危険物
- **第1類危険物と第6類危険物**
- 第2類危険物と自然発火性物品（黄りんまたはこれを含有するものに限る）
- 第2類危険物のうち引火性固体と第4類危険物
- アルキルアルミニウム等と第4類危険物のうちアルキルアルミニウムまたはアルキルリチウムのいずれかを含有するもの

よって、(2)が正解です。

物理学および化学

問題16 解答 (1)

速習P.110～111

可燃性液体の燃焼とは、液体から発生した蒸気（**可燃性蒸気**）と**空気**との**混合気体**が燃えることです（**蒸発燃焼**）。ところがこの混合気体は、可燃性蒸気の濃度が濃すぎても薄すぎても**燃焼しません**。可燃性蒸気が燃焼することのできる濃度の範囲を**燃焼範囲**といいます。

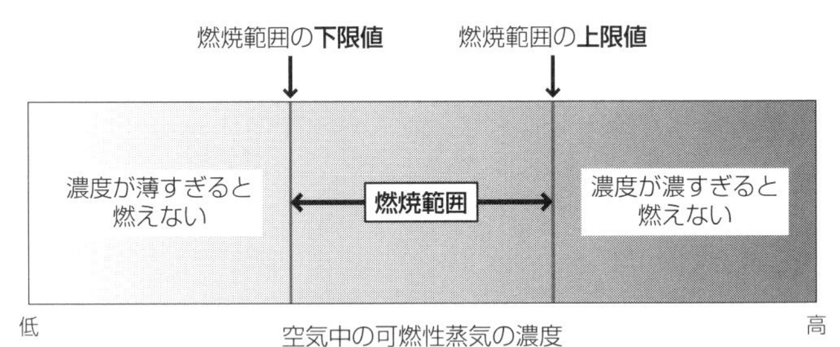

引火点とは、点火したとき、**混合気体が燃え出すために十分な濃度の可燃性蒸気が液面上に発生するための最低の温度**（液温）のことです。言い換えれば、液面付近の可燃性蒸気の濃度がちょうど**燃焼範囲の下限値**に達したときの液温ともいえます。引火点は物質ごとに異なっており、一般に引火点が**低い**物質ほど危険性が**高い**といえます。

よって、(1)が正解です。

問題17 解答 (2)

速習P.31～32

(1)**誤り**。物体が電気を帯びることを**帯電**といいます。**静電気**とは、帯電した物体に分布している、**流れのない**（**帯電したままの**）電気のことです。

(2)**正しい**。物体に帯電した電気のことを**電荷**といい、（＋）の**正電荷**と（－）の**負電荷**の２種があります。

(3)**誤り**。**同種**の電荷の間には**斥力**（反発する力）、**異種**の電荷の間には**引力**が働きます。

(4)**誤り**。導体に帯電体が近づくと、帯電体に近い側の導体に帯電体と**異種**の電荷が現れます（これにより、導体と帯電体は引き合います）。

(5)**誤り**。電荷が一方の物体から他方の物体へと移動するだけなので、電荷（電気量）の総和は変わりません。

問題18 解答 (1)

速習P.82、86～87

(1)**正しい**。６個の炭素原子がつくる正六角形の**平面構造**で、水素原子を含めてすべて**同一平面上**にあります。

(2)**誤り**。ベンゼンの炭素原子間の結合の長さは、**エタン**の単結合C－Cよりも**短い**です。

(3)**誤り**。ベンゼンの炭素原子間の結合の長さは、**エチレン**の二重結合C＝Cよりも**長い**です。

(4)**誤り**。単結合C－Cも二重結合C＝Cも同じ長さです。

(5)**誤り**。構造が非常に安定しているため、付加反応よりも**置換反応のほうが起こりやすい**性質があります。

■ベンゼンの構造式

問題19 解答 (3) 速習 P.122〜124

A **誤り**。燃焼に必要な**酸素の供給を遮断**する消火方法は、**窒息消火**です。
B **誤り**。燃焼を継続させる**酸化の連鎖反応を抑制**する消火方法は、**抑制消火**です。
C **正しい**。燃焼を維持するのに必要な**可燃物を取り除く**消火方法は、**除去消火**です。
D **正しい**。燃焼に必要な**熱エネルギーを取り去る**消火方法は、**冷却消火**です。
　したがって、正しいものは、CとDで、(3)が正解です。

問題20 解答 (2) 速習 P.114

　常温において、物質が空気中で自然に**発熱**し、その熱が長期間**蓄積**されてついには**発火点**に達し、燃焼する現象を**自然発火**といいます。よって、(2)が正解です。

問題21 解答 (5) 速習 P.53〜55

　ある物質（燃料）を完全燃焼させるために必要な酸素の量を**理論酸素量**といい、**物質1 mol当たりの酸素量**で表します。設問の5つの物質は、いずれも炭素C、水素H、酸素Oを成分とする化合物なので、燃焼（酸素と化合）すると二酸化炭素CO_2と水H_2Oを生じます。そこでそれぞれの化学反応式をつくり、消費する理論酸素量を比べてみます。

(1)　エタノール（C_2H_5OH）
　$C_2H_5OH + \mathbf{3}O_2 \rightarrow 2CO_2 + 3H_2O$
　∴エタノール1 molを完全燃焼させた場合に消費する酸素量⇒**3 mol**

(2)　メタノール（CH_3OH）
　$2CH_3OH + 3O_2 \rightarrow 2CO_2 + 4H_2O$
　物質1 mol当たりなので、両辺を2で割り、
　$CH_3OH + \mathbf{\frac{3}{2}}O_2 \rightarrow CO_2 + 2H_2O$
　∴メタノール1 molを完全燃焼させた場合に消費する酸素量⇒$\frac{3}{2}$mol＝**1.5mol**

(3)　アセトアルデヒド（CH_3CHO）
　$2CH_3CHO + 5O_2 \rightarrow 4CO_2 + 4H_2O$
　物質1 mol当たりなので、両辺を2で割り、
　$CH_3CHO + \mathbf{\frac{5}{2}}O_2 \rightarrow 2CO_2 + 2H_2O$
　∴アセトアルデヒド1 molを完全燃焼させた場合に消費する酸素量⇒$\frac{5}{2}$mol＝**2.5mol**

(4)　酢酸（CH_3COOH）
　$CH_3COOH + \mathbf{2}O_2 \rightarrow 2CO_2 + 2H_2O$
　∴酢酸1 molを完全燃焼させた場合に消費する酸素量⇒**2 mol**

(5)　アセトン（CH_3COCH_3）
　$CH_3COCH_3 + \mathbf{4}O_2 \rightarrow 3CO_2 + 3H_2O$
　∴アセトン1 molを完全燃焼させた場合に消費する酸素量⇒**4 mol**

　以上より、物質1 molを完全燃焼させた場合に消費する理論酸素量が最も多いのは、酸素O_2の係数が最も大きいアセトン（理論酸素量4 mol）であることがわかります。
　よって、(5)が正解です。

問題22 解答 (2)

速習 P.73～74、P.78～79

イオン化傾向の異なる2種類の金属を電解質水溶液に浸して導線で結ぶと、イオン化傾向の大きな金属のほうが電子を放出して、陽イオンになります。これは物質が電子を失う変化なので、**酸化**です。これに対し、もう一方の金属のほうでは電子を受け取る反応（**還元**）が起こります。このように、酸化還元反応に伴って生じる化学エネルギーを電気エネルギーに変換する装置を電池といいます。また、**1次電池**とは**使い切り**の電池のことをいい、**2次電池**とは**繰り返し充電して使える**電池のことをいいます。よって、(2)が正解です。

1次電池（使い切りの電池）	2次電池（繰り返し充電して使える電池）
・ボルタ電池 ・**アルカリ乾電池** ・マンガン乾電池	・鉛蓄電池 ・**リチウムイオン電池** ・ニッケル水素電池

問題23 解答 (1)

速習 P.90

(1)**正しい**。炭化水素のH原子が**ヒドロキシ基**（−OH）に置き換えられたかたちの化合物を総称して**アルコール**といい、分子中の**ヒドロキシ基**の数が1個ならば**1価アルコール**、2個ならば**2価アルコール**、3個ならば**3価アルコール**…と呼びます。

問題24 解答 (3)

速習 P.66～68

酸には、青色のリトマス試験紙を**赤色**に変える性質があります。一方、**塩基**には赤色のリトマス試験紙を**青色**に変える性質があります。中性の場合は変色がみられません。主な水溶液の酸・塩基の強弱を分類すると以下の通りです。

	強　酸	弱　酸
酸	塩酸　HCl 臭化水素　HBr ヨウ化水素酸　HI 過塩素酸　$HClO_4$ 硝酸　HNO_3 硫酸　H_2SO_4 硫酸水素ナトリウム　$NaHSO_4$	フッ化水素酸　HF シアン化水素水　HCN 硫化水素水　H_2S 酢酸　CH_3COOH シュウ酸　$(COOH)_2$ ホウ酸　H_3BO_3 炭酸　H_2CO_3
	強塩基	**弱塩基**
塩基	水酸化ナトリウム　NaOH 水酸化カリウム　KOH 水酸化カルシウム　$Ca(OH)_2$ 水酸化バリウム　$Ba(OH)_2$ 炭酸カリウム　K_2CO_3	アンモニア水　NH_3 水酸化鉄（Ⅲ）　$Fe(OH)_3$ アニリン　$C_6H_5NH_2$ 炭酸ナトリウム　Na_2CO_3 炭酸水素ナトリウム　$NaHCO_3$

(1)**誤り**。水酸化カルシウムは、**強塩基**なので、リトマス試験紙は**青色**になります。
(2)**誤り**。硫酸水素ナトリウムは、**強酸**なので、リトマス試験紙は**赤色**になります。
(3)**正しい**。炭酸カリウムは、**強塩基**なので、リトマス試験紙は**青色**になります。
(4)**誤り**。炭酸ナトリウムは、**弱塩基**なので、リトマス試験紙は**青色**になります。
(5)**誤り**。硝酸カリウムは、ほぼ**中性**なので、リトマス試験紙は変色しません。

問題25 解答 (4)　速習 P.59〜60

(1)**正しい**。化学反応には、**正反応**（化学反応式の左辺から右辺へ進行する反応）と**逆反応**（右辺から左辺へと進行する反応）とが同時に進行するものがあり、これを**可逆反応**といいます。可逆反応では、正反応と逆反応の速さの差が見かけ上の反応速度となり、正反応と逆反応の速さが等しい場合は、反応がどちらの方向にも進行していないように見えます。この状態を**化学平衡**（へいこう）といいます。可逆反応が化学平衡の状態（**平衡状態**）にある場合に、反応の条件（濃度、圧力、温度）を変えると、その変化を打ち消す方向に平衡が移動します。これを**平衡移動の原理**（**ル・シャトリエの法則**）といいます。

(2)**正しい**。ある成分の濃度を増やすと、その成分の濃度を減少させる方向（濃度を減らした場合は増加させる方向）に平衡が移動します。

(3)**正しい**。気体の場合、圧力を高くすると、気体の分子数を減少させる方向（圧力を低くした場合は増加させる方向）に平衡が移動します。

(4)**誤り**。温度を上げると、**吸熱**反応の方向（温度を下げた場合は発熱反応の方向）に平衡が移動します。

(5)**正しい**。**触媒**は、反応速度を速くしたり遅くしたりしますが、**平衡状態には影響を与えません**。

危険物の性質ならびにその火災予防および消火の方法

問題26 解答 (2)　速習 P.139〜140

A **正しい**。**第2類**危険物は**可燃性固体**であり、比較的低温で**着火**または**引火**しやすい固体です。

B **誤り**。**第3類**危険物は**自然発火性物質および禁水性物質**であり、そのほとんどが自然発火性と禁水性の両方の性質を有していますが、**黄りん**は自然発火性のみ、**リチウム**は禁水性のみの性質を有します。

C **正しい**。**第4類**危険物は**引火性液体**です。**蒸気比重**は1より大きく、可燃性蒸気が低所に滞留します。

D **誤り**。**第5類**危険物は**自己反応性物質**であり、大部分のものは燃焼に必要な**酸素**を分子中に含有していますが、**アジ化ナトリウム**などの例外も存在します。

E **正しい**。**第6類**危険物は**酸化性液体**であり、自分自身は燃えません（**不燃性**）が、可燃物や有機物と混合するとその物質を**酸化**させ、着火させる危険があります。

したがって、誤っているものは、BとDで、(2)が正解です。

問題27 解答 (5)　速習 P.144〜145

(1)　**正しい**。酸化されやすい物質（還元性物質）と混合した場合は、**加熱・衝撃・摩擦**等によって**発火・爆発**を起こすおそれがあります。

(2)　**正しい**。**可燃物**、**有機物**等の還元性物質との接触は、発火・爆発の危険があります。

(3)　**正しい**。第1類危険物は、分子構造中に**酸素**を含有しており、加熱・衝撃・摩擦等によって**分解**すると、その酸素を放出し、周囲の可燃物の燃焼を促進します。

(4)　**正しい**。(1)で述べた通り、発火・爆発のおそれがあります。

(5)　**誤り**。第1類危険物は**酸化性固体**なので、**ほかの物質を酸化させる**性質があります。自らが酸化されて、その酸化熱で発火・爆発することはありません。

問題28 解答 (5) 速習 P.46、P.210

カリウムは**水**との反応性が強く、**水素**と**熱**を発生して**発火**します（水素とともにカリウム自体も燃える）。よって、(1)の**水蒸気**との接触は、発火のおそれがあります。

また、**ハロゲン元素**（周期表の17族）とも激しく反応して**発火**する危険があります。(2)の**ふっ素**、(3)の**塩素**、(4)の**臭素**は、いずれもハロゲン元素なので、これらとの接触は発火のおそれがあります。

(5)の**アルゴン**は、**希ガス**（周期表の18族）なので、化学的に安定しており、接触しても発火するおそれはありません。

問題29 解答 (3) 速習 P.194

(1)**正しい**。アルミニウム粉が空気中に浮遊している状態で着火すると、**粉じん爆発**を起こす危険性があります。

(2)**正しい**。アルミニウム粉は、**銀白色の粉末**です。なお、アルミニウムは**軽金属**に分類されます。

(3)**誤り**。アルミニウム粉は、**比重2.7**です。

(4)**正しい**。アルミニウム粉は、**熱水**に接触すると**水素**（可燃性のガス）を発生します。また、水にも徐々に反応して水素を発生します。

(5)**正しい**。アルミニウム粉と**酸化鉄**を混合して点火すると、熱と光を伴った激しい反応（**テルミット反応**）がみられます。これによって酸化鉄は還元されて単体の鉄になり、アルミニウム粉は酸化されて酸化アルミニウムになります。

問題30 解答 (1) 速習 P.256

(1)**誤り**。軽油の**引火点**は、**45℃以上**です。

(2)**正しい**。**淡黄色**（または**淡褐色**）の液体で、**水に溶けません**。

(3)**正しい**。軽油の**蒸気比重**は**4.5**なので、空気より重いです。

(4)**正しい**。第１類危険物（酸化性固体）や第６類危険物（酸化性液体）は酸化力が強いため、可燃物の軽油は**酸化**され、**着火**する危険性があります。

(5)**正しい**。軽油には特有の臭気（**石油臭**）があります。

問題31 解答 (5) 速習 P.282～283

(1)**正しい**。過酸化ベンゾイルは、**乾燥状態**のものほど**爆発の危険が高く**なります。一方、**水分**または不活性物質と混ざると、爆発しにくくなります。

(2)**正しい**。過酸化ベンゾイルは、強力な**酸化作用**を有します。

(3)**正しい**。**光**によっても分解し、爆発することがあるので、**直射日光**を避ける必要があります。

(4)**正しい**。**硝酸**や**濃硫酸**、**アミン類**のほか、**有機物**と接触すると、爆発する危険性があります。

(5)**誤り**。過酸化ベンゾイルは、**加熱**のほか、**摩擦**、**衝撃**などによって分解し、爆発する危険性があるので、火気、加熱、衝撃、摩擦などを避ける必要があります。

問題32 解答 (4) 速習P.313～314

A **正しい**。硝酸は、**日光**や**加熱**により分解し、**酸素**と**窒素酸化物**（**二酸化窒素**）を生じます。
B **正しい**。**湿気**を含む空気中で褐色に**発煙**します。
C **誤り**。濃硝酸は、**硫黄**や**りん**と反応して、硫酸やりん酸になります。
D **正しい**。**水に溶け**（任意の割合で混合する)、水溶液は**強酸性**を示します。
E **誤り**。鉄、ニッケル、アルミニウムなどは**希硝酸**には激しく腐食されます。これに対し、**濃硝酸**には**不動態化**（表面に**酸化被膜**と呼ばれる耐食性の薄い膜ができた状態になること）によって腐食されません。
したがって、誤っているものは、CとEで、(4)が正解です。

問題33 解答 (5) 速習P.148～149

(1)**正しい**。塩素酸塩類は、特に**有機物**、**木炭**、**硫黄**、**赤りん**、**マグネシウム粉**などの酸化されやすい物質と混合した場合、わずかな刺激でも爆発する危険性があります。
(2)**正しい**。**強酸**との接触により爆発する危険性があります。
(3)**正しい**。容器を**密栓**し、換気のよい冷暗所に保管します。
(4)**正しい**。塩素酸塩類は不安定な物質であり、**衝撃**、**摩擦**または**加熱**によって爆発することがあります。
(5)**誤り**。塩素酸カリウムは、**アンモニア**または**塩化アンモニウム**と反応して不安定な塩素酸塩を生成し、爆発することがあります。したがって、塩化アンモニウムを安定剤として加えるというのは誤りです。

問題34 解答 (1) 速習P.187～188

五硫化二りんなどの**硫化りん**は、いずれも**水**（三硫化四りんは熱湯）と反応して分解（加水分解）し、有毒な**硫化水素**を発生します。なお、硫化りんが**燃焼**した場合には、有毒な**亜硫酸ガス**（**二酸化硫黄**）を生じます。よって、(1)が正解です。

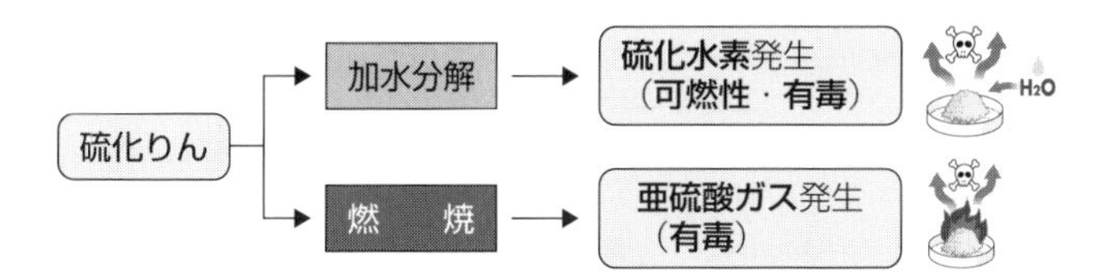

問題35 解答 (2) 速習P.216

(1)**正しい**。リチウムは**深赤色の炎**を出して燃え、酸化物を生じます。
(2)**誤り**。固形のリチウムは、融点（180.5℃）以上に加熱すると発火します。常温（20℃）で空気に触れると発火するというのは誤りです。
(3)**正しい**。**水**と接触すると、常温では徐々に、高温の場合は激しく反応して**水素**を発生します。その他、ハロゲンとも激しく反応してハロゲン化物を生じます。
(4)**正しい**。リチウムは、**銀白色の金属結晶**（軟らかい金属）です。
(5)**正しい**。リチウムは**比重0.5**（固体単体中で**最も軽い**）です。なお、カリウムの比重は0.86、ナトリウムの比重は0.97です。

問題36 解答 (5)　速習 P.295～296

A **誤り。**アルカリが存在すると分解しますが、強い**還元剤**であり、酸化剤と接触すると激しく反応します。酸化剤に対して安定であるというのは誤りです。

B **誤り。潮解性**があり、水溶液は**強酸性**で、**金属**を腐食します。このため、**ガラス容器**など、金属製以外の容器を用いる必要があります。

C **正しい。**加熱や燃焼によって分解し、有毒な亜硫酸ガス（二酸化硫黄）と二酸化窒素を発生します。

D **誤り。**水には溶けますが、ジエチルエーテルやエタノールには溶けません。

E **正しい。**大量に体内に入ると血液の酸素吸収力が低下し、死に至ることがあります。

したがって、正しいものは、CとEで、(5)が正解です。

問題37 解答 (1)　速習 P.234

第4類の危険物は**引火性液体**です。いずれも常温（20℃）で**液体**であり、固体のものはありません。水に溶けない**非水溶性**のものが多く、**比重**（液比重）は**1より小さい**ものがほとんどです。非水溶性で比重が1より小さいものは**水に浮く**ため、流出すると水の表面に薄く広がり、火災になると燃焼する面積が拡大していく危険があります。

よって、(1)が正解です。

問題38 解答 (3)　速習 P.197～198

(1)**正しい。**第2類危険物の**引火性固体**とは、固形アルコールその他1気圧において**引火点**が**40℃未満**のものをいいます。

(2)**正しい。**引火性固体は、常温（20℃）で**可燃性蒸気**を発生し、**引火**する危険性のある物品です。

(3)**誤り。**引火性固体の燃焼は、**蒸発燃焼**です。つまり、危険物自体が直接着火するのではなく、危険物から蒸発した可燃性蒸気が引火して燃えます。したがって、引火性固体が衝撃によって着火するというのは誤りです。

(4)**正しい。**引火性固体に分類される**固形アルコール**、**ゴムのり**、**ラッカーパテ**は、いずれも**ゲル状**（ゼリー状）の固体です。

(5)**正しい。固形アルコール**は、**メタノール**または**エタノール**を凝固剤で固めたものです。メタノール、エタノールはどちらも**引火性液体**（第4類危険物）であり、引火点はメタノールが11℃、エタノールは13℃です。

問題39 解答 (3)　速習 P.239～240

(1)**正しい。**ジエチルエーテルの**燃焼範囲**は**1.9～36vol%**（48vol%とする文献もあります）です。ジエチルエーテルなどの**特殊引火物**は、引火点、発火点、沸点が第4類の危険物で最も低く、また**燃焼範囲が非常に広い**ことから、第4類危険物で最も危険性の高い物品といえます。

(2)**正しい。無色の液体**であり、**比重0.7**です。

(3)**誤り。アルコール**にはよく溶けますが、**水**には**わずかに溶ける**のみです。

(4)**正しい。**ジエチルエーテルは**引火点−45℃**（第4類危険物で最も低い）であり、常温（20℃）で引火します。

(5)**正しい。空気**と長時間接触したり**日光**にさらされたりすると、爆発性の**過酸化物**を生じ、これに加熱、摩擦、衝撃が加わると**爆発**する危険があります。

問題40 解答 (4)　速習 P.284～285、P.289～292

A **誤り**。**ピクリン酸**は、酸性なので**金属**と作用し、**爆発性の金属塩**をつくるので、金属製の容器を使用することはできません。

B **誤り**。**ジアゾジニトロフェノール**は、摩擦や衝撃によって容易に爆発します。このため、打撃、衝撃、摩擦を避け、**水中**あるいは**アルコールと水の混合液**の中で保存します。したがって、乾燥させた状態で貯蔵するというのは誤りです。

C **正しい**。**硝酸エチル**は、**引火点10℃**で常温（20℃）より低いため、引火の危険性が大きく、**火気を近づけない**ようにする必要があります。

D **誤り**。**ジニトロソペンタメチレンテトラミン**は、**強酸**との接触によって**発火**することがあるため、**酸との接触を避ける**必要があります。したがって、酸を加えて貯蔵するというのは誤りです。

E **正しい**。**エチルメチルケトンパーオキサイド**は、ほかの危険物とは異なり、容器を密栓すると内圧が上昇して分解を促進してしまうため、容器を**密栓しない**という点が重要です。

したがって、正しいものは、CとEで、(4)が正解です。

問題41 解答 (2)　速習 P.241～242、P.246、P.248、P.251、P.261

(1) **誤り**。**エタノール**は、特有の芳香を有する無色の液体で、水と多くの有機溶剤に溶けます。アルコール類（第4類危険物）に分類され、**引火点13℃**です。

(2) **正しい**。**トルエン**は、特有の刺激臭（芳香臭）がある無色の液体であり、水には溶けず、アルコール、ジエチルエーテルなどの多くの有機溶剤によく溶けます。第1石油類（第4類危険物）に分類され、**引火点4℃**です。

(3) **誤り**。**アセトアルデヒド**は、特有の刺激臭（果実臭）を有する無色の液体で、水によく溶け、アルコール、ジエチルエーテルにも溶けます。特殊引火物（第4類危険物）に分類され、**引火点−39℃**です。

(4) **誤り**。**アニリン**は、特異臭がある無色または淡黄色の液体で、水に溶けにくく、エタノール、ジエチルエーテル、ベンゼン等によく溶けます。第3石油類（第4類危険物）に分類され、**引火点70℃**です。

(5) **誤り**。**ピリジン**は、悪臭がする無色の液体で、水によく溶け、有機溶剤にもよく溶けます。第1石油類（第4類危険物）に分類され、**引火点20℃**です。

問題42 解答 (5)　速習 P.156～157

A **正しい**。可燃物、有機物などの酸化されやすい物質と混合すると、加熱や衝撃により発火や爆発を起こす危険性があります。

B **誤り**。**吸湿性**が強く、**水**と反応して**熱**と**酸素**を発生し、**水酸化ナトリウム**を生じます。このため、水で湿潤とした状態にして貯蔵するというのは、誤りです。

C **正しい**。水分の浸入を防ぐため、**貯蔵容器**は**密閉**（密栓）する必要があります。

D **誤り**。過酸化ナトリウムは、加熱により融解すると**白金**を侵します。このため、加熱するときに**白金るつぼ**を用いることはできません（金、銀またはニッケル製のものを用います）。なお、「るつぼ」とは、加熱するときに用いる耐熱性容器のことです。

したがって、○はAとC、×はBとDなので、(5)が正解です。

第3回

問題43 解答 (1) 速習 P.218

(1)**誤り**。水素化ナトリウムは、常温（20℃）では固体（**灰色の結晶**）です。
(2)**正しい**。約800℃で分解し、**水素**と**ナトリウム**を発生します。
(3)**正しい**。湿った空気中で分解し、**水**と激しく反応して**水素**を発生します。また、その反応熱などによって、自然発火の危険性もあるため窒素で密封して貯蔵します。
(4)**正しい**。**乾燥した空気中**、あるいは**鉱油**（石油など鉱物性の油）の中では安定しています。
(5)**正しい**。金属塩に対する**還元性**が強く、金属酸化物や金属塩化物から金属を遊離します。

問題44 解答 (4) 速習 P.311～312

(1)**正しい**。**刺激臭**を有する**無色の発煙性液体**です。空気中で強く発煙します。
(2)**正しい**。過塩素酸の蒸気は、**皮膚**、**眼**、**気道**に対して著しい**腐食性**を示します。
(3)**正しい**。過塩素酸の無水物は、**亜鉛**、**鉄**、**銅**などと激しく反応して、金属酸化物を生成します。そのため、ガラスや陶磁器などの容器に貯蔵します。
(4)**誤り**。消毒液の**オキシドール**（商標名オキシフル）は、濃度３％の**過酸化水素**の水溶液です。過塩素酸の水溶液ではありません。
(5)**正しい**。**アルコール**などの可燃性有機物と混合すると、急激な酸化反応を起こし、**発火**または**爆発**させることがあります。

問題45 解答 (3) 速習 P.149、P.195、P.211、P.246、P.285

(1)**正しい**。**Na**（**ナトリウム**）は第３類危険物であり、**禁水性**の性質を有するため、水・泡系の消火剤（水・強化液・泡）は使用できません。このため、**乾燥砂**などで覆い、窒息消火します。
(2)**正しい**。**C_6H_6**（**ベンゼン**）は第４類危険物であり、ガソリンと同様、**泡消火剤**や**二酸化炭素**、**ハロゲン化物**、**粉末消火剤**によって**窒息消火**します。水に溶けず、水に浮く危険物なので、水による消火や強化液の棒状放射は不適切です。
(3)**誤り**。**CH_3NO_3**（**硝酸メチル**）は第５類危険物であり、分子中に**酸素**を含有しているため**自己燃焼**しやすく、周りの空気から酸素の供給を断つ窒息消火では効果がありません。したがって、二酸化炭素消火剤を放射するというのは誤りです。一般的には大量の水または泡消火剤によって分解温度以下に冷却するという消火方法を用いますが、危険物の量が多い場合は消火は困難です。
(4)**正しい**。**Mg**（**マグネシウム**）は第２類危険物です。金属粉やマグネシウムに注水は厳禁なので、**乾燥砂**などで覆って窒息消火するか、または**金属火災用消火剤**を用います。
(5)**正しい**。**$NaClO_3$**（**塩素酸ナトリウム**）は第１類危険物であり、**分解**により酸素が放出されることで可燃物の燃焼が促進されるため、消火の際は**大量の水で冷却**し、分解温度以下に温度を下げて危険物の分解を抑制する必要があります。このため、**注水**によって冷却する消火方法が最も効果的です。

第4回　予想模擬試験　解答一覧

危険物に関する法令		物理学および化学		危険物の性質ならびにその火災予防および消火の方法	
問題 1	(2)	問題16	(1)	問題26	(2)
問題 2	(5)	問題17	(3)	問題27	(1)
問題 3	(3)	問題18	(4)	問題28	(4)
問題 4	(1)	問題19	(2)	問題29	(3)
問題 5	(3)	問題20	(5)	問題30	(2)
問題 6	(1)	問題21	(2)	問題31	(4)
問題 7	(5)	問題22	(1)	問題32	(5)
問題 8	(3)	問題23	(5)	問題33	(2)
問題 9	(3)	問題24	(5)	問題34	(1)
問題10	(2)	問題25	(1)	問題35	(3)
問題11	(4)			問題36	(4)
問題12	(4)			問題37	(5)
問題13	(4)			問題38	(4)
問題14	(3)			問題39	(3)
問題15	(2)			問題40	(5)
				問題41	(2)
				問題42	(3)
				問題43	(4)
				問題44	(1)
				問題45	(2)

☆得点を計算してみましょう。

挑戦した日	危険物に関する法令	物理学および化学	危険物の性質ならびにその火災予防および消火の方法	計
1回目 ／	／15	／10	／20	／45
2回目 ／	／15	／10	／20	／45

※各科目60％以上の正解率が合格基準です。

第4回 予想模擬試験 解答／解説

危険物に関する法令

問題1 解答 (2) 速習 P.327

(1)**正しい。硝酸塩類**（硝酸カリウム、硝酸ナトリウム、硝酸アンモニウムなど）は、**第1類**の危険物です。
(2)**誤り。無機過酸化物**（過酸化カリウム、過酸化ナトリウム、過酸化カルシウムなど）は、**第1類**の危険物です。第2類ではありません。
(3)**正しい。アルキルアルミニウム**は、**第3類**の危険物です。
(4)**正しい。動植物油類**（アマニ油、ヤシ油など）は、**第4類**の危険物です。
(5)**正しい。ヒドロキシルアミン塩類**（硫酸ヒドロキシルアミン、塩酸ヒドロキシルアミンなど）は、**第5類**の危険物です。

問題2 解答 (5) 速習 P.328～329

(1)**誤り。第4類**危険物（**引火性液体**）の指定数量は、すべて**L単位**で定められていますが、第3類危険物（自然発火性物質および禁水性物質）、第5類危険物（自己反応性物質）の指定数量は、いずれも固体、液体を問わず、すべて**kg単位**です。また、**第6類**危険物（**酸化性液体**）の指定数量も、すべて**kg単位**です（→別冊P.34参照）。
(2)**誤り。**いずれも第2類危険物で、**硫黄**の指定数量は100kg、**引火性固体**の指定数量は**1,000kg**です。
(3)**誤り。赤りん**（第2類危険物）の指定数量は100kg、**黄りん**（第3類危険物）の指定数量は**20kg**です。
(4)**誤り。特殊引火物**の指定数量は、非水溶性・水溶性を問わず、すべて**50L**です。なお、非水溶性液体と水溶性液体で異なる指定数量を定めているのは、第4類危険物の第1石油類、第2石油類、第3石油類のみです。
(5)**正しい。**品名と性質が同じ危険物には、同一の指定数量が定められています。

問題3 解答 (3) 速習 P.338

製造所等の一部を変更するだけなのに、その変更工事が**完成検査**に合格するまで施設全体が使用できないというのでは困ります。そこで**変更工事に係る部分以外**の**全部または一部**を、**市町村長等**の**承認**を受けることによって仮に使用することが認められます。この制度を**仮使用**といいます。
A **正しい。**変更の**工事に係る部分以外の部分**についての使用なので、正しい記述です。
B **正しい。**Aの部分の**全部または一部**についての使用なので、正しい記述です。
C **誤り。**仮使用には**市町村長等**の承認が必要です。所轄消防長または消防署長の承認ではありません。所轄消防長または消防署長から承認を受けるのは、仮貯蔵・仮取扱いの場合です。
D **正しい。**仮使用は、市町村長等の**承認**が必要です。
E **正しい。**仮使用は、**完成検査**を受ける前の工事期間中に認められる制度です。

問題4 解答 (1)　速習 P.342〜344

(1)**正しい。危険物取扱者**とは、危険物取扱者試験に合格し、都道府県知事から免状の交付を受けた者をいいます。

(2)**誤り。**交付された危険物取扱者免状を**亡失、滅失、汚損、破損**した場合は、免状の**再交付**を申請することができます。危険物取扱者試験を再受験する必要はありません。

(3)**誤り。**免状を亡失して再交付を受けた者が、**亡失した免状を発見**した場合には、再交付を受けた都道府県知事に発見した免状を**10日以内に提出**しなければなりません。書換えの際に提出すればよいというのは誤りです。

(4)**誤り。**免状の記載事項に変更を生じたときは、遅滞なく免状の**書換えを申請**しなければなりません。自分でも書換えができるというのは誤りです。

(5)**誤り。**危険物取扱者が**消防法令に違反**したとき、免状を交付した都道府県知事は**免状の返納**を命じることができますが、勤務している製造所等が市町村長等から設置許可を取り消されたという理由で返納を命じられることはありません。

問題5 解答 (3)　速習 P.342〜343

A **誤り。**製造所等で危険物取扱者以外の者が危険物の取扱いをするときは、**甲種**または**乙種**の危険物取扱者の**立会い**が必要です。**丙種**の危険物取扱者は、無資格者が危険物を取り扱う際の**立会いは一切できません。**また、**乙種**の危険物取扱者も、第１類〜第６類のうち免状を取得している類の危険物を取り扱う際には立会いができますが、それ以外はできません。

B **誤り。**製造所等の所有者の指示は、資格を有する危険物取扱者の立会いの代わりにはなりません。

C **正しい。乙種**の危険物取扱者は、免状に指定されていない類については無資格者と同じなので、資格を有するほかの危険物取扱者の立会いが必要です。

D **正しい。丙種**の危険物取扱者が取り扱える危険物は、**第４類危険物**のうち、Dの記述にある**特定の危険物**のみです。

E **誤り。危険物保安監督者**になるための資格は、**甲種**または**乙種**の危険物取扱者のうち、製造所等において６か月以上の危険物取扱いの実務経験を有する者に限られています。このうち**乙種危険物取扱者**は、免状を取得している類以外の危険物の取扱いはできません。したがって、危険物保安監督者に選任された者がすべての類の危険物を取り扱えるというのは誤りです。

したがって、誤っているものは、A、B、Eの３つで、(3)が正解です。

問題6 解答 (1)　速習 P.336〜337

製造所等の**位置、構造または設備を変更**する場合は、製造所等を**設置**する場合と同様、**市町村長等**に申請し**許可**を受けなければなりません。市町村長等の許可がなければ工事に着工することは認められず、無許可で変更工事に着工した場合は、**無許可変更**として設置許可の取消しまたは使用停止命令を受けます。また、製造所等の位置、構造または設備の変更について、市町村長等への届出は必要ありません。したがって、(2)〜(5)はすべて誤りで、(1)が正解です。

問題7 解答 (5)　速習 P.347～348、P.350

(1)**正しい。危険物保安監督者**になるための資格は、**甲種**または**乙種**の危険物取扱者であって、製造所等において**6か月以上**の危険物取扱いの**実務経験**を有する者に限られています。
(2)**正しい。危険物保安統括管理者**は資格についての規定がないので、危険物取扱者でない者でも選任することができます。
(3)**正しい。危険物保安統括管理者**には危険物取扱いの**実務経験は不要**です（ただし当該事業所においてその事業の実施を統括管理する者をもって充てなければならないとされています）。
(4)**正しい。危険物保安監督者**または**危険物保安統括管理者**の**選任・解任**を行ったときは、いずれも遅滞なく**市町村長等**に**届出**をする必要があります。
(5)**誤り。危険物保安統括管理者**とは、大量の**第4類危険物**を取り扱う一定の事業所において、事業所全般の危険物の保安に関する業務を統括管理する者をいいます。選任を必要とする事業所は、指定数量の3,000倍以上の第4類危険物を取り扱う製造所と一般取扱所、または指定数量以上の第4類危険物を取り扱う移送取扱所に限られます。第1類～第6類の危険物を取り扱うというのは誤りです。

問題8 解答 (3)　速習 P.354

予防規程とは、火災を予防するために製造所等がそれぞれの実情に合わせて作成する**自主保安**に関する規程のことです。
予防規程を作成する製造所等は、次の通りです。
①**指定数量の大小に関係なく**作成義務あり
給油取扱所、**移送取扱所**
②**指定数量の倍数が一定以上**の場合に作成義務あり
- **10倍以上……… 製造所、一般取扱所**
- 100倍以上……… 屋外貯蔵所
- 150倍以上……… **屋内貯蔵所**
- **200倍以上……… 屋外タンク貯蔵所**

したがって、A～Eのうち誤っているものは、B、Dで、(3)が正解です。

問題9 解答 (3)　速習 P.417～419

(1)**正しい。**危険物の貯蔵所では、**危険物以外の物品**を危険物と**同時貯蔵**することは原則としてできません。
(2)**正しい。類を異にする危険物**も、原則として、同一の貯蔵所（耐火構造の隔壁で完全に区分された室が2つ以上ある場合は同一の室）で**同時貯蔵**することはできません。
(3)**誤り。屋内貯蔵所**と**屋外貯蔵所**においては、類を異にする一定の危険物につき、**1m以上**の間隔を置いて類ごとに取りまとめて貯蔵する場合には、例外として、**同時貯蔵**が認められています。0.2m以上の間隔というのは誤りです。
(4)**正しい。屋内貯蔵所**においては、**容器に収納**して貯蔵している危険物の温度が**55℃を超えない**よう、必要な措置を講じなければならないとされています。
(5)**正しい。屋外貯蔵タンク、屋内貯蔵タンク**または**地下貯蔵タンク**の**元弁**および注入口の弁またはふたは、危険物を出し入れするとき以外は**閉鎖**しておきます。

問題10 解答 (2)　速習 P.356

屋外タンク貯蔵所および**移送取扱所**のうち**大規模なもの**（下の表）については、設備の不備や欠陥により事故が発生した場合に、その被害や社会的影響が非常に大きくなることから、市町村長等による検査が特に義務付けられています。これを**保安検査**（法令上は「保安に関する検査」）といいます。よって、(2)が正解です。

■定期保安検査の検査対象・検査時期・検査事項

	屋外タンク貯蔵所	移送取扱所
検査対象	容量10,000kL以上のもの	●配管の延長が15kmを超えるもの ●配管の最大常用圧力が0.95MPa以上で、かつ延長が7～15km以下のもの
検査時期	原則として**8年**に1回	原則として**1年**に1回
検査事項	タンク底部の板厚 および溶接部	移送取扱所の構造および設備

問題11 解答 (4)　速習 P.395～396、P.412～413

(1)**正しい**。製造所等には、その**名称を表示する標識**（移動タンク貯蔵所を除く）と**防火に関し必要な事項**（危険物の類・品名、貯蔵・取扱いの最大数量、指定数量の倍数、危険物保安監督者の氏名など）を掲示した**掲示板**を設ける必要があります。

(2)**正しい**。販売取扱所は、第１種・第２種ともに、建築物の**１階に設置**しなければならず、２階以上に設置することはできません。

(3)**正しい**。**第１種販売取扱所**は指定数量の倍数が**15以下**で、**第２種販売取扱所**は指定数量の倍数が**15を超え40以下**とされています。

(4)**誤り**。延焼のおそれのない部分に限り**窓**を設けることができるとされているのは**第２種販売取扱所**です。第１種販売取扱所にこのような限定はありません。なお、第１種・第２種ともに、その窓には**防火設備**を設けることとされています。

(5)**正しい**。危険物の**配合室**については、第１種および第２種の販売取扱所に共通の基準として定められています。

問題12 解答 (4)　速習 P.343、P.421、P.426～427

(1)**誤り**。**ベンゼン**は、ガソリン以外の第１石油類なので、丙種危険物取扱者が取り扱える危険物ではありません。丙種危険物取扱者の同乗では基準不適合です。

(2)**誤り**。**完成検査済証**、**定期点検記録**、**譲渡・引渡届出書**、**品名等変更届出書**は、免状と同様、路上での立入検査等に対応するため、**常に車両に備え付け**ておかなければなりません。事務所等での保管は認められません。

(3)**誤り**。移動貯蔵タンクから危険物が**著しく漏れる**など、災害が発生するおそれのある場合は、**応急の措置**を講じるとともに、最寄りの**消防機関等に通報**しなければなりません。速やかに目的地に到着するよう努めるというのは誤りです。

(4)**正しい**。ベンゼンは、**引火点−11.1℃**です。引火点**40℃未満**の危険物を注入するときは、移動タンク貯蔵所の**原動機を停止**しなければなりません。

(5)**誤り**。注入ホースを注入口に緊結しなくてもよいのは、所定の注入ノズルを用いて指定数量未満のタンクに**引火点40℃以上**の第４類危険物を注入する場合です。

問題13 解答 (4) 速習 P.402

警報設備は、指定数量の**10倍以上**の危険物を貯蔵または取り扱う製造所等に設置が義務付けられますが、**移動タンク貯蔵所**は除外されています。よって、(4)が正解です。

問題14 解答 (3) 速習 P.425

類を異にする危険物を同一の車両に積載することは、原則禁止です（**混載禁止**）。ただし、第１類と第６類のように**足して７**になる類どうしの混載は可能とされており、また**第２類、第４類、第５類**もそれぞれ混載が可能です。なお、指定数量の10分の１以下の危険物については、類を異にする危険物でも混載可能とされています。これらについては、規則の別表第４に定められています。

■ **規則別表第４：類を異にする危険物の積載（○印は混載可能）**

危険物の類	第１類	第２類	第３類	第４類	第５類	第６類
第１類		×	×	×	×	○
第２類	×		×	○	○	×
第３類	×	×		○	×	×
第４類	×	○	○		○	×
第５類	×	○	×	○		×
第６類	○	×	×	×	×	

※指定数量の10分の１以下の危険物は、この表とは関係なく混載可能

足して７になる組合せは混載可能です。
また、２類、４類、５類はそれぞれ混載可能です。

(1)**混載不可**。塩素酸塩類は**第１類**、赤りんは**第２類**なので、混載できません。
(2)**混載不可**。アルコール類は**第４類**、過塩素酸は**第６類**なので、混載できません。
(3)**混載可能**。硫化りんは**第２類**、特殊引火物は**第４類**です。**第２類**と**第４類**の組合せは混載が可能です。
(4)**混載不可**。硫化りんは**第２類**、ナトリウムは**第３類**なので、混載できません。
(5)**混載不可**。硝酸エステル類は**第５類**、硝酸は**第６類**なので、混載できません。

問題15 解答 (2) 速習 P.429～431

A **該当する。無許可変更**（許可を受けずに製造所等の**位置**、**構造**または**設備**を変更すること）は、製造所等の**設置許可の取消し**または使用停止命令の対象事由です。
B **該当する。定期点検未実施等**（定期点検を実施すべき製造所等が定期点検を実施しない、または実施しても点検記録の作成・保存をしないこと）は、製造所等の**設置許可の取消し**または使用停止命令の対象事由です。
C **該当しない。予防規程の変更命令に違反**することは、製造所等の設置許可の取消しや使用停止命令の対象事由には該当しません。
D **該当する。基準適合命令**（製造所等の修理、改造または移転）**に違反**することは製造所等の**設置許可の取消し**または使用停止命令の対象事由です。
E **該当しない。危険物保安統括管理者**の選任を義務付けられている製造所等が危険物保安統括管理者を選任しない、または選任してもその者に必要な業務をさせていない場合は、製造所等の**使用停止命令**の対象となりますが、**設置許可の取消し**の対象事由には該当しません。

したがって、該当するもののみの組合せは、A、B、Dで、(2)が正解となります。

物理学および化学

問題16 解答 (1) 速習 P.106～107

燃焼には、**可燃性物質**（可燃物）、**酸素供給体**（支燃物）および**熱源**（点火源）の３つの要素（**燃焼の３要素**）が同時に存在しなければなりません。

A **誤り**。乾性油は**可燃性物質**、酸化熱は**熱源**となりますが、窒素は酸素供給体ではありません。

B **誤り**。酸素は**酸素供給体**、衝撃による火花は**熱源**（点火源）ですが、二酸化炭素は可燃性物質ではありません。

C **誤り**。酸素は**酸素供給体**ですが、蒸発熱は潜熱（物質の状態変化のために使わるため温度変化を伴わない熱）なので、熱源にはなりません。水も可燃性物質ではありません。

D **正しい**。二硫化炭素は**可燃性物質**、空気は**酸素供給体**、電気火花は**熱源**（点火源）となるので、燃焼の３要素の正しい組合せです。

E **誤り**。亜鉛粉は**可燃性物質**ですが、水素と湿気は、酸素供給体や熱源（点火源）ではありません（なお、亜鉛粉は、空気中の水分（湿気）と徐々に反応して水素を発生するという性質があります）。

したがって、燃焼のために必要な要素の正しい組合せは、D１つで、(1)が正解です。

問題17 解答 (3) 速習 P.42～43、P.57、P.70、P.106

(1) **正しい**。**化学変化**（化学反応）とは、ある物質が性質の異なる別の物質に変わる変化（反応）をいいます。２種類以上の物質が結びついて別の新しい物質ができる**化合**や、１つの物質が２種類以上の物質に分かれる**分解**など、さまざまな現象があります。

(2) **正しい**。ある物質が**酸素と化合**することを、**酸化**といいます。

(3) **誤り**。**空気**は、酸素や窒素などが単に**混合**した気体なので、**混合物**といいます。酸素や窒素が性質の異なる別の物質に変わる変化（化合）ではないので、**化合物**ではありません。また、空気の主な成分は窒素が約78％、**酸素**が約**21％**を占めます。したがって、成分の約２分の１が酸素というのも誤りです。

(4) **正しい**。**酸**と**塩基**が反応して、**水**と**塩**（えん）が生じる化学変化を**中和**（中和反応）といいます。**塩**とは、中和反応のときに水とともに生じる物質の総称です。

(5) **正しい**。化学変化の際には一般に**熱**の**発生**または**吸収**を伴い、熱を発生する変化を**発熱反応**、熱を吸収する変化を**吸熱反応**といいます。

問題18 解答 (4) 速習 P.106、P.122～124、P.126～130

(1) **正しい**。**乾燥砂**、**膨張ひる石**（バーミキュライト）で燃焼物を覆うことにより、空気との接触（酸素の供給）を断ち切ることができます。これを**窒息効果**といい、この作用による消火を**窒息消火**といいます。

(2) **正しい**。空気中の**酸素濃度**を**14％以下**にすると燃焼は継続できません。このように、酸素濃度を低下させて消火することも**窒息消火**といいます。**窒素**は**不燃性**の物質であり、**窒素ガス消火薬剤**には窒息効果があります。

(3) **正しい**。**二酸化炭素**は非常に安定した**不燃性**の物質であり、**空気より重い**ので、空気中に放出すると燃焼物周辺の酸素濃度を低下させる**窒息効果**があります。

(4) **誤り**。燃焼の連鎖反応を中断させる**抑制効果**（不触媒効果）の作用をもつのは、ハロゲン化物消火薬剤や粉末系の消火薬剤です。これに対し、**泡消火薬剤**は、多量に放射された泡が燃焼物を覆うことによる**窒息効果**のほか、泡中の水分による**冷却効果**による作用があります。
(5)**正しい。水**は、比熱と蒸発熱が大きいので、非常に高い**冷却効果**を発揮します。また、多量の**水蒸気**が空気中の酸素を希釈する**窒息効果**の作用もあります。

問題19 解答 (2) 速習P.110〜111

A **正しい。**可燃性液体の燃焼とは、液体から生じた**可燃性蒸気**と**空気**との混合気体が燃えることです（蒸発燃焼）。可燃性蒸気は、空気との混合割合（可燃性蒸気の濃度）が一定の範囲内（**燃焼範囲**または爆発範囲ともいう）にあるときに燃焼します。**引火点**は、液面付近の蒸気の濃度がちょうど**燃焼範囲の下限値**（下限界）**に達したときの液温**です。
B **正しい。**可燃性液体の液温が引火点より低い場合は、燃焼を起こすのに必要な濃度の蒸気が発生していないため引火しません。
C **誤り。**液温が引火点に達すると、何らかの**点火源が与えられる**ことによって燃焼します。点火源がなくても引火するというのは誤りです。
D **正しい。**引火点の値は、物質によって異なります。
E **誤り。**液体内部から気化が起こり始めるのは、**沸点**に達したときです。引火点に達したときではありません。
したがって、正しいもののみの組合せは、A、B、Dで、(2)が正解です。

問題20 解答 (5) 速習P.48、P.53、P.63

過酸化水素（H_2O_2）が**水**（H_2O）と**酸素**（O_2）に完全に分解するときの化学反応式は、次の通りです。

$2H_2O_2 \rightarrow 2H_2O + O_2$

この式を見ると、**過酸化水素 2 mol**から**酸素 1 mol**が発生することがわかります。**気体 1 mol**当たりの体積は標準状態ではすべて**22.4 L**なので、捕集した酸素が標準状態で22.4 Lであったということは、発生した酸素がちょうど1 molであり、分解する前の過酸化水素は2 molであったということです。

過酸化水素の分子量は34なので、1 mol当たり34g。∴ 2 molならば68gです。

質量パーセント濃度とは、**溶液全体の質量**に対して**溶質の質量**が何%を占めるかを表した濃度であり、次の式で求められます。

$$\textbf{質量パーセント濃度}〔\%〕= \frac{\textbf{溶質の質量}〔g〕}{\textbf{溶液全体の質量}〔g〕} \times 100$$

溶質（過酸化水素）の質量68g、溶液（過酸化水素水）の質量200gなので、これを上の式に代入し、

$$質量パーセント濃度 = \frac{68}{200} \times 100 = 34.0\%$$ となります。

よって、(5)が正解です。

問題21 解答 (2)　速習 P.59〜60

一般に、反応物から生成物へと化学変化するためには、ある一定以上の高いエネルギー状態（**活性化状態**）を超える必要があり、活性化状態になるときに必要な最小限のエネルギーのことを**活性化エネルギー**といいます。化学反応式の左辺から右辺へ進行する反応を**正反応**といい、右辺から左辺へと進行する反応を**逆反応**といいます。化学反応が進行するのは、衝突する粒子の運動エネルギーの和が、正反応の活性化エネルギーよりも大きい場合です。

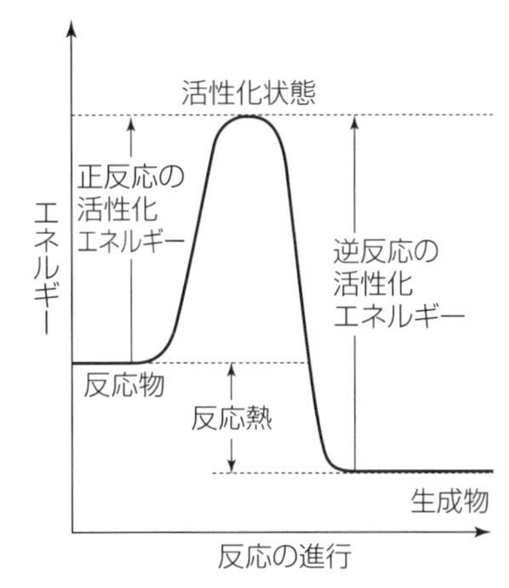

A **誤り**。触媒（正触媒）を用いると、化学反応は**活性化エネルギーの小さい経路**を経由して進みます。

B **誤り**。触媒（正触媒）を用いると、活性化エネルギーの小さい経路で反応が進むため、**反応速度が速く**なります。触媒が消費されるためというのは誤りです。

C **正しい**。化学反応には正反応と逆反応が同時に進行するもの（**可逆反応**という）があります。可逆反応では、正反応と逆反応の速さの差が見かけ上の反応速度となり、正反応と逆反応の速さが等しい場合は反応がどちらの方向にも進行していないようにみえます。この状態を**化学平衡**（または**平衡状態**）といいます。触媒（正触媒）は反応速度を速くしますが、**平衡状態には影響を与えません**。

D **誤り**。**反応熱**は、反応物と生成物のエネルギーの差によって決まります。触媒を用いても反応熱の値は変えられません。

E **正しい**。触媒は、化学反応そのものには加わらないので、化学反応が終わっても変化していません。

したがって、正しいものは、C、Eの２つで、(2)が正解です。

問題22 解答 (1)　速習 P.32〜33

(1) **誤り**。**最小着火エネルギー**とは、放電火花などによって可燃性蒸気や粉じんが着火するために必要な最小のエネルギーのことです（この値が小さい物質ほど危険性が高いといえる）。帯電電圧$V = 1$のときの放電エネルギーの値ではありません。

(2) **正しい**。$E = \frac{1}{2}QV$の式より、帯電量Qを変えずに帯電電圧Vを大きくすると、放電エネルギーEの値は増大することがわかります。

(3) **正しい**。$Q = CV$の式より、帯電量Qの値は、帯電電圧Vと静電容量Cの積で求められることがわかります。

(4) **正しい**。$E = \frac{1}{2}QV$の式に、$Q = CV$を代入すると、$E = \frac{1}{2}CV^2$となるので、**放電エネルギー**Eの値は、静電容量Cが一定のとき**帯電電圧**V**の２乗に比例**することがわかります。

(5) **正しい**。$E = \frac{1}{2}CV^2$より、$E = \frac{1}{2} \times 2.0 \times 10^{-10} \times 1000^2 = 1.0 \times 10^{-4}$J

（$1000^2 = 10^3 \times 10^3 = 10^6$なので、$10^{-10} \times 1000^2 = 10^{-10} \times 10^6 = 10^{-4}$）

問題23 解答 (5) 速習 P.85、P.92～93

官能基とは、それぞれの有機化合物の特性を表す原子団のことです。有機化合物の分子中に含まれる官能基の種類がわかれば、その有機化合物の性質を予想することができます。官能基の種類をまとめると次の通りです。

官能基の名称 （別称）〔分類名〕	官能基の式	性　質	有機化合物の例
メチル基	$-CH_3$	疎水性（そすい）	メタノール ジメチルエーテル
エチル基	$-C_2H_5$	疎水性	エタノール ジエチルエーテル
ヒドロキシ基 **（ヒドロキシル基）** **〔アルコール〕**	$-OH$	親水性 中性	メタノール **エタノール** 2-プロパノール グリセリン
アルデヒド基 **〔アルデヒド〕**	$-CHO$	親水性 還元性	ホルムアルデヒド **アセトアルデヒド**
ケトン基 **〔ケトン〕**	$>CO$	親水性 中性	アセトン エチルメチルケトン
カルボキシ基 **（カルボキシル基）** **〔カルボン酸〕**	$-COOH$	親水性 弱酸性	**脂肪酸** マレイン酸 蓚酸（シュウ酸） 芳香族カルボン酸
ニトロ基 **〔ニトロ化合物〕**	$-NO_2$	疎水性 中性	ニトロベンゼン **トリニトロトルエン** ピクリン酸
アミノ基 **〔アミン〕**	$-NH_2$	親水性 弱塩基性	**アニリン** グリシン
スルホ基 **〔スルホン酸〕**	$-SO_3H$	親水性 強酸性	ベンゼンスルホン酸
フェニル基	$-C_6H_5$	疎水性	フェノール

＊疎水性…水に溶けにくい性質、親水性…水に溶けやすい性質

上の表より、(1)(2)(3)は正しい組合せであることがわかります。また(4)の**酢酸**は**脂肪酸**（**カルボキシ基**を１個もつ鎖式化合物）の一種なので、これも正しい組合せです。これに対し、(5)の**アセトアルデヒド**は**アルデヒド基**をもつ有機化合物です。ケトン基は、$>CO$にアルキル基などの**炭化水素基**が２つ結合した官能基であり、$>CO$に水素原子Hが結合した**アルデヒド基**（$-CHO$）とは区別します。

問題24 解答 (5)　速習 P.73、P.78〜79

亜鉛板と**銅板**を導線でつないで希硫酸水溶液中に入れると、銅よりイオン化傾向の大きい**亜鉛**のほうが**陽イオン**となって溶け出し、**電子**を放します。この電子が導線を通って銅板へと移動し、希硫酸から電離していたH^+と結合します。このため銅板の表面から気体の**水素**H_2が発生します。こうして電子が亜鉛板→銅板へと移動する（電流は銅板→亜鉛板の方向に流れる）ので、亜鉛板が陰極（−）、銅板が陽極（＋）の電池（**ボルタ電池**）ができます。

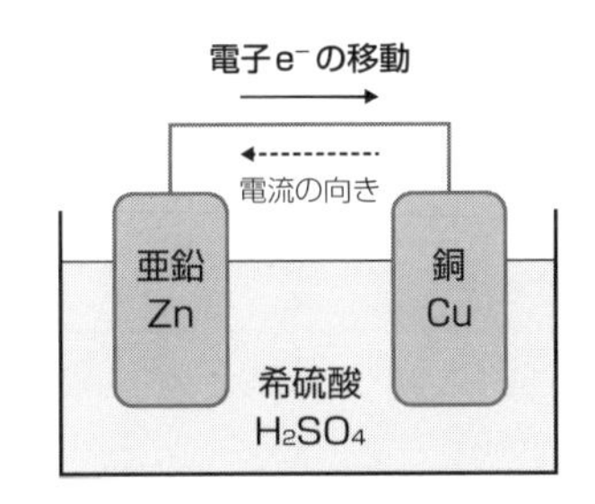

(1)(2)上記より**正しい**記述です。

(3)**正しい**。**陰極**（−）の亜鉛板では、**電子を失う**変化が起きているので**酸化反応**。これに対し、**陽極**（＋）の銅板では**電子を受け取る**変化が起きているので**還元反応**です。

(4)**正しい**。発生した水素が銅板を覆ってしまうと、反応が起こりにくくなって、**起電力**（電極間に発生する電位差〔電圧〕）が下がります。この現象を**分極**といいます。

(5)**誤り**。電極に用いる２つの金属の**イオン化傾向の差**が大きいほど、**起電力**は大きくなります。電極間の距離を狭くしても、起電力（電圧）は大きくなりません。

問題25 解答 (1)　速習 P.66〜68

(1)**正しい**。物質が水溶液中で（＋）と（−）の**イオン**に分かれることを**電離**といい、電離して生じる**水素イオン**H^+の数が、１個であれば**１価の酸**、２個生じるものは**２価の酸**、３個生じるものは**３価の酸**といいます。**酢酸**（CH_3COOH）は次のように電離し、水素イオンを１個生じるので、**１価の酸**です。

$CH_3COOH \rightarrow \mathbf{H^+} + CH_3COO^-$

(2)**誤り**。**水酸化ナトリウム**（NaOH）は次のように電離し、**水酸化物イオン**OH^-を１個生じるので、**１価の塩基**です。そもそも酸ではありません。

$NaOH \rightarrow Na^+ + \mathbf{OH^-}$

(3)**誤り**。**硫酸**（H_2SO_4）は次のように電離するので、**２価の酸**です。

$H_2SO_4 \rightarrow 2\mathbf{H^+} + SO_4^{2-}$

(4)**誤り**。**硫化水素**（H_2S）は次のように電離するので、**２価の酸**です。

$H_2S \rightarrow 2\mathbf{H^+} + S^{2-}$

(5)**誤り**。**りん酸**（H_3PO_4）は次のように電離するので、**３価の酸**です。

$H_3PO_4 \rightarrow 3\mathbf{H^+} + PO_4^{3-}$

危険物の性質ならびにその火災予防および消火の方法

問題26 解答 (2)　速習 P.146、P.185〜186、P.208、P.237、P.280

(1)(3)(4)(5)は正しい記述です。

(2)**誤り**。**第２類**の危険物には、赤りんや硫黄のように注水による消火が有効なものもありますが、硫化りん、鉄粉、金属粉（アルミニウム粉、亜鉛粉）、マグネシウムのように**水と反応**して**有毒ガス**を発生したり、なかには**発火**したりするものもあるので、これらの火災に**注水は厳禁**です（乾燥砂などによる窒息消火が有効）。したがって、すべて大量の注水による消火がよいというのは誤りです。

第4回

問題27 解答 (1) 速習P.312

過酸化水素H_2O_2は、強力な**酸化剤**であり、一般には物質を酸化して**水H_2O**になりますが、過マンガン酸カリウムのような、より酸化力の強い物質に対しては**還元剤**として働き、**酸素O_2**となります。

よって、(1)が正解です。

問題28 解答 (4) 速習P.149

(1)**正しい。**塩素酸ナトリウムは**無色の結晶**です。また、**潮解性**があるため、容器の密栓・密封に特に注意を要します。

(2)**正しい。潮解性**があるため、空気中の湿気・水分を吸収して溶け出し、**可燃物**の木や紙などに染み込むと、これが**乾燥**したときに衝撃・摩擦・加熱によって**爆発**する危険性があります。

(3)**正しい。**塩素酸ナトリウムは、強酸との接触で爆発する危険性があります。

(4)**誤り。**水によく溶け、**アルコールにも溶けます。**

(5)**正しい。**加熱すると約**300℃**で分解しはじめ、**酸素**を発生します。

問題29 解答 (3) 速習P.192〜193

A **誤り。鉄粉**など第２類危険物（可燃性固体）は、自分自身が燃える**可燃性**の物質、すなわち酸化されやすい**還元性物質（還元剤）**です。酸化剤ではありません。

B **正しい。**鉄粉は、加熱または火気との接触により発火する危険性がありますが、**微粉状**のものは特に**発火しやすい**ので注意が必要です。

C **誤り。**鉄粉が燃焼すると、**酸化鉄（黒色または赤色の固体）**になります。なお、燃焼して白っぽい灰のようになるのは、マグネシウムです。

D **正しい。**鉄粉は、**酸**に溶けて**水素**を発生しますが、水酸化ナトリウム水溶液などの**アルカリには溶けません。**

E **正しい。水分**を含むと、**酸化蓄熱**により発熱し、**発火**することがあります。

したがって、正しいものは、B、D、Eの３つで、(3)が正解です。

問題30 解答 (2) 速習P.210〜211

(1)**正しい。水**との反応性が強く、**水素**と**熱**を発生します。

(2)**誤り。二酸化炭素**と高温で反応して、**炭素**を遊離します。酸素を遊離するというのは誤りです。なお、「遊離」とは、単体または原子団が、化合物から結合が切れて分離することをいいます。

(3)**正しい。ハロゲン元素**と激しく反応します。

(4)**正しい。**カリウムの融点は**63.2℃**なので、約64℃としても誤りとはいえません。

(5)**正しい。**カリウムは、**空気**に接触すると速やかに表面から酸化されます。また空気中の**水分**とも作用して水素を発生するため、空気に触れさせないよう、**保護液**（灯油、流動パラフィン等）の中に小分けして貯蔵します。

問題31 解答 (4) 速習P.256

(1)**誤り。**クロロベンゼンは**第２石油類（引火点21℃以上**70℃未満）で、その引火点は**28℃**です。

(2)**誤り。比重は1.1**です。

⑶**誤り。無色透明**の液体ですが、特有の**臭気**（石油臭）があります。また若干の**麻酔性**があります。
⑷**正しい**。クロロベンゼンは、**水に溶けません**。アルコール、ジエチルエーテルに溶けます。
⑸**誤り。蒸気比重3.9**であり、空気より**重い**ので低所に滞留します。

問題32 解答 ⑸ 速習 P.283

⑴**正しい**。過酢酸は**無色の液体**であり、強い**刺激臭**があります。
⑵**正しい**。約**110℃**に加熱すると、発火爆発します。
⑶**正しい**。過酢酸は第５類危険物（自己反応性物質）であり、燃焼に必要な酸素を分子中に含有するため自己燃焼する**可燃性**の物質ですが、強い**酸化作用**があり、**助燃作用**（ほかの物質の燃焼を助ける作用）もあります。
⑷**正しい**。火気を避け、可燃物と隔離して換気のよい冷暗所に貯蔵します。なお、第５類危険物なので、製造所等に設ける**注意事項を表示する掲示板**は、赤色の地に白色文字で「**火気厳禁**」と表示します。
⑸**誤り**。過酢酸は、**引火点41℃**であり、**引火性**があります。

問題33 解答 ⑵ 速習 P.313～314

硝酸が流出した際や火災の際の措置は、以下の通りです。
①大量の**乾燥砂**で流出を防ぐとともに、これに**吸着**させて取り除く
②**水**または**強化液**消火剤（主成分：炭酸カリウムK_2CO_3）を放射して、徐々に**希釈**する
③②のあと、**消石灰**（水酸化カルシウム）や**ソーダ灰**で**中和**し、多量の**水**を用いて洗い流す
④**防毒マスク**などの保護具を必ず着用し、風下で作業しない
以上より、⑴⑶⑷⑸は適切な措置といえます。
これに対して、硝酸は、酸化性が非常に強いため**かんなくず**、**木片**、**紙**、**布**などの有機物と接触すると、それらを**発火**させる危険性があります。したがって、⑵のぼろ布を用いて吸着させるというのは、適切な措置とはいえません。

問題34 解答 ⑴ 速習 P.151～153

⑴**正しい**。過塩素酸塩類は**強酸化剤**です。塩素酸塩類と比べると安定しているといえますが、加熱や衝撃等によって分解し、特に、**りん**、**硫黄**、**木炭の粉末**その他の可燃物と混合すると急激な燃焼を起こし、**爆発**することもあるので危険です。
⑵**誤り**。無機過酸化物（特にアルカリ金属の過酸化物）の火災に注水は適しませんが、**過塩素酸塩類**の火災に対しては、塩素酸塩類と同様、**注水**によって分解温度以下に**冷却**する消火方法が最も効果的です。
⑶**誤り。過塩素酸カリウム**は、**無色の結晶**です。
⑷**誤り。過塩素酸ナトリウム**は、水によく溶け、**潮解性**があります。
⑸**誤り。過塩素酸アンモニウム**は、**水に溶け**ます。また、エタノールやアセトンにも溶けます。

問題35 解答 ⑶ 速習 P.190

⑴**正しい**。硫黄は、電気の**不導体**なので、摩擦により**静電気**を発生しやすい性質があります。帯電した静電気により発火のおそれがあるため、静電気を蓄電させないようにします。
⑵**正しい**。**酸化剤**と混合すると、加熱・衝撃等により**発火**する危険性があります。
⑶**誤り**。硫黄は**融点115℃**と低く、燃焼時に融解して**流動する**可能性があるため、容器に入れ密栓して貯蔵します（溶融した状態で貯蔵する場合もあります）が、**塊状**の硫黄は、**わら袋**、**麻袋**、**紙袋**に詰めて貯蔵することもできます。したがって、金属容器以外のものを使用しないというのは誤りです。
⑷**正しい**。**粉末状**の硫黄（硫黄粉）は、空気中に飛散すると、**粉じん爆発**を起こす危険性があるので、無用な粉じんのたい積を防止します。なお、粉末状の硫黄は**内袋のついた麻袋**または**2層以上にしたクラフト紙袋**に詰めて貯蔵することができます。
⑸**正しい**。硫黄は、**融点が低い**ことのほかに、高温で多くの金属と反応して硫化物をつくる性質があることなどから、温度管理が重要です。

問題36 解答 ⑷ 速習 P.218

A **正しい**。ジエチル亜鉛は**無色の液体**であり、**比重1.2**です。
B **正しい**。**空気**に触れると、**自然発火**します（自然発火性物質）。
C **誤り**。**水**と激しく反応して、可燃性の**炭化水素ガス**（**エタン**など）を発生します（禁水性物質）。したがって、水素ガスを発生するというのは誤りです。
D **正しい**。ジエチル亜鉛は、アルキルアルミニウムやアルキルリチウムと同様に、**空気**や**水**と絶対に触れさせないよう、**窒素**などの**不活性ガス**の中で貯蔵・取扱いを行います。
E **誤り**。ジエチル亜鉛の火災には**粉末消火剤**を使用します。**ハロゲン化物消火剤**は激しく反応して有毒ガスを発生するので、使用できません。
したがって、誤っているものはCとEで、⑷が正解です。

問題37 解答 ⑸ 速習 P.282〜283、P.286、P.289〜290

⑴**誤り**。トリニトロトルエンは、**淡黄色の結晶**です。加熱、打撃による**爆発**の危険があり、**爆薬**（TNT爆薬）として用いられます（ダイナマイトではない）。
⑵**誤り**。ピクリン酸は、**黄色の結晶**です。加熱、打撃による**爆発**の危険性があり、かつては**爆薬**の原料として用いられていました（ダイナマイトではない）。
⑶**誤り**。過酸化ベンゾイルは、**白色粒状結晶の固体**です。加熱、打撃による**爆発**の危険性はありますが、ダイナマイトの原料ではありません。
⑷**誤り**。ニトロセルロースは、原料の**綿や紙と同様**の外観です。加熱、打撃により**発火**することがあります。ダイナマイトの原料ではありません。
⑸**正しい**。ニトログリセリンは、**無色の油状液体**です。加熱、打撃、摩擦等により猛烈に**爆発**し、**ダイナマイト**の原料として用いられます。

問題38 解答 ⑷ 速習 P.108、P.110、P.112、P.234、P.244、P.254、P.259

⑴**正しい**。第４類危険物（引火性液体）は、**可燃性蒸気**を発生させ、可燃性蒸気と空気との混合気体が火気等によって**引火**します。引火すると、**炎を上げて**燃えます。
⑵**正しい**。第４類危険物には、沸点が水（100℃）より高いものが多く存在します。

■沸点が 100℃より高い第４類危険物の例（＊混合物は一定の値をとらない）　(℃)

ガソリン	灯油	軽油	酢酸	重油	アニリン
40～220*	145～270*	170～370*	118	300以上*	184.6

(3)**正しい**。可燃性蒸気と空気との混合気体は、蒸気の濃度が**燃焼範囲**にある場合にだけ燃焼します。燃焼範囲の下限値を「下限界」、上限値を「上限界」といい、蒸気の濃度が燃焼範囲の下限界のときの液温を**引火点**といいます。
(4)**誤り**。**燃焼点**とは、引火した後、５秒間以上燃焼が継続するために必要な最低の液温のことです。同一の物質においては引火点より燃焼点のほうが常に高いので、燃焼点が引火点より低いものがあるというのは誤りです。
(5)**正しい**。燃焼点が低いと、引火しても燃焼は継続しません。

問題39 解答 (3)　速習 P.146、P.166

(1)**正しい**。よう素酸カリウムは、**水に溶けます**。水溶液は強い酸化剤として作用します。エタノールには溶けません。
(2)**正しい**。可燃物が混入すると**加熱**により**爆発**する危険性があるため、容器を密栓して貯蔵します。
(3)**誤り**。加熱により分解して**酸素**を発生します。
(4)**正しい**。**比重3.9**です。
(5)**正しい**。よう素酸カリウムなどの**第１類危険物**の火災は、危険物の分解によって**酸素**が放出され、可燃物の燃焼が促進されるので、消火の際は**大量の水で冷却**し、分解温度以下に温度を下げて危険物の分解を抑制することが有効です。

問題40 解答 (5)　速習 P.107、P.197

(1)**誤り**。**固形アルコール**は、メタノールまたはエタノールを**凝固剤で固めたもの**であり、アルコールを圧縮固化したものというのは誤りです。
(2)**誤り**。合成樹脂との化合物ではありません。
(3)**誤り**。加熱された固形アルコールが**蒸発**（昇華）し、その蒸気（可燃性ガス）が燃える燃焼です（**蒸発燃焼**）。熱分解によって発生するというのは誤りです。
(4)**誤り**。固形アルコールなどの**引火性固体**は、１気圧において**引火点40℃未満**の危険物なので、常温（20℃）でも引火する危険性があります。
(5)**正しい**。**粉末消火剤**などによる窒息消火が有効です。

問題41 解答 (2)　速習 P.248

A **誤り**。ジエチルアミンは**発火点312℃**であり、空気に触れるだけで自然発火することはありません。なお、第３類危険物の**ジエチル亜鉛**は、空気に触れると容易に自然発火します（名称が似ているので注意しましょう）。
B **正しい**。ジエチルアミンは第４類危険物（**引火性液体**）で、**引火点−23℃**です。
C **正しい**。ジエチルアミンは**無色の液体**で、アンモニア臭がします。
D **誤り**。水と反応してエタンを発生するのは、**ジエチル亜鉛**です。
E **正しい**。**水**によく溶け、**アルコール**にもよく溶けます。
したがって、誤っているものはＡとＤで、(2)が正解です。

問題42 解答 (3) 速習 P.308～309

(1)**正しい。第6類危険物（酸化性液体）**は酸化力が強く、可燃物、有機物と混ぜるとこれを酸化させ、着火させることがあります（**強酸化剤**）。
(2)**正しい。**ほかの物質の燃焼を促進しますが、自らは**不燃性**で、常温では液体です。
(3)**誤り。比重**（液比重）は**1より大きく**、水よりも重い液体です。
(4)**正しい。**過塩素酸、過酸化水素、硝酸は、**腐食性**があり、皮膚等を侵します。
(5)**正しい。**ハロゲン間化合物は、水と激しく反応して、有毒ガス（ふっ化水素）を生じます。ふっ化水素は、猛毒で**腐食性**があります。

問題43 解答 (4) 速習 P.221～222

(1)**正しい。**りん化カルシウムは、**暗赤色の塊状固体**（または粉末）です。
(2)**正しい。比重2.51**です。
(3)**正しい。**りん化カルシウムは、**弱酸**と反応すると、激しく分解し、**りん化水素**を発生します。りん化水素は、猛毒の可燃性ガスです。
(4)**誤り。**りん化カルシウムは、**加熱**や**水**との反応によっても分解し、**りん化水素**を発生します。水との反応で**アセチレンガス**を生じるのは、**炭化カルシウム**です。
(5)**正しい。**りん化カルシウムそのものは**不燃性**であり、**湿気のない**常温（20℃）の空気中では安定しています。なお、分解によって生じる**りん化水素**には**自然発火**する性質があります（このため、りん化カルシウムは自然発火性物質に含まれる）。

問題44 解答 (1) 速習 P.294

(1)**誤り。**硫酸ヒドラジンは、**無色または白色の結晶**です。
(2)**正しい。**冷水には溶けませんが、**温水**には溶け、水溶液は**酸性**を示します。
(3)**正しい。還元性が強く**、酸化剤と激しく反応します。
(4)**正しい。**融点以上に加熱すると分解し、**アンモニア**、**硫黄**のほか、有毒な**二酸化硫黄**と**硫化水素**を生成します。ただし、分解しても硫酸ヒドラジン自体は発火しません。
(5)**正しい。**硫酸ヒドラジンは**無臭**です。ただし、吸入した場合は皮膚や粘膜を刺激し、有害です。

問題45 解答 (2) 速習 P.149、P.156～157、P.189～190、P.210～211、P.213、P.222、P.312

本問の物質を、「禁水」とそうでないものとに分けると、次の通りです。

●**「禁水」のもの**	K	カリウム（第3類危険物）
	Na	ナトリウム（第3類危険物）
	CaC_2	炭化カルシウム（第3類危険物）
	K_2O_2	過酸化カリウム（第1類危険物）
	Na_2O_2	過酸化ナトリウム（第1類危険物）
●**「禁水」でないもの**	S	硫黄（第2類危険物）
	P	黄りん（第3類危険物）
	$NaClO_3$	塩素酸ナトリウム（第1類危険物）
	H_2O_2	過酸化水素（第6類危険物）

したがって、「禁水」の物質のみの組合せは、(2)です。

第5回　予想模擬試験　解答一覧

危険物に関する法令		物理学および化学		危険物の性質ならびにその火災予防および消火の方法	
問題 1	(1)	問題16	(4)	問題26	(1)
問題 2	(4)	問題17	(2)	問題27	(3)
問題 3	(2)	問題18	(4)	問題28	(4)
問題 4	(3)	問題19	(5)	問題29	(2)
問題 5	(5)	問題20	(3)	問題30	(4)
問題 6	(2)	問題21	(1)	問題31	(1)
問題 7	(1)	問題22	(4)	問題32	(3)
問題 8	(2)	問題23	(4)	問題33	(3)
問題 9	(5)	問題24	(3)	問題34	(5)
問題10	(3)	問題25	(5)	問題35	(1)
問題11	(5)			問題36	(1)
問題12	(5)			問題37	(2)
問題13	(3)			問題38	(3)
問題14	(4)			問題39	(4)
問題15	(2)			問題40	(3)
				問題41	(1)
				問題42	(1)
				問題43	(2)
				問題44	(5)
				問題45	(3)

☆得点を計算してみましょう。

挑戦した日	危険物に関する法令	物理学および化学	危険物の性質ならびにその火災予防および消火の方法	計
1回目 ／	／15	／10	／20	／45
2回目 ／	／15	／10	／20	／45

※各科目60％以上の正解率が合格基準です。

第5回 予想模擬試験 解答／解説

危険物に関する法令

問題1 解答 (1) 速習 P.328～330

設問の危険物はすべて**第4類**の危険物です。

- アセトアルデヒド〔特殊引火物：指定数量50L〕⇒ 200÷50＝4倍
- アセトン〔第1石油類 水溶性：指定数量400L〕⇒ 2000÷400＝5倍
- アクリル酸〔第2石油類 水溶性：指定数量2,000L〕⇒ 6000÷2000＝3倍

∴ 4＋5＋3＝12倍となり、(1)が正解です。

問題2 解答 (4) 速習 P.377、P.395

屋外貯蔵所は、貯蔵・取扱いができる危険物の種類が、次のように限定されています。**ガソリン**は、第1石油類ですが、**引火点−40℃以下**なので、貯蔵・取扱いのできる危険物に該当しません。

第2類危険物	硫黄類（硫黄または硫黄のみを含有するもの）
	引火性固体（ただし、引火点0℃以上のもの）
第4類危険物	第1石油類（ただし、引火点0℃以上のもの）
	アルコール類
	第2石油類
	第3石油類
	第4石油類
	動植物油類

また、**販売取扱所**は、店舗において取り扱う危険物の指定数量の倍数が**15以下**のものを**第1種販売取扱所**、**15を超え40以下**のものを**第2種販売取扱所**と定義されているため、指定数量の倍数が40を超える危険物は取り扱えません。なお、B屋外タンク貯蔵所とC給油取扱所では、本問の貯蔵・取扱いは可能です。

したがって、正しい組合せは、BとCで、(4)が正解です。

問題3 解答 (2) 速習 P.338～339

指定数量以上の危険物は、製造所等以外の場所での貯蔵・取扱いが原則として禁止されています。ただし、**所轄消防長または消防署長**に申請して**承認**を受けることにより、**10日**以内の期間に限って、製造所等以外の場所での貯蔵・取扱いが認められます。この制度を**仮貯蔵・仮取扱い**といいます。よって、Aには**所轄消防長または消防署長**、Bには**承認**、Cには**10日**が当てはまるので、(2)が正解となります。

問題4 解答 (3)　速習 P.343～344

(1)**誤り**。交付された免状を**亡失、滅失、汚損、破損**したときは、当該免状を**交付**した都道府県知事または**書換え**をした都道府県知事に、免状の**再交付**を申請します。汚損の場合に書換えを申請するというのは誤りです。

(2)**誤り**。当該免状の**交付**または**書換え**をした**都道府県知事**に再交付を申請します。市町村長等は、再交付の申請先ではありません。なお、居住地や勤務地を管轄する都道府県知事に申請できるのは、免状の書換えの場合です。

(3)**正しい**。滅失の場合に、当該免状の書換えをした都道府県知事に再交付を申請するというのは、正しい記述です。

(4)**誤り**。免状を亡失して再交付を受けた後、**亡失した免状を発見**した場合は、発見した免状を**10日以内**に、再交付を受けた都道府県知事に提出します。

(5)**誤り**。免状の**汚損・破損**によって再交付を申請する場合は、申請書にその免状を添えて**提出**する必要があります。

問題5 解答 (5)　速習 P.336～337

製造所等を**設置**する場合や、製造所等の位置、構造または設備を**変更**する場合には、まず**市町村長等**に**①許可申請**を行い、これにつき設置または変更の**②許可書交付**を受けてはじめて**③工事着工**に進むことができます。そして、**④工事完了**ののち、市町村長等に**⑤完成検査申請**を行い、この**⑥完成検査**によって技術上の基準に適合していることが認められると**⑦完成検査済証交付**がなされ、ようやく**⑧使用開始**となります。ただし、本問の給油取扱所の地下タンクのように、**液体危険物タンク**（液体の危険物を貯蔵するタンク）を有する製造所等の場合は、製造所等全体の完成検査を受ける前に、そのタンクの漏れや変形についても検査を受ける必要があります。これを**完成検査前検査**といいます。完成検査前検査は製造所等の工事着工から工事完了までの間（上記③と④の間）に行われるので、本問の場合、次の順序で手続きが進むことになります。

許可申請→許可書交付→工事着工→完成検査前検査→工事完了→完成検査申請→完成検査→完成検査済証交付→使用開始

よって、(5)が正解となります。

問題6 解答 (2)　速習 P.373～375

A **正しい**。屋内貯蔵所の貯蔵倉庫は、**独立した専用の建築物**とされています。

B **正しい**。貯蔵倉庫の床面積は**1,000㎡以下**としなければなりません。

C **誤り**。貯蔵倉庫は平屋建を原則とし、床を**地盤面より上**に設けなければなりません。地盤面より下に設けるというのは誤りです。

D **誤り**。屋内貯蔵所の貯蔵倉庫の**壁・柱・床**については**耐火構造**とするのが原則ですが、**屋根**については、**不燃材料**でつくり、金属板などの**軽量な不燃材料でふく**こととされています。なお、製造所の建物は、壁・柱・床も不燃材料でつくることとされています。

E **誤り**。引火点が**70℃未満**の危険物の貯蔵倉庫には、内部に滞留した可燃性蒸気を**屋根上に排出**する設備を設けなければなりません（**ガソリンは引火点−40℃以下**です）。屋外の低所に排出するというのは誤りです。

したがって、正しいものは、A、Bの２つで、(2)が正解です。

問題7 解答 (1) 速習 P.342〜343、P.348

(1)**正しい**。消防法では、**製造所等**で**危険物取扱者以外の者**が危険物の取扱いをする場合には、指定数量とは関係なく**甲種**または資格を有する**乙種**の危険物取扱者の**立会い**を必要としています（第13条第３項）。したがって、**製造所等以外の場所**では、**立会いなし**で指定数量未満の危険物の取扱いができます（**指定数量以上**の危険物は、仮貯蔵・仮取扱いの承認を受けた場合を除き、そもそも製造所等以外の場所での貯蔵・取扱いが禁止されています〔第10条第１項〕）。

(2)**誤り**。**丙種**の危険物取扱者は、危険物取扱者以外の者が危険物取扱作業を行う際の**立会いは一切できません**。

(3)**誤り**。**乙種**の危険物取扱者は、第１類〜第６類のうち**免状を取得した類の危険物**についてのみ、取扱いおよび立会いができます。

(4)**誤り**。**丙種**の危険物取扱者は、たとえ実務経験があっても、危険物保安監督者になる資格がありません。

(5)**誤り**。**危険物保安監督者**になるための資格は、**甲種**または**乙種**の危険物取扱者のうち、製造所等において**６か月以上の危険物取扱いの実務経験**を有する者に限られています。

問題8 解答 (2) 速習 P.402

警報設備は次の５種類です。Ｂガス漏れ検知装置は、警報設備に含まれていません。Ｂだけが該当しないので、(2)が正解となります。

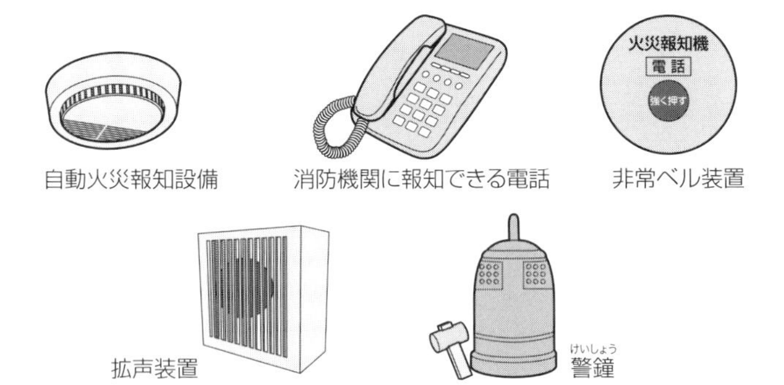

問題9 解答 (5) 速習 P.349、P.355

(1)**誤り**。危険物施設保安員を選任する製造所等は、**製造所**または**一般取扱所**のうち**指定数量の倍数が100以上**のものと**移送取扱所**のみです。危険物保安監督者だけを置く施設よりも規模の大きい施設で選任し、保安の確保を図ります。

(2)**誤り**。危険物施設保安員の選任・解任については、**届出は不要**です。

(3)**誤り**。危険物施設保安員の資格について定めた規定はないので、危険物取扱者でない者でも危険物施設保安員になることができます。

(4)**誤り**。危険物保安監督者が旅行、疾病等で職務を行えない場合の職務代行者は、予防規程で定めておく事項の１つですが、危険物施設保安員とは限りません。

(5)**正しい**。危険物施設保安員の業務の１つとして、**定期点検**や臨時点検を実施し、これを**記録**して**保存**することが定められています。

問題10 解答 (3) 速習 P.352～354

(1)**正しい。定期点検**では、製造所等の位置、構造および設備が政令で定める技術上の基準に適合しているかどうかを点検します。

(2)**正しい。**地下貯蔵タンク、移動貯蔵タンク等を有する製造所等においては、通常の定期点検のほかに、これらのタンク等についての**漏れの点検**が義務付けられています。漏れの点検を行う時期は、次の通りです。

地下貯蔵タンク 地下埋設配管	設置の完成検査済証交付日または前回の点検日から**1年**（一定の要件を満たせば**3年**）以内に1回以上
二重殻（かく）タンクの強化プラスチック製の外殻	設置の完成検査済証交付日または前回の点検日から**3年**以内に1回以上
移動貯蔵タンク	設置の完成検査済証交付日または前回の点検日から**5年**以内に1回以上

(3)**誤り。**上の表より、**地下埋設配管**についての**漏れの点検**は、**1年**（一定の要件を満たせば**3年**）以内に1回以上とされています。

(4)**正しい。**定期点検を行う者は、原則として**危険物取扱者**または**危険物施設保安員**とされており、この場合、危険物施設保安員は危険物取扱者の**立会いなし**で自ら点検を行うことができます。なお、**危険物取扱者の立会い**があれば危険物取扱者や危険物施設保安員以外の者でも定期点検を行うことができます。

(5)**正しい。点検記録に記載する事項**は、①製造所等の名称、②点検の方法・結果、③点検した年月日、④点検を行った危険物取扱者、危険物施設保安員または点検に立ち会った危険物取扱者の氏名です。

問題11 解答 (5) 速習 P.419～420

(1)～(4)は**正しい**記述です。

(5)**誤り。**政令では、危険物の取扱いのうち**廃棄**の技術上の基準として、「**埋没**する場合は、危険物の性質に応じ、安全な場所で行うこと」と定めています。したがって、埋没によって危険物を廃棄できないというのは誤りです。

問題12 解答 (5) 速習 P.424

運搬容器の外部には、下の表のように**危険物に応じた注意事項**を表示します。

第1類危険物	ほとんどすべて（一部例外）	火気・衝撃注意、**可燃物接触注意**
第2類危険物	引火性固体以外（一部例外）	火気注意
	引火性固体のみ	火気厳禁
第3類危険物	自然発火性物品	空気接触厳禁、火気厳禁
	禁水性物品	禁水
第4類危険物	すべて	火気厳禁
第5類危険物	すべて	火気厳禁、衝撃注意
第6類危険物	すべて	**可燃物接触注意**

表より、「**可燃物接触注意**」の表示がなされるのは、**第１類**または**第６類**のいずれかの危険物であることが分かります。よって、(5)が正解となります。

問題13 解答 (3) 速習 P.421、P.426～427

A **不適合。写し（コピー）**ではなく、**免状そのものを携帯**する必要があります。
B **適合。乙種第４類**の資格を有する危険物取扱者は、**ガソリン**の取扱いができるので、この者が**免状を携帯**して**乗車**すれば、基準に適合します。
C **適合。丙種**の危険物取扱者は、**ガソリン**の取扱いができるので、この者が**免状を携帯**して**乗車**すれば、基準に適合します。車両の運転は、危険物取扱者以外の者がしてもかまいません。車両の運転に危険物取扱者の資格は必要ないからです。
D **不適合**。完成検査済証や定期点検記録などの書類は、**写し（コピー）**ではなく、**書類そのもの**を**車両に備え付け**なければなりません。
E **適合**。ガソリンなど**引火点40℃未満**の危険物を移動貯蔵タンクからほかのタンクに注入するときは、移動タンク貯蔵所の**原動機（エンジン）を停止**します。
したがって、基準に適合しているものは、Ｂ、Ｃ、Ｅの３つで、(3)が正解です。

問題14 解答 (4) 速習 P.429～430、P.432

(1)(2)(3)(5)は、**正しい**内容です。
(4)**誤り。危険物保安監督者、危険物保安統括管理者**が消防法令に違反した場合や、これらの者に業務を行わせることが公共の安全の維持または災害の発生防止に支障を及ぼすおそれがある場合、市町村長等は当該製造所等の所有者等に対し、その危険物保安監督者や危険物保安統括管理者の**解任**を命じることができます（この**解任命令**にもかかわらず解任しない場合は、施設の**使用停止命令**の対象となります)。危険物の取扱作業の保安に関する講習（保安講習）の受講命令というものは、法令上、存在しません。

問題15 解答 (2) 速習 P.413

製造所等に設置する掲示板（**危険物等を表示する掲示板**）は、白色の地に黒色の文字で、次の事項を表示します。

- 危険物の**類**
- 危険物の**品名**
- 貯蔵（取扱い）**最大数量**
- 指定数量の**倍数**
- **危険物保安監督者**の氏名（職名）
  ＊危険物保安監督者名は職名でもよい

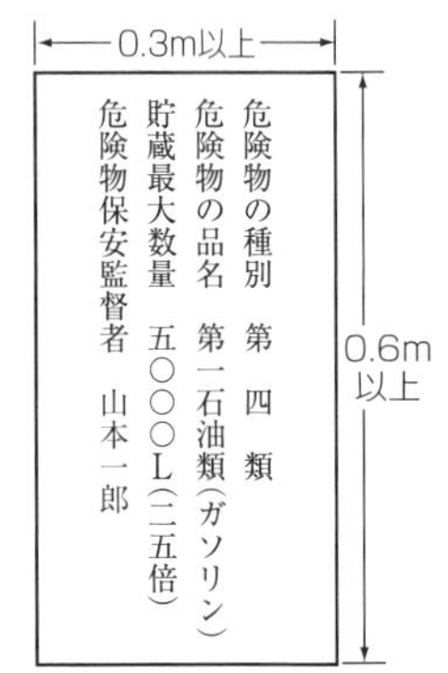

白色の地 **黒色**の文字

なお、危険物保安監督者の氏名（職名）を表示するのは選任を必要とする製造所等に限られます。
したがって、危険物等を表示する掲示板に掲げる内容として誤っているものは、Ａ、Ｄの２つで、(2)が正解です。

物理学および化学

問題16 解答 (4)

速習 P.22

(1)**正しい**。気体は一定の温度以下において圧力を加えると**液化**しますが、逆に言うと、一定の温度以下でなければいくら圧力を加えても液化しません。この一定の温度を**臨界温度**といい、臨界温度の気体を液化させるのに必要な圧力を**臨界圧力**といいます。酸素および水素の臨界温度はそれぞれ−118℃、−239.9℃なので、常温（20℃）ではいくら圧力を加えても液化できません。

(2)**正しい**。**二酸化炭素**は臨界温度が31.1℃なので、この温度の二酸化炭素に圧力を加えると、臨界圧力に達したときに液化します（臨界温度より低い温度の場合は臨界圧力より小さい圧力で液化します）。一方、**酸素**と**水素**の臨界温度はそれぞれ−118℃、−239.9℃なので、これ以下の温度に下げない限りは液化できません。したがって、酸素と水素は二酸化炭素と比べて液化しにくいといえます。

(3)**正しい**。**二酸化炭素**の臨界温度は31.1℃なので、それより低い常温（20℃）においては臨界圧力より小さい圧力で液化します。8MPaは臨界圧力の7.4MPaよりも高い圧力なので、二酸化炭素は当然に液化されています。

(4)**誤り**。**アンモニア**の臨界温度は132℃なので、それより低い常温（20℃）では臨界圧力より小さい圧力で液化します。このため、臨界圧力の11.3MPaならばアンモニアは当然に液化されています。気体であるというのは誤りです。

(5)**正しい**。水（水蒸気）の臨界温度は374℃なので、それより低い350℃ならば圧力を加えることによって液化することができます。

問題17 解答 (2)

速習 P.47～48、P.53

物質1molの質量は、その物質の分子量（＝原子量の合計）に〔g〕をつけたものです。そこで、設問中の物質1molの質量を計算し、それぞれの物質量（モル）を求めます。

原子量は**H＝1、C＝12、O＝16、Na＝23、Cl＝35.5**

- **過塩素酸 $HClO_4$**：(1×1)＋(35.5×1)＋(16×4)＝**100.5g/mol**
  ∴過塩素酸201kgは、201,000÷100.5＝2,000mol＝2kmol
- **過塩素酸ナトリウム $NaClO_4$**：(23×1)＋(35.5×1)＋(16×4)＝**122.5g/mol**
  ∴過塩素酸ナトリウム245kgは、245,000÷122.5＝2,000mol＝2kmol

過塩素酸$HClO_4$と**炭酸ナトリウム**Na_2CO_3から**過塩素酸ナトリウム**$NaClO_4$が生成される反応の化学反応式は、次の通りです。

$2HClO_4 + Na_2CO_3 \rightarrow 2NaClO_4 + H_2O + CO_2$

この式より、過塩素酸2molに対して炭酸ナトリウム1molの比で反応していることがわかります。∴過塩素酸2kmolに対しては、炭酸ナトリウム1kmolが必要です。

- **炭酸ナトリウム Na_2CO_3**：(23×2)＋(12×1)＋(16×3)＝**106g/mol**
  ∴炭酸ナトリウム1molが106gなので、1kmolならば106kgです。

よって、(2)が正解となります。

問題18 解答 (4) 速習 P.69〜71

塩酸がpH＝1.0ということは、**pH＝－log［H^+］**＝－log10^{-1}＝1.0なので、この塩酸の水素イオン濃度［H^+］＝10^{-1}＝0.1mol/Lです。
1 L（1000mL）当たり0.1molだから、200mL当たりに直すと0.02molです。

水酸化ナトリウム水溶液は0.02mol/Lなので、800mL当たりに直すと0.016mol。水酸化ナトリウムの電離度（溶質が電離する割合）は1（＝100%）なので、水酸化ナトリウム水溶液中にOH^-が0.016mol電離していることがわかります。

これらを混ぜると**中和反応**が起こりますが、OH^-より**H^+のほうが物質量が多く**、0.02－0.016＝0.004molのH^+が(200＋800)mL＝1 Lの水溶液中に存在します。

$$\therefore pH = -\log[H^+] = -\log 0.004 = -\log\frac{4}{1000}$$

公式 $\log\frac{M}{N} = \log M - \log N$、公式 $\log M^p = P\log M$ より、

$pH = -(\log 4 - \log 1000) = -(\log 2^2 - \log 10^3) = -(2\log 2 - 3\log 10)$

log2.0＝0.30、log10＝1なので、

$pH = -(2\times 0.30 - 3\times 1) = -(0.60-3) = -0.60+3 = 2.4$

よって、(4)が正解となります。

問題19 解答 (5) 速習 P.32〜34

(1)**正しい**。静電気が蓄積されてくると、条件によっては放電することがあり、火花を発生します。これを**放電火花**といいます。

(2)**正しい**。静電気の**帯電量**をQ、**帯電電圧**をV、**放電エネルギー**（静電気が放電する電気エネルギー）をEとすると、$E = \frac{1}{2}QV$が成り立ちます。

(3)**正しい**。静電気は、物体の**摩擦**によって発生することが一般に知られています。摩擦以外の帯電現象としては、**流動帯電**（液体の流動によって発生）、**接触帯電**（2以上の物体が接触分離する過程で発生）、**噴出帯電**などがあります。

(4)**正しい**。記述のような、液体がノズル等から高速で噴出するときに帯電する現象を、**噴出帯電**といいます。

(5)**誤り**。2つの点電荷の間にはたらく**静電気力の大きさ**は、それぞれの電気量の大きさの和ではなく、**積に比例**し、点電荷間の**距離の2乗に反比例**します。

問題20 解答 (3) 速習 P.15〜16、P.111

引火点とは、点火したとき、可燃性蒸気と空気との混合ガスが燃え出すために十分な濃度の可燃性蒸気が液面上に発生するための最低の温度（液温）のことです。このため引火点は、空気との混合ガスの**燃焼下限界**（可燃性蒸気が燃焼できる濃度範囲の下限値）と密接な関係があります。液体の**蒸気圧**は、液温の上昇に伴って値が大きくなるため、可燃性液体は、その温度（液温）に相当する一定の**蒸気圧**を有し、液面付近では、その蒸気圧に相当する濃度の蒸気が存在する（蒸気圧に相当する**蒸気濃度**がある）ということになります。したがって、Aに**燃焼下限界**、Bに**蒸気圧**、Cに**蒸気濃度**が入るので、(3)が正解です。

問題21 解答 (1)

速習 P.127～130

(2)～(5)は、すべて正しい組合せです。

(1)**誤り**。**二酸化炭素消火器**の消火薬剤の主な成分は、**二酸化炭素**（消火器内では液化二酸化炭素）であり、炭酸水素ナトリウムというのは誤りです。主な消火効果は窒息効果です。

問題22 解答 (4)

速習 P.44～45、P.50、P.91～94

(1)**正しい**。**カルボン酸**と**アルコール**から水H_2Oの分離を伴う**縮合**（脱水縮合）によって生成する化合物をエステルといい（一般式**R－COO－R′**で表す）、－COO－の部分を**エステル結合**といいます。

(2)**正しい**。**同じ分子式**をもつ化合物なのに、分子内の構造が異なるために性質が異なるものを**異性体**といいます。エタノールとジメチルエーテルの分子式はともにC_2H_6Oですが、**官能基**の種類が異なり、示性式や構造式が異なります（**構造異性体**）。

■エタノールとジメチルエーテルの構造式

エタノール

（示性式：C_2H_5OH）

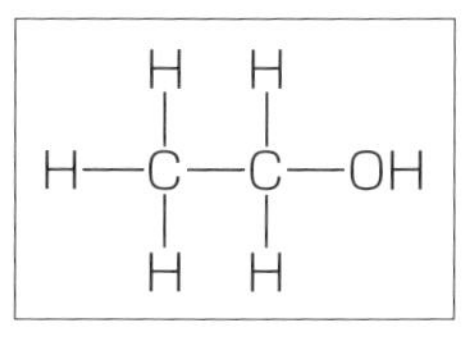

〈官能基〉
エチル基　$-C_2H_5$
ヒドロキシ基　$-OH$

ジメチルエーテル

（示性式：CH_3OCH_3）

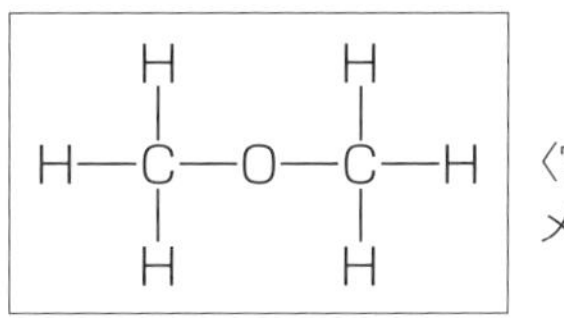

〈官能基〉
メチル基　$-CH_3$

(3)**正しい**。**アルデヒド**（アセトアルデヒドCH_3CHO）に**水素H_2**を付加して**還元**すると、**第１級アルコール**（エタノールC_2H_5OH）になります。

(4)**誤り**。**ケトン**とは一般式**R－CO－R′**で表される化合物の総称です。ケトンには**還元性がなく**、酸化されにくいという性質があります。なお、アルデヒドには還元性があり、容易に酸化されてカルボン酸になります。

(5)**正しい**。**カルボニル基**（＞CO）に、**水素原子H**が結合すると**アルデヒド基**（－CHO）になり、**炭化水素基R**が２つ結合すると**ケトン基**（R－CO－R′）になります。このため、アルデヒドおよびケトンを総称して**カルボニル化合物**という場合があります。

問題23 解答 (4)

速習 P.78

(4)**誤り**。アルカリ金属やアルカリ土類金属などは、バーナー等の炎の中で強熱すると、炎が次のような特有の色を示します。これを炎色反応といいます。

金属	炎の色	金属	炎の色
リチウム Li	赤（深赤）	カルシウム Ca	橙赤
ナトリウム Na	黄	ストロンチウム Sr	紅
カリウム K	紫（赤紫）	バリウム Ba	緑（黄緑）
セシウム Cs	青紫	銅 Cu*	青緑

＊銅Cuはアルカリ金属やアルカリ土類金属ではありませんが、炎色反応を示します。

カルシウムの炎の色は、**橙赤**（とうせき）（だいだい色に近い赤色）です。白色というのは誤りです。

(1)(2)(3)(5)は、正しい色です。

問題24 解答 (3) 速習 P.106～108、P.194～195

(1)**正しい。**物質が酸素と結びつくことを**酸化**といい、酸化のうち、**熱**と**光**が発生するものを特に**燃焼**といいます。
(2)**正しい。**燃焼には、**可燃性物質**（可燃物）、**酸素供給体**（支燃物、酸化剤）および**熱源**（点火源、点火エネルギー）の３つが同時に存在する必要があります。
(3)**誤り。**たとえば、マグネシウムは**二酸化炭素**CO_2から酸素を奪って燃焼します。またアルミニウム粉は、**酸化鉄**Fe_2O_3と混合して点火すると、熱と光を伴う激しい反応を見せます（このような、金属と金属酸化物の混合物による熱と光を伴う酸化還元反応を**テルミット反応**という）。
(4)**正しい。**木炭やコークスは、固体の表面だけが赤く燃える無炎の**表面燃焼**です。
(5)**正しい。**固体を粉末状にすると、物質の**比表面積**（単位質量当たりの表面積の総和）が大きくなるため、空気中の酸素と接触しやすくなるほか、熱がほかへ移動できない状態になるので、物質の温度が上昇しやすくなり、燃焼しやすくなります。

問題25 解答 (5) 速習 P.65～66

(1)**正しい。**これを**チンダル現象**といいます（下の表）。
(2)**正しい。**これを**ブラウン運動**といいます（下の表）。
(3)**正しい。**コロイド溶液に直流電圧をかけると、帯電しているコロイド粒子は反対符号の電極側へと移動します。この現象を**電気泳動**といいます（下の表）。
(4)**正しい。**この現象を**凝析**といいます。
(5)**誤り。**疎水コロイドに親水コロイドを加えると、**疎水コロイド粒子を親水コロイドが取り囲んで凝析を起こりにくくします**（この親水コロイドを**保護コロイド**という）。

■コロイド溶液の性質

チンダル現象	コロイド溶液に横から光束（強い光）を当てると、コロイド粒子が光を散乱させて、**光の通路が明るく光って見える**現象
ブラウン運動	熱運動している**溶媒分子**がコロイド粒子に**不規則に衝突**することによって、コロイド粒子が不規則に振動する現象
透　析	コロイド粒子が透過できない**半透膜**を用いることで、小さな溶質粒子とコロイド溶液が分離される現象＊ ＊イオンなど不純物を含んだコロイド溶液をセロハン（半透膜）の袋に入れて流水中に浸しておくと、不純物だけが袋の外に出ていき、コロイド粒子は袋の中に残る
電気泳動	コロイド溶液に**直流電圧**をかけた場合に、正に帯電したコロイドは陰極（－の電極）側、負に帯電したコロイドは陽極（＋の電極）側へと移動する現象（すべてのコロイドが同じ符号の電極に移動するのではない）

危険物の性質ならびにその火災予防および消火の方法

問題26 解答 (1)　速習 P.139〜140

(1)**誤り。**この記述は**第１類**の危険物（**酸化性固体**）の性状です。**第２類**の危険物（**可燃性固体**）のほとんどは分子構造中に酸素を含有しておらず、周囲の可燃物の燃焼を促進するのではなく、自分自身が燃焼します。
(2)**正しい。第３類**の危険物（**自然発火性物質および禁水性物質**）は、**空気**または**水**と接触することによって危険性が生じます。
(3)**正しい。第４類**の危険物（**引火性液体**）は、火気等によって引火または**爆発**する危険性があります。
(4)**正しい。第５類**の危険物（**自己反応性物質**）の大部分のものは燃焼に必要な酸素を分子中に含有しているため、**自己燃焼**しやすい性質があります。
(5)**正しい。第６類**の危険物（**酸化性液体**）は、**酸化力**が強く、ほかの物質の燃焼を促進する性質がありますが、自分自身は燃えません（**不燃性**）。

問題27 解答 (3)　速習 P.146、P.149、P.156、P.158、P.161〜163

A **正しい。第１類**の危険物がかかわる火災は、危険物の分解により**酸素**が放出されることで可燃物の燃焼が促進されるので、消火の際は**大量の注水**により分解温度以下に**冷却**し、危険物の分解を抑制する方法が効果的です（ただし無機過酸化物を除く）。
B **誤り。**第１類危険物は自分自身がもつ酸素を供給できるので、**窒息効果を主体とする消火方法は不適切**です。
C **正しい。**無機過酸化物のうち**アルカリ金属の過酸化物**は、**水**と反応すると、熱と酸素を発生してしまうので、注水による消火はできません。**アルカリ土類金属等の過酸化物**も、同様に注水消火は避け、**乾燥砂**などを使用します。
D **誤り。**亜塩素酸塩類は、**強酸**との反応によって有毒な**二酸化塩素ガス**を発生します。強酸の液体により中和するというのは誤りです。
E **誤り。**第１類危険物は、いずれも**窒息効果による消火方法は不適切**です。
したがって、誤っているものはＢ、Ｄ、Ｅの３つで、(3)が正解です。

問題28 解答 (4)　速習 P.75、P.194〜195

(1)**該当する。希薄な酸**または**熱水**と速やかに反応（水とは徐々に反応）して**水素**を発生するので、酸や水と接触させないようにします。
(2)**該当する。ハロゲン**の単体は、ほかの物質から**電子を奪う**（＝**酸化する**）性質があるため、**酸化剤**として働きます。マグネシウムは**還元性**の物質であり、**酸化剤**と混合すると、打撃等で**発火**する危険があるので、ハロゲンと接触させないようにします。
(3)**該当する。**マグネシウムは**二酸化窒素**とも反応して燃焼することがあります。
(4)**該当しない。乾燥塩化ナトリウム**は、マグネシウムなどの金属がかかわる火災の消火に用いる**金属火災用消火薬剤**の主成分です。
(5)**該当する。**湿気等を防ぐため、容器を密栓して乾燥した冷暗所に貯蔵します。

問題29 解答 (2) 速習 P.189、P.213～214

A **正しい。**空気中で徐々に酸化が進み、**約34～60℃**で**自然発火**します。そのため、空気に触れないよう水中（保護液中）に貯蔵します。
B **誤り。猛毒性**で、皮膚に触れると**火傷**することがあり、内服すると数時間で死亡します。
C **誤り。**黄りんは、**水**には溶けませんが、**二硫化炭素**や**ベンゼン**には溶けます。
D **正しい。燃焼**する際に、有毒な**十酸化四りん**（＝五酸化二りん）を生じます。
E **誤り。**黄りんよりも、**赤りん**のほうが反応性が小さく、安定しています。
したがって、正しいもののみの組合せは、ＡとＤで、(2)が正解です。

問題30 解答 (4) 速習 P.237、P.250～251

(1)**正しい。**炭化水素の水素原子がヒドロキシ基（−OH）に置き換えられた化合物を**アルコール**といいますが、消防法では、１分子を構成する**炭素原子**の数が**１個**から**３個**までの**飽和１価アルコール**だけを**アルコール類**としています。
(2)**正しい。変性アルコール**とは、エタノールに変性剤を加えて飲用不可にした工業用・消毒用アルコールのことです。消防法では、変性アルコールもアルコール類に含むとしています。
(3)**正しい。**アルコール類は**炭素数が増加**するほど、**沸点**と**引火点**が**高く**なります。また、炭素数が増加するほど**蒸気比重**も大きくなります。
(4)**誤り。**炭素数が増加すると、**水溶性は低下**します。
(5)**正しい。**アルコール類に普通の泡消火剤を用いると、泡の水膜が溶かされて泡が消滅し、窒息効果が得られないため、**水溶性液体用泡消火剤**（**耐アルコール泡**）を使用します。

問題31 解答 (1) 速習 P.285

(1)**誤り。無色透明の液体**です。また、**芳香**と**甘味**を有します。腐敗臭ではありません。
(2)**正しい。**硝酸エチルの**引火点**は**10℃**です。
(3)**正しい。**硝酸エチルは、メタノールなどの**アルコール**や**ジエチルエーテル**に溶けます。なお、**水**にはほとんど溶けません。
(4)**正しい。液比重1.11**であり、水よりやや重いです。
(5)**正しい。蒸気比重3.14**であり、空気より重いので、蒸気は低所に滞留します。

問題32 解答 (3) 速習 P.312

(1)**正しい。**過酸化水素は極めて不安定で、**熱**や**日光**によって速やかに**分解**するので、日当たりのよい場所を避けて冷暗所に貯蔵します。
(2)**正しい。金属粉**、**有機物**との混合により**分解**し、加熱や動揺によって**発火・爆発**することがあります。
(3)**誤り。分解**によって発生したガス（**酸素**）で容器が破裂しないよう、通気のための穴（**ガス抜き口**）のある栓をします。容器を密栓するというのは誤りです。
(4)**正しい。**濃度の高いものは、皮膚に触れると火傷を起こします。
(5)**正しい。**流出した場合は、**多量の水**で洗い流します。また、火災の場合は注水によって消火します。

問題33 解答 (3)　速習 P.151〜152

(1)**誤り**。過塩素酸アンモニウムは、**無色の結晶**です。

(2)**誤り**。過塩素酸アンモニウムは過塩素酸塩類の１つであり、酸化力の強い**強酸化剤**です。塩素酸塩類に比べると安定しているとはいえますが、**加熱**や**衝撃等**によって分解し、特に、**りん**、**硫黄**、**木炭の粉末**その他の可燃物と混合すると急激な**燃焼**を起こし、**爆発**することがあるため危険です。有機物と混合しても発火の危険がないというのは誤りです。

(3)**正しい**。過塩素酸アンモニウムは、強い衝撃等によって分解し、発火します。また、加熱すると約**150℃**で分解しはじめて**酸素**を発生し、**400℃**で急激に分解して**発火**することがあります。

(4)**誤り**。過塩素酸アンモニウムは、約150℃で分解をはじめます。このため、固体から液体へと融解しはじめるときの温度（**融点**）については正確なデータがありません。100℃で容易に融解するというのは誤りです。

(5)**誤り**。**水**、**エタノール**および**アセトン**には**溶けます**。エーテルには溶けません。

問題34 解答 (5)　速習 P.187、P.190、P.194

A **適切**。硫黄は融点が低く、燃焼の際に融解して流動する可能性があるため、土砂で拡散を防ぎながら、**注水**による消火を行うのが効果的です。拡散を助長しないよう、**霧状**にして注水します。

B **不適切**。アルミニウム粉は、**ハロゲン元素**と接触すると**自然発火**することがあるので、ハロゲン化物消火剤を使用するのは不適切です。

C **適切**。亜鉛粉、アルミニウム粉の火災は、いずれも**注水厳禁**であり、**乾燥砂**などで覆って**窒息消火**するか、または**金属火災用消火剤**を使用します。

D **不適切**。三硫化りんなど**硫化りん**の火災は、水でも消火効果はありますが、水と反応すると有毒な**硫化水素**を生じるため、水による消火は避けて、乾燥砂または不燃性ガスで窒息消火を行います。大量の注水は不適切です。

したがって、適切でないものの組合せは、ＢとＤで、(5)が正解です。

問題35 解答 (1)　速習 P.217

(1)**誤り**。バリウムは、水と反応して**水素**を発生します。酸素を発生するというのは誤りです。

(2)**正しい**。**銀白色の金属結晶**です。

(3)**正しい**。空気中では常温（20℃）で表面が**酸化**します。

(4)**正しい**。**水素**と高温で反応し、**水素化バリウム**を生じます。

(5)**正しい**。**ハロゲン**と常温（20℃）で反応し、**ハロゲン化物**を生じます。

問題36 解答 ⑴ 速習 P.242

⑴**誤り**。酸化プロピレンは、同じく特殊引火物（第４類危険物）に分類されているアセトアルデヒドと同様、**水によく溶ける**性質があります。なお、エタノール、ジエチルエーテルにもよく溶けます。
⑵**正しい**。**引火点−37℃**なので、冬期でも引火の危険性が高い物質です。
⑶**正しい**。**沸点35℃**なので、夏期には気温のほうが高くなる可能性があります。
⑷**正しい**。酸化プロピレンは**発火点449℃**、ガソリンの発火点は約300℃です。
⑸**正しい**。**蒸気比重2.0**なので、空気より重いです。

問題37 解答 ⑵ 速習 P.280、P.398〜399

第５類の危険物は、一般に可燃物と酸素供給体とが共存し、**自己燃焼性**があるため、周りの空気から酸素の供給を断つ**窒息消火では効果がありません**。このため、窒息効果を主とする**ガス系消火剤**（**不活性ガス**〔二酸化炭素、窒素等〕や**ハロゲン化物**）、抑制効果と窒息効果で消火する**粉末消火剤**を用いた消火設備は不適切です。一般には、**大量の水**または泡消火剤によって分解温度未満に**冷却**する消火方法を用いるので、Ｂ**水噴霧消火設備**とＥ**屋外消火栓設備**（加圧送水ポンプによって放水する）の２つが、消火効果を期待できる消火設備といえます。よって、⑵が正解です。

なお、**アジ化ナトリウム**は火災の熱により分解して金属ナトリウム（第３類危険物：禁水性物質）を生じるため、水・泡系の消火剤は厳禁です。

問題38 解答 ⑶ 速習 P.173

⑴**正しい**。三酸化クロムは、**暗赤色の針状結晶**です。
⑵**正しい**。**水に溶け**、希エタノールにも溶けます。また、水を加えると、**腐食性**の強い酸になります。このため、金属製容器を使用する場合は、鉛などで内張りをしないと容器に破損が生じます。
⑶**誤り**。三酸化クロムは、**潮解性**が強い物質です。
⑷**正しい**。約**250℃**で分解し、**酸素**を発生します。
⑸**正しい**。**有毒**であり、**皮膚を腐食**させます。

問題39 解答 ⑷ 速習 P.208、P.211

Ａ**適切**。ナトリウムなど第３類の危険物のほとんどは**禁水性**の性質を有するため、**水・泡系消火剤**（水・強化液・泡）は使用できません。そのため、**炭酸水素塩類**を主成分とする**粉末消火剤**が用いられます。
Ｂ・Ｃ**不適切**。**ハロゲン化物**や**二酸化炭素**の消火剤は、接触すると**発火**する危険があるため、カリウムやナトリウムにかかわる火災には不適切です。
Ｄ**適切**。**乾燥砂**、**膨張ひる石**（バーミキュライト）、**膨張真珠岩**（パーライト）は、第３類危険物のすべての消火に使用できます。
Ｅ**不適切**。乾燥砂とは異なり、**屋外にたい積**していた砂は、**水分**を含んでいます。このため、禁水性の性質を有するナトリウムの火災の消火には不適切です。
したがって、不適切なものの組合せはＢ、Ｃ、Ｅで、⑷が正解となります。

問題40 解答 (3)　速習 P.148、P.150

(1)**正しい**。塩素酸アンモニウムは、**無色の針状結晶**です。
(2)**正しい**。**水に溶けます**。一方、アルコールには溶けにくい性質があります。
(3)**誤り**。**アルコールには溶けにくい**ので、アルコールであるエタノールによく溶けるというのは誤りです。
(4)**正しい**。**100℃**以上に加熱すると、分解して**爆発**する場合があります。
(5)**正しい**。塩素酸アンモニウムは非常に不安定な物質であり、**常温**（20℃）でも**爆発**することがあります。

問題41 解答 (1)　速習 P.311〜312、P.423〜425

(1)**誤り**。法令上、運搬の基準では、**液体**の危険物は原則として**98％以下**の収納率であって、かつ**55℃**の温度で漏れないよう**空間容積**を十分にとることとされています。過塩素酸は液体の危険物なので、空間容積を設けないというのは誤りです。
(2)**正しい**。運搬の基準により、運搬容器の外部には次の事項を表示します。
①危険物の**品名・化学名**　②**危険等級**
③第４類危険物の水溶性のものには「水溶性」
④危険物の**数量**　⑤危険物に応じた**注意事項**
過塩素酸など**第６類**の危険物の**注意事項**（上の⑤）は「**可燃物接触注意**」とされています。
(3)**正しい**。「**容器イエローカード**（ラベル方式）」を容器等に貼付することにより、事故発生現場において、カードに表示されている番号等から当該危険物に応じた応急措置の方法を容易に判断することができます（危険物の運搬・移送中の事故の被害拡大防止のため、この制度の普及が図られています）。
(4)**正しい**。運搬の基準では、過塩素酸など**第６類**の危険物の性質に応じた措置として、「**日光の直射を避けるため、遮光性の被覆で覆う**」と定めています。
(5)**正しい**。**おがくず**、**木片**、**布**などの有機物と接触すると、**自然発火**させることがあります。流出した場合は**ソーダ灰**、**チオ硫酸ナトリウム**で十分に**中和**してから**大量の水**で洗い流します。

問題42 解答 (1)　速習 P.261

(1)**誤り**。アニリンは、**無色**または**淡黄色**の引火性液体です。また、**特異臭**があるので、無臭というのも誤りです。
(2)**正しい**。普通は、**光**または**空気**の作用によって**褐色**に変化しています。
(3)**正しい**。**蒸気比重3.2**なので空気より重く、蒸気は低所に滞留します。
(4)**正しい**。アニリンは、第４類危険物・第３石油類の**非水溶性**の物品です。
(5)**正しい**。エタノール、ジエチルエーテル、ベンゼン等によく溶けます。

第5回

問題43 解答 (2) 速習 P.189

(1)**正しい**。**燃焼**すると、有毒な**りん酸化物**（**十酸化四りん**＝**五酸化二りん**）を生じます。
(2)**誤り**。赤りんが水と反応して**りん化水素**を**生じることはありません**。硫化りんが水と反応して硫化水素を生じることと混同しないようにしましょう。
(3)**正しい**。純粋な赤りんは**自然発火はしません**（熱した場合は約260℃で発火）。ただし、純粋でないもの（**黄りん**との混合物）は自然発火します。
(4)**正しい**。**酸化剤**（特に塩素酸カリウムなどの塩素酸塩類）と混合すると、摩擦熱でも**発火**したり、わずかな刺激で**爆発**したりする危険性があります。
(5)**正しい**。赤りんは、**比重2.1〜2.3**です。

問題44 解答 (5) 速習 P.190、P.208、P.211〜214、P.284

(5)**正しい**。**アルキルアルミニウム**は、**空気**と触れて自然発火し、また、**水**との接触によっても激しく反応して発火するので、空気や水とは絶対に触れないように、**窒素**などの**不活性ガス**の中で貯蔵します。
不活性ガスや保護液の中に貯蔵する主な危険物をまとめると次の通りです。

不活性ガス（窒素など）	保護液
●アルキルアルミニウム（第３類） ●アルキルリチウム（第３類） ●ジエチル亜鉛（第３類） ●アセトアルデヒド（第４類） ●酸化プロピレン（第４類）	保護液（水） ●黄りん（第３類） 保護液（灯油など） ●カリウム（第３類） ●ナトリウム（第３類）

問題45 解答 (3) 速習 P.216〜217

A **誤り**。**比重1.6**なので、水より大きい（重い）です。
B **正しい**。カルシウムは、**水**と反応して**水素**を発生します。
C **正しい**。**水素**とは**200℃以上**で反応し、**水素化カルシウム**（カルシウムの水素化物）となります。
D **正しい**。空気中で加熱すると燃焼し、**酸化カルシウム**（**生石灰**）を生じます。
E **誤り**。カルシウムは**可燃性**ですが、カリウムやナトリウムと比べると**反応性は弱い**といえます。反応性がナトリウムより大きいというのは誤りです。
したがって、正しいものは、B、C、Dの３つで、(3)が正解です。

第6回　予想模擬試験　解答一覧

危険物に関する法令		物理学および化学		危険物の性質ならびにその火災予防および消火の方法	
問題 1	(2)	問題16	(1)	問題26	(5)
問題 2	(5)	問題17	(2)	問題27	(3)
問題 3	(3)	問題18	(2)	問題28	(2)
問題 4	(5)	問題19	(3)	問題29	(3)
問題 5	(1)	問題20	(3)	問題30	(4)
問題 6	(4)	問題21	(4)	問題31	(5)
問題 7	(2)	問題22	(1)	問題32	(3)
問題 8	(4)	問題23	(4)	問題33	(2)
問題 9	(3)	問題24	(4)	問題34	(1)
問題10	(5)	問題25	(5)	問題35	(3)
問題11	(4)			問題36	(2)
問題12	(1)			問題37	(4)
問題13	(5)			問題38	(5)
問題14	(2)			問題39	(2)
問題15	(3)			問題40	(5)
				問題41	(1)
				問題42	(3)
				問題43	(1)
				問題44	(4)
				問題45	(2)

☆得点を計算してみましょう。

挑戦した日	危険物に関する法令	物理学および化学	危険物の性質ならびにその火災予防および消火の方法	計
1回目 ／	／15	／10	／20	／45
2回目 ／	／15	／10	／20	／45

※各科目60%以上の正解率が合格基準です。

第6回 予想模擬試験 解答／解説

危険物に関する法令

問題1 解答 (2) 速習 P.328〜330

それぞれの**危険物ごとに倍数を求めてその数を合計**します（→別冊P.3参照）。
- 第1種自己反応性物質〔第5類危険物：指定数量10kg〕⇒ 100÷10＝10倍
- 第2種可燃性固体〔第2類危険物：指定数量500kg〕⇒ 1000÷500＝2倍
- 第3種酸化性固体〔第1類危険物：指定数量1000kg〕⇒ 2000÷1000＝2倍

∴10＋2＋2＝14倍。よって、正解は(2)となります。

問題2 解答 (5) 速習 P.250、P.254

(5)**正しい。**消防法別表第一（備考13）において、第4類危険物の**アルコール類**は、次のように定義されています。

> 1分子を構成する**炭素の原子**の数が**1個**から**3個**までの**飽和1価アルコール**（変性アルコールを含む）をいい、組成等を勘案して総務省令で定めるものを除く

エタノールはこの定義に該当しますが、**n-ブタノール**（＝n-ブチルアルコール）は$CH_3(CH_2)_3OH$と表され、1分子を構成する**炭素原子の数が4個**なので定義に該当しません。なお、**n-ブタノール**は常温（20℃）1気圧において無色の液体であり、水にはほとんど溶けず（非水溶性）、発火点343℃、引火点37℃です。引火点が21℃以上70℃未満なので、**第2石油類**に指定されています。

問題3 解答 (3) 速習 P.366、P.368、P.370、P.377、P.384、P.386〜387

(1)**誤り。製造所**は、**保安距離**および**保有空地**ともに必要（＝規制あり）とする施設ですが、危険物の貯蔵・取扱い数量の制限はありません。

(2)**誤り。屋外貯蔵所**は、**保安距離**および**保有空地**ともに必要（＝規制あり）とする施設です。また貯蔵・取扱いができる**危険物の種類**が限定されていますが、危険物の数量についての制限はありません。

(3)**正しい。屋内タンク貯蔵所**は、保安距離、保有空地ともに不要（＝規制なし）とする施設です。**屋内貯蔵タンクの容量に制限**があり、原則として指定数量の**40倍以下**とされています。また、第4類危険物（第4石油類と動植物油類以外）は**20,000L以下**でなければなりません。

(4)**誤り。地下タンク貯蔵所**は、保安距離、保有空地ともに不要（＝規制なし）とする施設であり、危険物の数量にも制限がありません。

(5)**誤り。簡易タンク貯蔵所**は、保安距離は不要（＝規制なし）、**保有空地**は**屋外**に設ける場合のみ必要（＝規制あり）です。簡易貯蔵タンクの容量は1基当たり**600L以下**に制限されています。

問題4 解答 (5)　速習 P.342～343、P.347～348、P.352～353、P.423～427

法令上、危険物取扱者が**免状の携帯**を義務付けられているのは、危険物の移送をする**移動タンク貯蔵所に乗車**しているとき（法第16条の２第３項）のみです。それ以外に危険物取扱者免状の携帯を義務付けている規定はありません。

よって、(5)が正解です。

問題5 解答 (1)　速習 P.347～348

危険物保安監督者の選任を必要とする製造所等は、次の通りです。

危険物の種類		第４類の危険物				第４類以外の危険物	
貯蔵・取り扱う危険物の数量		指定数量の30倍以下		指定数量の30倍を超えるもの		指定数量の30倍以下	指定数量の30倍を超えるもの
貯蔵・取り扱う危険物の引火点		40℃以上のみ	40℃未満	40℃以上のみ	40℃未満		
製造所等の区分	製造所	すべて必要					
	屋内貯蔵所		○	○	○	○	○
	屋外タンク貯蔵所	すべて必要					
	屋内タンク貯蔵所		○		○	○	○
	地下タンク貯蔵所		○	○	○	○	○
	簡易タンク貯蔵所		○		○	○	○
	移動タンク貯蔵所	不必要					
	屋外貯蔵所			○	○		○
	給油取扱所	すべて必要					
	第１種販売取扱所		○			○	
	第２種販売取扱所		○		○	○	○
	移送取扱所	すべて必要					
	一般取扱所　ボイラー等消費・容器詰替のもの		○	○	○	○	○
	一般取扱所　上記以外のもの	すべて必要					

○印：危険物保安監督者を選任する必要がある

A **必要**。**給油取扱所**は、危険物保安監督者の**選任が常に必要**です。
B **不要**。**移動タンク貯蔵所**は、危険物保安監督者の**選任が常に不要**です。
C **必要**。**地下タンク貯蔵所**は、第４類の危険物で指定数量が30倍を超えるもののみを貯蔵・取り扱う場合、引火点に関係なく危険物保安監督者の選任が必要です。
D **不要**。**屋内タンク貯蔵所**は、第４類の危険物で、引火点が40℃以上のもののみを貯蔵・取り扱う場合は、指定数量によらず危険物保安監督者の選任は不要です。

したがって、危険物保安監督者の選任を必要とするのは、ＡとＣで、(1)が正解です。

問題6 解答 (4)

速習 P.340

許可などの申請先、届出先の「**市町村長等**」には、次の区分に応じ、**市町村長**のほかに**都道府県知事**と**総務大臣**が含まれます。

移送取扱所を除く製造所等	申請先･届出先
消防本部および消防署を設置する市町村	市町村長
上記以外の市町村	都道府県知事
移送取扱所	**申請先･届出先**
消防本部および消防署を設置する１つの市町村の区域に設置される場合	市町村長
上記以外の市町村の区域、または**２つ以上の市町村にまたがって設置**される場合	**都道府県知事**
２つ以上の都道府県にまたがって設置される場合	総務大臣

移送取扱所は大規模なパイプライン施設なので、複数の市町村や都道府県にわたって設置される場合があり、同一都道府県内の２以上の市町村にまたがる場合は、当該区域を管轄する**都道府県知事**が申請先（＝許可権者）となります。よって、⑷が誤りです。

問題7 解答 (2)

速習 P.353～354

地下貯蔵タンク、移動貯蔵タンク等を有する製造所等において、通常の定期点検のほかに、これらのタンク等について**漏れの点検**を行う時期は次の通りです。

地下貯蔵タンク **地下埋設配管**	設置の完成検査済証交付日または前回の点検日から**１年**（一定の要件を満たせば**３年**）以内に１回以上
二重殻(かく)タンクの強化プラスチック製の外殻	設置の完成検査済証交付日または前回の点検日から**３年**以内に１回以上
移動貯蔵タンク	設置の完成検査済証交付日または前回の点検日から**５年**以内に１回以上

⑴**誤り**。**地下貯蔵タンク**の漏れの点検は、**１年以内に１回**以上が原則ですが、例外として、危険物の漏れを覚知し、その漏えい拡散を防止するための措置が講じられている場合には、**３年以内に１回**以上でよいとされています。

⑵**正しい**。**地下貯蔵タンク**の漏れの点検は、⑴のほかに、完成検査を受けた日から**15年以内**であれば、**３年以内に１回**以上でよいとされています。15年を超えるものは、原則通り**１年以内に１回**以上、漏れの点検を行う必要があります。

⑶**誤り**。二重殻タンクの強化プラスチック製の外殻は、**３年以内に１回**以上です。

⑷**誤り**。二重殻タンクの**内殻**は、漏れの点検をする必要がないとされています。

⑸**誤り**。移動タンク貯蔵所の移動貯蔵タンクは、**５年以内に１回**以上です。

問題8 解答 (4)

速習 P.355

予防規程は、火災を予防するために、製造所等がそれぞれの実情に合わせて作成する**自主保安**に関する規程です。予防規程に定めなければならない事項は、「危険物の規制に関する規則」に定められており、⑴⑵⑶⑸はいずれもこれに該当しますが、⑷は該当しません。なお、消防法には、火災現場に対する給水を維持するために緊急の必要があるときは、消防長または消防署長等が、水道の制水弁の開閉を行うことができる旨定めた規定があります（消防法第30条）。

問題9 解答 ⑶ 速習 P.388～389

⑴**正しい**。移動タンク貯蔵所は、保安距離、保有空地ともに不要です。

⑵**正しい**。車両の**常置場所**は、屋外の場合は防火上安全な場所、屋内の場合には、壁、床、梁および屋根を**耐火構造**または**不燃材料**でつくった建物の**1階**と定められています。

⑶**誤り**。移動貯蔵タンクの容量は**30,000L以下**と定められています。20,000L以下というのは誤りです。タンク内には**4,000L以下**ごとに完全な**間仕切板**を設けることとされています。

⑷**正しい**。ガソリン、ベンゼンなど、静電気による災害発生のおそれがある液体の危険物の移動貯蔵タンクには、**接地導線（アース）**を設ける必要があります。

⑸**正しい**。移動貯蔵タンクの下部の排出口には**底弁**を設けるほか、非常時に直ちに底弁を閉鎖できる**手動閉鎖装置**および**自動閉鎖装置**を設けます（引火点70℃以上の第４類危険物の移動貯蔵タンク等は自動閉鎖装置の省略可能）。手動閉鎖装置には長さ15㎝以上の**レバー**を設けなければならず、**手前に引き倒す**ことによって手動閉鎖装置を作動させるものと定められています。

問題10 解答 ⑸ 速習 P.392

給油取扱所には、給油またはこれに付帯する業務に必要な建築物以外は設置することができません。給油取扱所に設置が認められる建築物は以下の通りです。

- 給油取扱所の業務を行うための**事務所**
- **給油**、または**灯油・軽油の詰替え**のための**作業場**
- 自動車等の**点検・整備**、または**洗浄**を行う**作業場**
- 給油取扱所の所有者や管理者などが居住する住居等
- 給油、灯油もしくは軽油の詰替え、または自動車等の**点検・整備**もしくは**洗浄**のために給油取扱所に出入りする者を対象とした**店舗**（コンビニエンスストア等）、**飲食店**（レストラン等）、**展示場**

ゲームセンター、**カラオケボックス**等の遊技場、**立体駐車場**、**ホテル**、**診療所**などは、避難が困難になるといった理由から、設置することが認められていません。

したがって、設置できないものはC（立体駐車場）とE（ゲームセンター）なので、⑸が正解です。

問題11 解答 ⑷ 速習 P.339～340

製造所等の**位置**、**構造または設備を変更しない**で、その製造所等で貯蔵しまたは取り扱う危険物の**品名**、**数量または指定数量の倍数を変更**しようとする場合は、**変更しようとする日の10日前**までに**市町村長等に届出**をしなければなりません。変更した後ではなく、変更する前（10日前まで）の手続きであることや、届出先が市町村長等であることに注意しましょう。なお、製造所等の位置・構造・設備を変更したうえで、危険物の品名、数量または指定数量の倍数も変更するという場合は、製造所等についての変更の**許可**を申請します。したがって、⑷が正解です。

問題12 解答 (1) 速習 P.402

政令では**指定数量の10倍以上**の危険物を貯蔵または取り扱う製造所等（移動タンク貯蔵所は除く）について**警報設備**の設置を義務付けており、さらに次の６種類の製造所等のうち、規則で定める一定の基準以上のものについては、警報設備のうち特に**自動火災報知設備**の設置を義務付けています。

- **製造所**
- **屋内貯蔵所**
- **屋内タンク貯蔵所**
- **屋外タンク貯蔵所**
- **給油取扱所**
- **一般取扱所**

したがって、本問では(1)屋内貯蔵所のみが該当し、(2)〜(5)は該当しません。

なお、上記６種類以外の製造所等については、自動火災報知設備以外の警報設備（消防機関に報知できる電話、非常ベル装置、拡声装置、警鐘（けいしょう））から１種類以上を設けることとされています。

問題13 解答 (5) 速習 P.425

(1)**正しい。**危険物を収納した運搬容器は、**収納口**を**上方**に向けて積載し、積み重ねる場合は高さ**３ｍ以下**としなければなりません。

(2)(3)(4)**正しい。**特定の危険物については、下表の通り、**性質に応じた措置**を講じたうえで積載するよう定められています。

特定の危険物	必要な措置
・**第１類危険物** ・第３類危険物の**自然発火性物品** ・第４類危険物の**特殊引火物** ・**第５類危険物** ・**第６類危険物**	日光の直射を避けるため、**遮光性の被覆**で覆う
・第１類危険物の**アルカリ金属の過酸化物** ・第２類危険物の**鉄粉**・**金属粉**・**マグネシウム** ・第３類危険物の**禁水性物品**	雨水の浸透を防ぐために、**防水性の被覆**で覆う
・**第５類危険物**で**55℃以下の温度で分解するおそれのあるもの**	保冷コンテナに収納するなど**適正な温度管理**をする

(5)**誤り。**危険物は、類を異にする危険物との混載のほか、**高圧ガス**との混載も原則として禁止されています。例外としては、内容積120Ｌ未満の容器に充てんされた不活性ガス等との混載が認められています。したがって、原則として高圧ガスとの混載ができるというのは誤りです。

問題14 解答 (2) 速習 P.418〜419

(1)**正しい。屋内貯蔵所**および**屋外貯蔵所**では、原則として危険物を**容器**に収納して貯蔵し、危険物を収納した容器は、原則として**高さ３ｍ**を超えて積み重ねることができないとされています。

(2)**誤り。屋外貯蔵タンク、屋内貯蔵タンク、地下貯蔵タンク**または**簡易貯蔵タンク**の**計量口**は、危険物を**計量**するとき以外は**閉鎖**しておきます。開放しておくと、危険物があふれたり、可燃性蒸気が漏れ出したりする危険があるからです。逆流を防ぐために開放しておくというのは誤りです。

(3)**正しい。**屋外貯蔵タンクの**防油堤の水抜口**は通常は**閉鎖**しておき、防油堤内部に滞油または滞水したときに遅滞なく排出します。普段から水抜口を開放しておくと、タンクから漏れ出た危険物が防油堤外に流出してしまうからです。
(4)**正しい**。移動タンク貯蔵所においては、**移動貯蔵タンク**に、貯蔵または取り扱う危険物の**類**、**品名**および**最大数量**を表示します。
(5)**正しい**。移動貯蔵タンクの**底弁**は、使用時以外は完全に**閉鎖**します。

問題15 解答 (3)　速習 P.429～430、P.432

(1)**誤り**。製造所等の設置許可または仮貯蔵・仮取扱いの承認なしに指定数量以上の危険物を貯蔵または取り扱っている者に対し、**市町村長等**が、**危険物の除去**など災害防止のために必要な措置を命じます。
(2)**誤り**。貯蔵・取扱いの技術上の基準に違反している製造所等の所有者等に対し、**市町村長等**が、**基準遵守命令**を発します。
(3)**正しい**。**消防吏員**または**警察官**は、危険物の移送に伴う火災の防止のために特に必要があると認める場合は、**走行中**の**移動タンク貯蔵所を停止**させ、乗車している危険物取扱者に対して**免状の提示**を求めることができます。
(4)**誤り**。公共の安全維持または災害の発生防止のため、緊急の必要があるときに、製造所等の所有者等に対し、**市町村長等**が、当該製造所等の**一時使用停止**または**使用制限**を命じます。
(5)**誤り**。火災防止のため必要があると認めるときは、指定数量以上の危険物を貯蔵または取り扱っている所有者等に対し、**市町村長等**が、**資料の提出**を命じます。

物理学および化学

問題16 解答 (1)　速習 P.108

物質が**燃焼しやすい**条件について、それぞれ確認しましょう。
- **蒸気圧**…蒸気圧が**大きい**ほど、可燃性蒸気が発生しやすいので燃焼しやすい
- **熱伝導率**…熱伝導率が**小さい**ほど、熱が伝わりにくく、熱が逃げずに蓄積されて物質の温度が上昇しやすくなるので燃焼しやすい
- **乾燥度**…乾燥度が**高い**ほど、含有水分が少ないので燃焼しやすい
- **酸素との化学的親和力**…酸素との化学的親和力が**大きい**ほど、酸素と結びつきやすい（酸化されやすい）ので燃焼しやすい
- **物質の粒子**…物質の粒子が**小さい**ほど、物質の表面積が大きくなり、空気中の酸素と接触しやすくなるので燃焼しやすい

したがって、物質が燃焼しやすい条件として最も適切な組合せは、(1)です。

問題17 解答 (2)　速習 P.32～34、P.126

A **誤り**。静電気が帯電しただけで物質の燃焼が促進されることはありません。
B **正しい**。静電気の蓄積による**放電火花**は、時間が短く電気エネルギーが低いですが、付近に引火性蒸気や粉じんなどが存在すれば、この放電火花が**点火源**となって爆発や火災を起こす危険が生じます。
C **誤り**。静電気が蓄積することで物質が発熱することはありません。
D **誤り**。静電気は、電気を通さない不導体など**導電性の低い**（**絶縁性が高い**）物質ほど

発生しやすくなります。帯電した電気が移動しにくい（蓄積しやすい）からです。したがって、静電気の帯電防止策として、接地（アース）によって電気を大地に逃がすのは適切ですが、電気絶縁性を高くするというのは誤りです。

E **誤り**。**電気火災**とは、電線、変圧器、モーターなど**電気設備の火災**をいいます。静電気の放電火花が原因で引火したからといって、必ずしも電気火災とは限りません（ガソリンの蒸気に引火した場合などは油火災です）。消火の際には燃焼物に合った消火方法をとる必要があります。

したがって、正しいものはＢ１つだけで、(2)が正解です。

問題18 解答 (2) 速習 P.24、P.53

一酸化炭素COと**酸素**O_2が反応すると、**二酸化炭素**CO_2が生成されます。この反応を化学反応式で表すと、$\mathbf{2CO + O_2 \rightarrow 2CO_2}$ となります。

この式より、一酸化炭素**2 mol**と酸素**1 mol**が反応して、二酸化炭素**2 mol**が生成されることがわかります。反応する一酸化炭素と酸素のmolの比は、２：１です。

すべての**気体１mol**の体積は、その気体の種類に関係なく、０℃１気圧（標準状態）のときは**22.4L**を占めるので、気体はその種類に関係なく、molの比が体積の比を示すことになります。このため、反応する一酸化炭素と酸素の体積比も２：１です。

したがって、3.0Lの一酸化炭素と反応できる**酸素は1.5L**のみであり、6.0Lの酸素があってもそのすべてが反応するわけではなく、6.0L－1.5L＝**4 .5Lの酸素**が未反応のまま残ることになります。

また、上の式より、一酸化炭素**2 mol**に対して生成する二酸化炭素も**2 mol**ですから、体積比は１：１です。このため、反応した一酸化炭素が3.0Lの場合、**3.0Lの二酸化炭素**が生成することがわかります。

以上より、反応した酸素の体積は**1.5L**、反応後の気体の体積は、未反応のまま残った酸素４.5Lと生成された二酸化炭素3.0Lの合計**7.5L**です。よって、(2)が正解です。

問題19 解答 (3) 速習 P.127

水は、**比熱**と**蒸発熱**が**大きい**ので、非常に高い**冷却効果**を発揮します。また水による消火には、水が蒸発することで生じる多量の水蒸気が空気中の**酸素**と**可燃性ガス**を**希釈する作用**もあります。しかも、水は安価で、いたる所にあることから、**普通火災**の消火剤として最も多く利用されています。

したがって、Ａ、Ｃ、Ｄは正しく、水の比熱と蒸発熱が小さいとしているＢのみが誤りなので、(3)が正解です。

問題20 解答 (3) 速習 P.46～47

図中の「Al」は**元素記号**であり、この原子がアルミニウムであることを示しています。その左下の「13」は**原子番号**であり、この原子の**陽子の数**を表します（∴陽子の数＝13）。また、１個の原子の中では**陽子の数＝電子の数**なので、**電子の数**でもあります（∴電子の数＝13）。左上の「27」は**質量数**（原子に含まれる**陽子の数**と**中性子の数**の合計）です。したがって、この原子の**中性子の数**は、27−13＝14となります（∴中性子の数＝14）。

以上より、(3)が正しい組合せです。

問題21 解答 (4)　速習 P.78

(1)**正しい。イオン化エネルギー**とは、原子やイオンから電子を取り去ってイオンになるときに必要なエネルギーをいいます。原子の中心にある原子核には（+）の電気をもつ**陽子**が存在し、（−）の電気をもつ**電子**がその周囲を回っているので、互いに引き合っています。そこでこれを引き離すためのエネルギーが必要となるわけです。特に、原子から**1個の電子を取り去って1価の陽イオンになる**ときに必要なエネルギーを**第1イオン化エネルギー**といいます。

(2)**正しい。**周期表の**同じ横**の列では、**右側**ほど原子番号が大きい（**陽子の数が多い**）ので、引き離すエネルギーが**大きく**なります。一方、同じ**縦の列**では**下の列**ほど**陽子と電子の距離が遠くなる**ので、引き離すエネルギーは**小さく**て済みます。

元素の周期表

周期＼族	1	2	3	4	～	13	14	15	16	17	18
1	1 水素 H										2 ヘリウム He
2	3 リチウム Li	4 ベリリウム Be				5 ホウ素 B	6 炭素 C	7 窒素 N	8 酸素 O	9 フッ素 F	10 ネオン Ne
3	11 ナトリウム Na	12 マグネシウム Mg				13 アルミニウム Al	14 ケイ素 Si	15 リン P	16 硫黄 S	17 塩素 Cl	18 アルゴン Ar
4	19 カリウム K	20 カルシウム Ca	21 スカンジウム Sc	22 チタン Ti		31 ガリウム Ga	32 ゲルマニウム Ge	33 ヒ素 As	34 セレン Se	35 臭素 Br	36 クリプトン Kr
5	37 ルビジウム Rb	38 ストロンチウム Sr	39 イットリウム Y	40 ジルコニウム Zr		49 インジウム In	50 スズ Sn	51 アンチモン Sb	52 テルル Te	53 ヨウ素 I	54 キセノン Xe
6	55 セシウム Cs	56 バリウム Ba	57～71 ランタノイド	72 ハフニウム Hf		81 タリウム Tl	82 鉛 Pb	83 ビスマス Bi	84 ポロニウム Po	85 アスタチン At	86 ラドン Rn
7	87 フランシウム Fr	88 ラジウム Ra	89～103 アクチノイド								
	アルカリ金属	アルカリ土類金属								ハロゲン	希ガス

1 水素 H：1＝原子番号、水素＝元素名、H＝元素記号

（網掛け）非金属の典型元素　（白）金属の典型・遷移元素

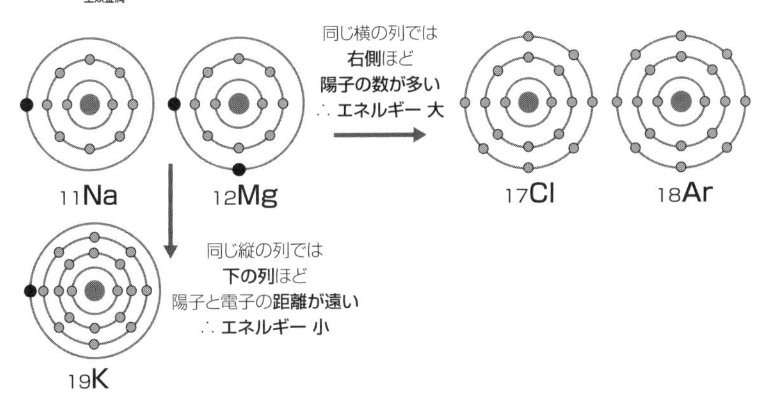

以上より、同じ横の列のナトリウムとアルゴンとを比べると、アルゴンのほうが第1イオン化エネルギーが大きく（Na＜Ar)、同じ縦の列のナトリウムとカリウムとを比べると、カリウムのほうが第1イオン化エネルギーが小さい（K＜Na）のだから、アルゴンの第1イオン化エネルギーはカリウムより大きい（K＜Ar）といえます。

(3)**正しい。**原子の第1イオン化エネルギーは、次ページの図のように、原子番号に伴い、ほぼ周期的に変化します。

(4)**誤り。電子親和力**とは、原子が**電子1個を得て1価の陰イオンになる**ときに放出されるエネルギーをいいます。陽イオンになるときというのは誤りです。

(5)**正しい**。電子親和力が**大きい**というのは、原子が**電子を得る力が強い**（陰イオンになりやすい）ということを意味します。周期表の同じ横の列では、ハロゲンは最も陰イオンになりやすいので、電子親和力が最も大きいといえます。

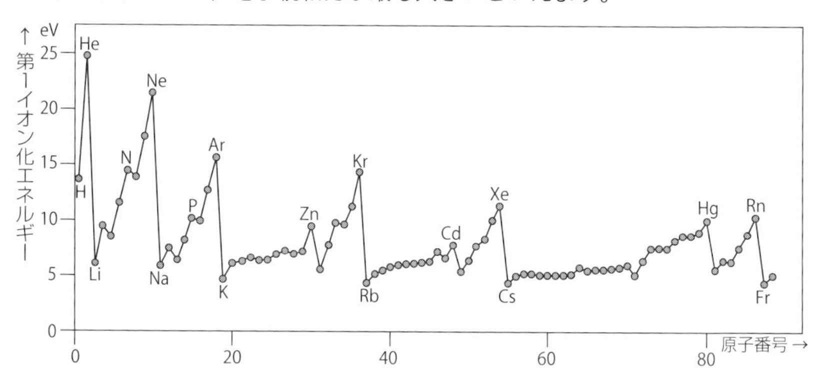

問題22 解答 (1) 速習 P.78～79

電極に用いる２つの金属の**イオン化傾向の差**が大きいほど、電池の**起電力**（電極間に発生する電位差〔電圧〕）は大きくなります。よって、(1)が正解です。

大 ←	イオン化傾向（イオン化列）	→ 小
K Ca Na Mg Al Zn Fe Ni Sn Pb (H) Cu Hg Ag Pt Au		

問題23 解答 (4) 速習 P.268

(1)**正しい**。**よう素価**とは、**油脂100g**に結びつく**よう素**の量をｇ数で表したものです。

(2)**正しい**。**よう素**という物質は、炭素の**二重結合**と結びつきやすいため、ある油脂に結びつくよう素の量を調べれば、その油脂の二重結合の数がわかります。つまり、よう素価が大きいほど二重結合の数が多いということです。

(3)**正しい**。**乾性油**や**不乾性油**の区分は、よう素価の違いによるものです。

	乾性油	半乾性油	不乾性油
よう素価	**130以上**	100～130	**100以下**
不飽和度	高い	中	低い
例	アマニ油	ナタネ油	ヤシ油

(4)**誤り**。脂肪酸１分子に含まれている**不飽和結合**（不飽和脂肪酸の場合はほとんど**二重結合**）の数を**不飽和度**といいます。上の表を見ると、よう素価が**大きい**ほど、その油脂（脂肪油）は不飽和度が**高くなる**ことがわかります。

(5)**正しい**。**不飽和結合**の部分では化学反応が起こりやすく、空気中の酸素と結びついて酸化反応が進みます。このとき発生する**反応熱**が蓄積され、やがて**発火点**に達すると**自然発火**が起こります。つまり、よう素価が大きい⇒不飽和度が高い⇒不飽和脂肪酸が多い⇒酸化しやすい⇒自然発火しやすいということです。結局、動植物油類のうち、よう素価が大きいもの（アマニ油等の乾性油）は、よう素価が小さいもの（ヤシ油などの不乾性油）よりも自然発火しやすいといえます。

問題24 解答 ⑷ 速習 P.87、P.91〜92

⑴**正しい。アルデヒド**（ホルムアルデヒド、アセトアルデヒド）は**還元性**があり、容易に酸化されて**カルボン酸**になります。
⑵**正しい。第1級アルコール**を酸化させると**アルデヒド**が生成され、さらにアルデヒドを酸化させると**カルボン酸**になります。
⑶**正しい。第2級アルコール**を酸化させると**ケトン**になります。
⑷**誤り。フェノール類**は、ベンゼン環の水素原子を**ヒドロキシ基**（−OH）で置換した形の化合物の総称です。なお、ベンゼン環の水素原子を**カルボキシ基**（−COOH）で置換した化合物は、**芳香族カルボン酸**と総称されます。
⑸**正しい。スルホン酸**は、炭化水素の水素原子を**スルホ基**（$-SO_3H$）で置換した化合物の総称です。たとえば、芳香族炭化水素のベンゼンC_6H_6に濃硫酸を加えて加熱するとベンゼンスルホン酸$C_6H_5SO_3H$が生成されます。

問題25 解答 ⑸ 速習 P.45

⑸ジメチルエーテルは分子式C_2H_6Oであり、設問の異性体には該当しません。
分子式$C_4H_{10}O$の**異性体**（構造異性体）は、合計7種類（**アルコール**で4種類、**エーテル**で3種類）存在します。

- **アルコールの4種類**
  - n-ブチルアルコール（ノルマルブタノール）（本問の⑴）
  - 第2ブチルアルコール（2ブタノール）（本問の⑵）
  - 第3ブチルアルコール（2メチル-2プロパノール）
  - イソブチルアルコール（2メチル-1プロパノール）（本問の⑶）
- **エーテルの3種類**
  - メチルプロピルエーテル
  - ジエチルエーテル（本問の⑷）
  - イソプロピルメチルエーテル

危険物の性質ならびにその火災予防および消火の方法

問題26 解答 ⑸ 速習 P.138〜139、P.197〜198

⑴**正しい。**危険物には、硫黄やカリウムなどの**単体**、塩素酸カリウムや二硫化炭素などの**化合物**、ガソリンや灯油などの**混合物**があります。
⑵**正しい。**たとえば、同じ鉄Feでも「鉄粉」は第2類の危険物とされていますが、「鉄板」は危険物に含まれていません。
⑶**正しい。第5類**の危険物は、一般に可燃物と酸素供給体が共存し、**自己燃焼性**があるため、周囲の空気から酸素供給がなくても燃焼します。
⑷**正しい。第3類**の危険物のうち**禁水性物品**には、**水**と接触して**熱**と**可燃性ガス**を生じるものがあります。
⑸**誤り。引火性液体**（第4類危険物）の燃焼は**蒸発燃焼**です。一方、第2類危険物の**引火性固体**（固形アルコールなど）の燃焼も、固体から蒸発した可燃性蒸気に引火して燃えるので**蒸発燃焼**です。表面燃焼（固体の表面だけが赤く燃える燃焼）というのは誤りです。

第6回

問題27 解答 (3) 速習 P.68、P.155～159

A **正しい**。無機過酸化物は、アルカリ金属の過酸化物およびアルカリ土類金属等の過酸化物ともに、**加熱**すると分解して**酸素**を発生します。

B **誤り**。**過酸化カリウム**は、水との反応により**熱**と**酸素**を発生し、**水酸化カリウム**を生じます。水酸化カリウムは**強塩基**です。強酸というのは誤りです。

C **誤り**。**過酸化ナトリウム**は、**加熱**すると約**660℃**で分解して、**酸素**を発生します。約100℃で分解して水素を発生するというのは誤りです。

D **正しい**。**過酸化マグネシウム**は、有機物などと混合すると、加熱、摩擦によって爆発する危険性があります。

したがって、正しいもののみの組合せは、(3) AとDです。

問題28 解答 (2) 速習 P.212

アルキルアルミニウムなど第3類の危険物のほとんどは**禁水性**の性質を有するため**水・泡系消火剤**（水・強化液・泡）は使用できません。また、ハロン1301などのハロゲン化物とも激しく反応して有毒ガスを発生するため、ハロゲン化物消火剤も使用できません。このため**炭酸水素塩類**を主成分とする**粉末消火剤**が用いられます。りん酸塩類を主成分とする粉末消火剤は不適切です。特に、アルキルアルミニウムの火災には効果的な消火薬剤がなく、消火は困難です。火勢が大きい場合には、**乾燥砂**、**膨張ひる石**などで流出を防ぎ、火勢を抑制しながら燃えつきるまで監視します。

したがって、適切な消火方法といえるものはB、Dの2つで、(2)が正解です。

問題29 解答 (3) 速習 P.187～188

A **正しい**。三硫化四りんは**黄色の結晶**、五硫化二りんと七硫化四りんは**淡黄色の結晶**です。

B **誤り**。**融点**は、三硫化四りん**172.5℃**、五硫化二りん**290.2℃**、七硫化四りん**310℃**なので、約100℃で融解するというのは誤りです。

C **誤り**。**比重**は、三硫化四りん**2.03**、五硫化二りん**2.09**、七硫化四りん**2.19**なので、比重が水より小さい（水に浮く）というのは誤りです。

D **正しい**。硫化りんは、いずれも**水**（三硫化四りんは熱湯）と反応して**硫化水素**を発生します。硫化水素は無色の**可燃性ガス**であり、**有毒**です。

E **正しい**。硫化りんが**燃焼**した場合は、**有毒**な**亜硫酸ガス**（＝**二酸化硫黄**）を発生します。

したがって、正しいものは、A、D、Eの3つで、(3)が正解です。

問題30 解答 (4) 速習 P.257

(1) **正しい**。酢酸は、**無色透明の液体**であり、**刺激臭**（酢の臭い）があります。

(2) **正しい**。**凝固点16.7℃**と常温よりやや低い程度なので、純粋な酢酸は冬期になると氷結します。このため純粋な酢酸（一般に96%以上）を**氷酢酸**と呼びます。

(3) **正しい**。**青い炎**が垂れ下がるようにして燃えます。

(4) **誤り**。酢酸は第2石油類であり、**引火点39℃**なので、常温（20℃）で容易に引火するというのは誤りです。

(5) **正しい**。水溶液は**弱酸性**で、強い**腐食性**があります。金属やコンクリートも腐食する有機酸であり、また、皮膚を腐食して火傷を起こします。

問題31 解答 (5) 速習P.284

(1)**正しい。**市販品のエチルメチルケトンパーオキサイドは、**無色透明**の**油状の液体**です（高純度のものは不安定で非常に危険なため、市販品はジメチルフタレートという可塑剤を希釈剤に用いて50〜60%に希釈しています）。
(2)**正しい。直射日光**、衝撃等によって分解し、**発火**します。
(3)**正しい。**エチルメチルケトンパーオキサイドは、**40℃以上**になると**分解**が促進されますが、**ぼろ布**、**鉄さび**などに接触すると、30℃以下でも分解します。
(4)**正しい。引火点72℃**であり、引火すると激しく燃焼します。
(5)**誤り。水に溶けず**、ジエチルエーテル（有機溶媒にも用いられる）に溶けます。水に溶け、有機溶媒には溶けないというのは誤りです。

問題32 解答 (3) 速習P.309、P.312

第6類の危険物に共通する貯蔵・取扱い・火災予防方法として、容器を密栓することが必要とされますが、(3)**過酸化水素**だけは分解によって発生したガス（酸素）で容器が破裂しないよう、**容器は密栓せず**、**通気のための穴**（ガス抜き口）のある栓をすることとされています。

問題33 解答 (2) 速習P.161

(1)**正しい。加熱**すると、**分解**して塩素酸ナトリウムと塩化ナトリウムに変化し、**360℃**付近で**酸素**を発生します。
(2)**誤り。**亜塩素酸ナトリウムは、**水に溶けます**。
(3)**正しい。酸**との混合で分解し、爆発性の**二酸化塩素ガス**を発生します。
(4)**正しい。**油脂等の**有機物**などと混合した場合、わずかな刺激で**発火・爆発**する危険があります。
(5)**正しい。**鉄、銅、銅合金その他ほとんどの**金属**を**腐食**します。

問題34 解答 (1) 速習P.190

硫黄は融点が低く、燃焼の際に融解して流動する可能性があるため、**土砂で拡散を防ぎ**ながら**注水**による消火を行う（拡散を助長しないよう**霧状**にして注水する）のが効果的です。したがって、(1)の**水**が最も適切な消火剤です。

問題35 解答 (3) 速習P.208

A **誤り。禁水性物品**は、**水との接触を避ける**必要があるので、**容器は密封**して湿気を防がなければなりません。通気口のあるふたをするというのは誤りです。
B **正しい。**湿気を避けるため、容器の破損や腐食にも要注意です。
C **正しい。保護液中**に保存しているものは、危険物が保護液から**露出しない**ようにしなければならず、保護液の減少にも注意する必要があります。
D **誤り。**黄りんは水中（保護液中）に保存するので、禁水性物品と同一の貯蔵所で貯蔵することが禁じられています。
したがって、正しいものの組合せは、(3) B と C です。

問題36 解答 ⑵ 速習 P.313～314

⑴**誤り**。硝酸自体は**不燃性**なので、硝酸の液面に発生した蒸気に火源を近づけても引火することはありません。
⑵**正しい**。**硝酸の蒸気**および分解によって生じる**二酸化窒素**のガスは、非常に**有毒**なので、吸い込まないよう注意しなければなりません。
⑶**誤り**。**日光**により分解し、**酸素**と**二酸化窒素**を発生するので、直射日光を避け、ステンレス等の容器を用いて冷暗所に貯蔵します。
⑷**誤り**。硝酸は、**銅**や**銀**などイオン化傾向の小さなものも含め、多くの金属を腐食させますが、白金と金はその例外です。したがって、濃硝酸が白金や金を腐食させるというのは誤りです。なお、**濃硝酸**と**濃塩酸**を体積比１：３で混合した液体は「**王水**（おうすい）」と呼ばれ、酸化力が強く、**白金**や**金**も溶かします（＝腐食する）。
⑸**誤り**。**発煙硝酸**は、濃硝酸に**二酸化窒素**を**加圧飽和**させたものです。濃硝酸から生じた蒸気を発煙硝酸というのは誤りです。

問題37 解答 ⑷ 速習 P.127～130、P.246

⑷の**強化液**とは、アルカリ金属塩である**炭酸カリウム**の濃厚な水溶液のことです。ベンゼンとトルエンはどちらも第１石油類（第４類危険物）で、これらの火災（**油火災**）に対しては、⑸の**霧状放射**であれば炭酸カリウムの抑制作用が働くため適応可能ですが、⑷の**棒状放射では適応しません**。したがって、⑷の消火器が不適切です。⑴⑵⑶⑸の消火器はすべて適切です。

問題38 解答 ⑸ 速習 P.297

⑴**正しい**。アジ化ナトリウムは**無色の板状結晶**であり、**比重1.8**です。
⑵**正しい**。徐々に**加熱**すると、融解して約300℃で分解し、**窒素**と**金属ナトリウム**を生じます。
⑶**正しい**。アジ化ナトリウム自体に爆発性はありませんが、**酸**と反応すると、**有毒**で**爆発性**の**アジ化水素酸**を生じます。
⑷**正しい**。水が存在すると**重金属**と作用し、極めて爆発性の高い**重金属のアジ化物**をつくります。このためアジ化ナトリウムは、直射日光や**熱**を避け、**酸**、金属粉（特に**重金属**）と隔離して、換気のよい冷暗所に保管する必要があります。
⑸**誤り**。⑵で述べた加熱分解によって生じる**金属ナトリウム**は、第３類の危険物（自然発火性・**禁水性**物品）です。火災の際はその熱によって金属ナトリウムが生じるので、**水・泡系の消火剤は厳禁**です（乾燥砂等で消火する）。したがって、注水による冷却消火がよいというのは誤りです。

問題39 解答 ⑵ 速習 P.163

黒色火薬とは、可燃物である**硫黄**と**木炭粉末**に、酸化剤として第１類の危険物である**硝酸カリウム**を混合した最も古いタイプの火薬です。可燃物の燃焼に必要な**酸素**を、⑵の硝酸カリウムが供給します。

問題40 解答 (5)　　速習 P.262

(1)**正しい**。グリセリンは**無色無臭の粘性のある液体**で、**甘味**があります。
(2)**正しい**。**比重1.3**なので、水より大きいです。
(3)**正しい**。グリセリンは第３石油類（第４類危険物）の**水溶性**の物品です。また、**吸湿性**も有します。
(4)**正しい**。**水**に溶け、**エタノール**にも溶けますが、二硫化炭素、**ガソリン**、**軽油**、ベンゼン等には溶けません。
(5)**誤り**。グリセリンは、**ナトリウム**と反応して**水素**を発生します。酸素を発生するというのは誤りです。

問題41 解答 (1)　　速習 P.185

(1)**誤り**。第２類の危険物（**可燃性固体**）は、いずれも燃えやすい＝酸化されやすい物質（**還元剤**）であり、**酸化剤**と接触または混合すると、加熱や打撃等によって爆発する危険性があるため、**酸化剤との接触や混合を避ける**必要があります。還元剤との接触を避けるというのは誤りです。
(2)**正しい**。第２類の危険物は、比較的低い温度でも**着火**または**引火**しやすい性質があります。このため**炎**、**火花**、**高温体**との接触や**加熱**を避ける必要があります。
(3)**正しい**。**鉄粉**、**金属粉**、**マグネシウム**は、**水分**と接触すると**自然発火**する危険性があるので、水との接触を避ける必要があります。
(4)**正しい**。**引火性固体**（固形アルコールなど）の燃焼は、固体から蒸発した可燃性の蒸気に引火して燃える**蒸発燃焼**なので、みだりに**蒸気を発生させない**ようにしなければなりません。
(5)**正しい**。**微粉状**のもの（赤りん、硫黄、鉄粉、金属粉、マグネシウム）は空気中で**粉じん爆発**を起こしやすいので、換気を十分に行って**燃焼範囲の下限値未満**に濃度を保つなどの対策を講じます。

問題42 解答 (3)　　速習 P.289～290

(1)**正しい**。ピクリン酸$C_6H_2(NO_2)_3OH$、トリニトロトルエン$C_6H_2(NO_2)_3CH_3$は**ニトロ化合物**（有機化合物の炭素に直結する水素をニトロ基〔$-NO_2$〕で置き換えた化合物）であり、いずれも分子中にニトロ基を３個もっています。
(2)**正しい**。ピクリン酸はかつて爆薬原料として用いられました。また、トリニトロトルエン（TNTと略す）は**TNT爆薬**として用いられています。
(3)**誤り**。ピクリン酸は、酸性なので**金属**と作用し、**爆発性の金属塩**をつくります。一方、トリニトロトルエンは、**金属とは作用しません**。
(4)**正しい**。ピクリン酸は、よう素、ガソリン、アルコール、硫黄等と混合した場合のほか、単独であっても、打撃、衝撃等により発火、爆発の危険性があります。トリニトロトルエンは、酸化されやすいものと混在すると、打撃等によって爆発する危険性があります。
(5)**正しい**。ピクリン酸は、急激に熱すると、約**300℃**で猛烈に爆発する危険性があります。トリニトロトルエンも、急熱すると発火・爆発することがあります。

問題43 解答 (1) 速習 P.309、P.315

ハロゲン間化合物は、**水**と激しく反応して有毒なガスを生じるため、**水・泡系の消火剤**（水、強化液、泡）**は厳禁**です。消火の際には、りん酸塩類を使用した**粉末消火剤**、または**乾燥砂**、**膨張真珠岩**、**膨張ひる石**などを用います。したがって、(1)が最も適切です。

問題44 解答 (4) 速習 P.115～116

(1)**危険性がある。** 2種類またはそれ以上の物質が**混合**したり**接触**したりすることによって**発火**または**爆発**の危険が生じることを**混合危険**といいます。**酸化性物質**（第1類や第6類の危険物）と**還元性物質**（第2類や第4類の危険物）が混合すると、混合危険が生じます。

塩素酸カリウムは**第1類**、赤りんは**第2類**なので、混合危険を生じます。

(2)**危険性がある。**硝酸は**第6類**、メタノールは**第4類**なので混合危険を生じます。

(3)**危険性がある。**三酸化クロムは**第1類**、グリセリンは**第4類**なので、混合危険を生じます。

(4)**危険性なし。**硫黄は**第2類**、二硫化炭素は**第4類**なので混合危険を生じません。

(5)**危険性がある。水**は危険物ではありませんが、カリウムは水と反応して発熱し、水素を発生して**発火**する（水素とともにカリウム自体も燃える）ので、混合危険の組合せです。

問題45 解答 (2) 速習 P.216、P.221～224

A **誤り。リチウム**は、**水**と接触すると、常温では徐々に、高温の場合は激しく反応して**水素**を発生します。酸素を発生するというのは誤りです。

B **正しい。りん化カルシウム**は、加熱や**水**との反応によって分解し、**りん化水素**を発生します。

C **正しい。炭化カルシウム**は、**水**と反応して熱と**アセチレンガス**（C_2H_2）を発生し、水酸化カルシウム$Ca(OH)_2$（消石灰）になります。

D **正しい。炭化アルミニウム**は、**水**と反応して発熱し、**メタンガス**を発生します。

E **誤り。トリクロロシラン**は、**水**と反応（加水分解）して、**塩化水素**（HCl）と**水素**を発生します。エタンガスを発生するというのは誤りです。

したがって、誤っているものの組合せは、(2)AとEです。

U-CAN
生涯学習の
ユーキャン